o tempo entre nós

o tempo entre nós

TAMARA IRELAND STONE

Tradução de
DÉBORA ISIDORO

ROCCO
JOVENS LEITORES

Título original
TIME BETWEEN US

Copyright © 2012 by Tamara Ireland Stone

"Gorduroy", escrito por Eddie Vedder, Dave Abbruzzese, Jeff Ament, Stone
Gossard e Mike McCready, copyright © 1994 by Innocent Bystander, Pickled Fish
Music, Scribing C-Ment Songs, Write Treatage Music e Jumpin'Cat Music

"If I Could", letra e música de Trey Anastasio,
copyright © by Who Is She? Music, Inc. (BMI)

Edição brasileira publicada mediante acordo com
Taryn Fagerness Agency e Sandra Bruna Agencia Literaria, SL.
Todos os direitos reservados.

Nenhuma parte desta obra pode ser reproduzida ou transmitida
por qualquer forma ou meio eletrônico ou mecânico, inclusive
fotocópia, gravação ou sistema de armazenagem
e recuperação de informação, sem a permissão escrita do editor.

Direitos para a língua portuguesa reservados
com exclusividade para o Brasil à
EDITORA ROCCO LTDA.
Avenida Presidente Wilson, 231 – 8º andar
20030-021 – Rio de Janeiro – RJ
Tel.: (21) 3525-2000 – Fax: (21) 3525-2001
rocco@rocco.com.br | www.rocco.com.br

Printed in Brazil/Impresso no Brasil

preparação de originais
MONIQUE DORAZIO

CIP-BRASIL. CATALOGAÇÃO NA FONTE.
SINDICATO NACIONAL DOS EDITORES DE LIVROS, RJ.

S885t Stone, Tamara Ireland
O tempo entre nós / Tamara Ireland Stone; tradução de Débora Isidoro. –
Primeira edição. – Rio de Janeiro: Rocco Jovens Leitores, 2014.

Tradução de: Time Between Us
ISBN 978-85-7980-197-6

1. Romance infantojuvenil americano. I. Isidoro, Débora. II. Título.

14-09566
CDD: 028.5
CDU: 087.5

Este livro obedece às normas do
Acordo Ortográfico da Língua Portuguesa.

Para Michael, minha aventura ousada.

Tempo é a distância mais longa entre dois lugares.
Tennessee Williams

outubro de 2011

são francisco, califórnia

Mesmo de longe percebo como ele parece jovem. Mais jovem que da primeira vez que o vi.

Ele e os amigos andaram de skate pelo Lafayette Park durante as últimas duas horas e agora se espalhavam pela grama, bebendo Gatorade e dividindo um pacote de Doritos.

– Com licença.

Oito cabeças de dezesseis anos se viraram na minha direção, primeiro confusas, depois curiosas.

– Você é Bennett? – pergunto, e espero o garoto confirmar, mesmo tendo certeza de que é ele. Eu o reconheceria em qualquer lugar. – Posso falar com você um minuto? Em particular?

Ele franze a testa, mas depois se levanta e vira o skate para impedir que role encosta abaixo. Vejo-o olhar para os amigos e dar de ombros enquanto me segue até o banco mais próximo. O rapaz se senta na ponta, o mais longe de mim possível.

Tudo nele é tão semelhante, tão familiar, que quase deslizo pelo banco para diminuir a distância, como teria feito naturalmente quando eu era mais jovem. Mas dezesseis anos se colocaram entre nós, e isso é o suficiente para me manter onde estava.

— Oi. — Minha voz treme, e torço uma mecha de cabelo cacheado no dedo antes de perceber e baixar as mãos, pressionando-as contra as ripas de madeira do banco.

— Hummm... Oi? — responde ele. E me estuda no silêncio desconfortável. — Desculpe, eu devia saber quem você é ou alguma coisa assim?

Meu instinto é dizer que sim, mas me contenho, comprimo os lábios e balanço a cabeça numa resposta negativa. Ele não me conhece. Ainda não.

— Meu nome é Anna. Aqui. — Abro a bolsa, pego o envelope branco lacrado e sorrio ao entregá-lo.

Ele pega a carta e então a vira de um lado para outro algumas vezes.

— Achei que seria melhor explicar por escrito. — As próximas palavras são as mais importantes. Com toda minha prática eu já devia ter aperfeiçoado essa parte, mas penso novamente em cada palavra só para ter certeza. — É muito fácil eu dizer a coisa errada hoje e, se isso acontecer, talvez nunca possamos nos conhecer.

Ele levanta a cabeça e me encara com os olhos muito abertos. Ninguém jamais disse a ele nada parecido antes, e minha declaração é suficiente para que ele compreenda que conheço seu segredo.

— Preciso ir. — Levanto-me. — Leia quando estiver sozinho, está bem?

Eu o deixo ali sentado e desço a encosta. Mantenho o olhar fixo em um solitário barco à vela que atravessa a baía de São Francisco, para não olhar para trás. Depois de anos de agonia pensando nesse momento, eu esperava algum alívio, mas não... Sinto apenas saudade dele outra vez.

O que acabei de fazer pode mudar tudo, ou não vai mudar nada. Mas preciso tentar. Não tenho nada a perder. Se meu plano não der certo, minha vida vai continuar como sempre: segura. Confortável. Perfeitamente medíocre.

Mas não era essa a vida que eu tinha escolhido.

março de 1995

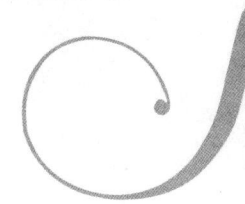

1

evanston, illinois

Balanço os braços para ativar a circulação do sangue, movo a cabeça de um lado para o outro até ouvir um estalo e inspiro profundamente o ar do começo da manhã, tão gelado que faz arder meus pulmões. Ainda assim, reúno minhas forças num agradecimento silencioso por estar menos frio do que na semana passada. Aperto a faixa de neoprene que prende meu discman à cintura, ligo o aparelho e ouço Green Day soar alto nos meus ouvidos. E saio de casa.

Faço o percurso de sempre pelo bairro até chegar à trilha que contorna a vasta superfície cristalina do lago Michigan. Ao fim da última curva tenho uma visão clara da rota até a pista da Universidade Northwestern, e então vejo o homem de colete verde. Corremos um em direção ao outro, nossos rabos de cavalo – o dele grisalho, o meu bagunçado – balançando, e levantamos a mão para um aceno rápido.

– Bom dia – digo ao passar por ele.

O sol se ergue sem pressa sobre o lago, e sigo para o campo de futebol; ao tocar com os pés a superfície esponjosa da pista, sinto uma nova onda de energia que me faz aumentar a velocidade. Estou na metade da volta no momento em que a música termina, e a seguinte me transporta para a cafeteria da noite anterior. A banda era incrível, e quando eles tocaram aquelas primeiras notas, o lugar inteiro explodiu, com todo mundo pulando e dançando junto, fazendo desaparecer por completo a linha que separa a nós, os alunos do colégio e moradores da cidade, dos universitários que estão de passagem. Olho em volta para ter certeza de que estou sozinha. Tudo o que vejo são fileiras e mais fileiras de arquibancada de metal cobertas por uma camada de neve que ninguém se preocupou em remover, e então canto alto o refrão.

Estou correndo pela pista, as pernas latejando, o coração batendo forte, os braços em movimento. Inspiro o ar gelado. Expiro vapor. Desfruto dos meus trinta minutos de solidão, quando sou só eu e minha corrida, minha música e meus pensamentos. Quando estou completamente sozinha.

E então percebo que não estou. Vejo alguém na maciez gelada da terceira fileira da arquibancada, impossível de não notar. Ele está ali sentado e com o queixo apoiado nas mãos, vestindo uma parca preta e me observando com um sorrisinho.

Olho para ele de soslaio, mas continuo correndo, fingindo não me incomodar com sua presença em meu santuário. Parece ser um aluno da Northwestern, talvez um calouro, de cabelos escuros e despenteados e traços suaves. Não parece ameaçador; porém, mesmo que seja, posso correr dele.

Mas e se eu não puder?

Minha mente traz à tona as aulas de defesa pessoal que papai me obrigou a fazer quando comecei a correr antes de o dia clarear. Joelho na virilha. Mão aberta com força no nariz.

Mas, em primeiro lugar, é melhor tentar evitar o confronto simplesmente reconhecendo a presença do agressor. O que soa muito mais fácil.

Faço a curva e movo a cabeça num cumprimento breve, olhando para ele com uma mistura de medo e determinação – desafiando-o a fazer alguma coisa, mas com medo de que se mexa. E quando passo correndo, olhando para ele, vejo seu rosto mudar. O sorriso desaparece, e agora surge uma expressão triste e abatida, como se eu tivesse de fato usado os conhecimentos de defesa pessoal para socar seu estômago.

Porém, ao seguir pela curva da pista e começar a correr em sua direção de novo, ergo o olhar para encará-lo. Ele sorri hesitante, mas é um sorriso caloroso, como se me conhecesse. Sincero, como se fosse alguém que vale a pena conhecer. E não consigo evitar. Retribuo o sorriso.

Ainda estou sorrindo quando faço a próxima curva e, sem nem pensar, viro para trás a fim de encará-lo de novo.

Ele desapareceu.

Giro no lugar e examino a pista procurando o desconhecido, depois corro para a arquibancada. No começo dos degraus, hesito por um segundo e me pergunto se ele realmente esteve ali, mas crio coragem e subo.

Ele não está lá, mas esteve. E deixou provas: a neve está amassada no lugar onde se sentou, e no degrau inferior há duas marcas mostrando onde seus pés estiveram.

E é então que noto algo mais.

Minhas pegadas são claramente visíveis na neve fofa à minha volta, mas onde as dele deveriam estar – em torno do lugar em que esteve sentado – não vejo nada além de uma grossa camada de neve intocada.

2

Corro de volta para casa e subo a escada pulando os degraus de dois em dois. Ligo o chuveiro, tiro as roupas encharcadas de suor e, nua, bebo um copo de água enquanto deixo o vapor inundar o banheiro. Meu reflexo no espelho do armário desaparece encoberto pela névoa densa, e quando não consigo mais ver minha imagem, passo a mão na superfície, abrindo sobre o vidro um caminho úmido e salpicado de gotas d'água. Estudo meu rosto outra vez. Não tenho cara de louca.

Passo todo o banho me perguntando se ele era real, a quem posso contar o que aconteceu e como vou conseguir sair dessa conversa parecendo normal. Eu me visto para ir ao colégio ainda com aquele rosto assombrando meus pensamentos, mas me esforço para tirar o episódio da cabeça e me convencer de que imaginei tudo aquilo. Mesmo assim, prometo que vou evitar a pista pelo resto da semana. Sei o que vi.

Tiro tudo isso da cabeça enquanto fecho o zíper da bota e me examino no espelho de corpo inteiro pela última vez. Passo os dedos pelos cachos, amasso-os com as mãos e balanço a cabeça de novo. Inútil.

Jogo a mochila sobre um ombro, fazendo força para continuar com o ritual matinal. Paro diante do mapa que decora a maior parede do meu quarto; fecho os olhos, toco o desenho e volto a abri-los. Callao, Peru. Bom. Eu esperava por algum lugar quente.

Pensando nos meus sonhos de viajar um dia, no último verão meu pai passou uma hora na garagem trabalhando em segredo, colando esse enorme mapa-múndi sobre um painel de espuma.

— Você pode marcar todos os lugares aonde vai — disse ao me entregar uma caixa de alfinetes vermelhos.

Fiquei ali parada olhando para a colorida vastidão de papel, para as cordilheiras topográficas e os vários tons de azul retratando as diversas profundidades do oceano. Eu via um mapa do mundo, mas sabia que aquele não era o meu mundo. O meu era muito, muito menor.

Depois que meu pai saiu do quarto, enfiei os alfinetes vermelhos no papel um a um. Minha turma tinha visitado a capital do estado no ano anterior, então, espetei um alfinete em Springfield. Uma vez fomos acampar em família em Boundary Waters, por isso espetei outro alfinete no nordeste de Minnesota. Passamos um feriado de Quatro de Julho em Grand Rapids, Michigan. Minha tia mora ao norte de Indiana, e vamos visitá-la duas vezes por ano. Era isso. Quatro alfinetes.

No início, tudo que eu conseguia ver era o patético grupo de pontos vermelhos perto do estado de Illinois, mas agora enxergo o mapa como meu pai queria que fosse. Como se ele me pedisse para ver cada centímetro quadrado com meus próprios olhos, desafiando-me a tornar meu mundinho cada vez maior, alfinete por alfinete.

Olho o mapa pela última vez e desço a escada rumo ao glorioso cheiro que vem da cozinha. Não preciso nem chegar ao último degrau para saber que meu pai está parado ao lado da cafeteira enchendo duas canecas – uma com café puro, para ele; outra com leite, para mim. Pego minha caneca da mão estendida dele.

– Bom dia. Mamãe já saiu?

– Sim, saiu antes de você. Plantão logo cedo. – Ele me vê beber um gole de café com leite, depois espia pela janela da cozinha. – Onde você correu hoje? Ainda está meio escuro lá fora. – Papai soa preocupado.

– No campus. O de sempre. – Não vou contar sobre o cara da pista. De jeito nenhum. – Aliás, está um gelo. O primeiro quilômetro foi difícil. – Sirvo-me de uma tigela de cereal com passas e me sento sobre o banquinho perto da bancada. – Pode ir comigo, se quiser – sugiro, sorrindo. Sei o que ele vai dizer.

Meu pai me olha com as sobrancelhas erguidas.

– Pode me acordar para correr em alguma manhã de junho que vou. Até lá, você não vai me fazer sair da minha cama quente para esse tipo de tortura.

– Medroso.

– Sim. – Ele assente e levanta a caneca de café num brinde debochado. – Sim, eu sou. Diferente da minha Annie. – E balança a cabeça. – Criei um monstro.

Papai me transformou em uma corredora. Ele foi finalista do Cross-Country Estadual de Illinois quando estava no colégio. Com seus dias de glória no passado, ele agora é o maluco de paletó esporte parado no fim da pista, batendo palmas e me incentivando com uma voz tão retumbante que ameaça derrubar os mais firmes carvalhos da floresta. Ficou pior agora, com o fim da temporada de *cross-country* e minha dedicação integral às pistas, onde ele está sempre por perto e não há árvores para abafar seus gritos. Apesar de ser muito constrangedor, ele é dedicado. Em troca, é o único que permito me chamar de Annie.

Papai volta ao jornal enquanto bebo meu café com leite e como o cereal num silêncio confortável. Diferente de minha mãe, que parece sempre compelida a preencher o silêncio, papai o aceita como um membro da família. Mas a buzina do carro de Emma marca o fim da quietude.

Papai abaixa um lado do jornal.

— Sua britânica chegou.

Beijo seu rosto e saio.

O carro está ligado na entrada da garagem, e caminho até ele o mais depressa que posso sem escorregar no concreto coberto de gelo. Suspiro, aliviada, quando abro a porta do novo e brilhante Saab de Emma e caio sobre o couro morno.

— Bom dia, amor — Emma Atkins gorjeia com seu sotaque britânico. Ela engata a ré e sai da entrada de casa. — Você já ficou sabendo? — despeja a pergunta, como se as palavras estivessem presas há horas e ela enfim as libertasse.

— É claro que não. — Olho para Emma e reviro os olhos. — Por que eu saberia alguma coisa antes de você?

— Garoto novo começando hoje. Acabou de se mudar para cá, veio da *Califórnia*. Pode ser bom, não é? — Apesar de conhecer muitos lugares do mundo, Emma pouco vira dos Estados Unidos além do Meio-Oeste. A Califórnia parecia, para ela, uma fantástica excentricidade americana, como creme custard congelado ou salsicha empanada em fubá e espetada em um palito.

— Qualquer coisa nova é boa — respondo e, quando olho para ela, vejo que está usando mais sombra que de costume, mais acessórios, e que vestiu a minissaia do uniforme, com a bainha ainda mais alta. Fica evidente que o garoto novo ocupou seus pensamentos desde cedo. Quando paramos em um semáforo, vejo-a esticar o pescoço para olhar o retrovisor e ajeitar o batom com o dedo. Não que precise de ajuda. Ela é inglesa, mas parece uma modelo brasileira com as maçãs do rosto salientes, definidas, e os olhos escuros e sedutores. Hoje eu nem me dei o trabalho de aplicar brilho nos lábios, e quando entrarmos juntas na escola, estando Emma toda embonecada para o garoto novo ou não, sei quem de nós fará todo mundo virar a cabeça.

Ainda mais extraordinário que o capricho extra com que se arrumou é o fato de Emma não ter pensado em pôr uma música. Abro o porta-luvas e começo a vasculhar os CDs soltos e riscados, até as pontas dos meus dedos tocarem em camurça. Pego o estojo rosa-shocking que comprei de presente de aniversário para Emma no ano passado e começo a guardar os discos nas capinhas de plástico.

— Ei, por que não está mais animada? A notícia é importante, Anna. Não temos um aluno novo desde... — Ela para de falar e batuca com os dedos no volante, como faz quando está pensando.

Nem desvio os olhos do que estou fazendo quando termino a frase por ela.

— Desde quando eu cheguei.

— É mesmo?

Dou de ombros e movo a cabeça numa resposta afirmativa.

— Sim. Oitavo ano. Espinhas e aparelho nos dentes. Cabelos com frizz. Aquela horrível jardineira xadrez de Westlake. — Pensar nela me faz arrepiar. — Aluna nova. Eu.

— É mesmo... — Ela olha pela janela e pensa nisso, como se tivesse alguma chance de eu estar errada. Depois diz: — Hum. Acho que sim. — E estica o braço para beliscar minha bochecha. — E veja só que dia bom foi aquele! Sem você, eu estaria cantando sozinha. Falando nisso, vamos chegar à escola antes de você escolher um CD. — Emma estende a mão e pega o disco no topo da pilha. — *Vitalogy*. Perfeito.

Estamos ouvindo o novo CD do Pearl Jam praticamente sem parar nos últimos três meses. Ela o introduz no tocador e aumenta o volume, chegando ao máximo que é possível sem distorcer o grave. Depois olha para mim e sorri, movendo-se no ritmo conforme as notas da guitarra na abertura de "Corduroy" começam baixas, crescendo em um ritmo constante até o carro se encher de som. Eu me inclino para trás no assento quando a bateria começa, no início mais suave, depois mais alta. Ouvimos as cinco últimas notas da introdução, e essa é nossa deixa — nos entreolhamos e cantamos.

> *The waiting drove me mad...*
> *You're finally here and I'm a mess...*

> A espera me deixou louco...
> Enfim você está aqui e eu nesta confusão...

Cantamos cada palavra em voz alta e desafinada, mas o último minuto da canção é instrumental, e é aí que realmente nos soltamos. Imito uma guitarra no ar e balanço a cabeça, enquanto Emma batuca no volante, as mãos se agitando e batendo no couro, mas tão próximas da posição "dez para as duas" quanto jamais as vi. Como se fosse capaz de coreografar nossa chegada, ela para em sua vaga habitual exatamente quando as últimas notas da guitarra morrem e desliga o motor.

— Pearl Jam vai tocar no estádio Soldier Field no verão, sabia? Devia falar com o Sardas para ele arrumar ingressos pra gente.

— Pare de chamá-lo assim. — Sufoco o riso. — O nome dele é Justin. E, sim, é provável que ele nos consiga ingressos.

Ela me olha de soslaio e levanta as sobrancelhas.

— *Provável?* Até parece, ele faz tudo que você pede. Aquele garoto é *maluco* por você.

— Não, não é. Nos conhecemos desde que eu tinha cinco anos. Somos só amigos.

— E *ele* sabe disso?

— É claro que sim. — Meus pais e os de Justin se conhecem há anos, e na maior parte desse tempo ele e eu fomos inseparáveis. Porém as coisas mudaram. Justin Reilly era como um moletom confortável, contudo agora ele é mais como um vestido de formatura. Lindo, mas incômodo.

— Tudo bem, então, será que pode perguntar ao seu *amigo* se ele arruma os ingressos do Pearl Jam para nós? — Ela está quase descendo do carro, mas para como se acabasse de ter uma ideia. — Espere, e se ele não conseguir os ingressos? E aí?

Olho para ela.

— Quer ver Pearl Jam no verão, Em? — pergunto.

Ela assente.

— É claro.

— E quando foi a última vez que não conseguiu o que queria?

Espero enquanto ela pensa. Em dá de ombros e sorri.

— Sou tão mimada assim?

— Não — minto. Emma olha para mim com aquela cara de cachorro sem dono, e continuo: — Às vezes, mas amo você mesmo assim. — E isso provoca um sorriso.

Emma e eu caminhamos do estacionamento de estudantes para a entrada lateral. Lá dentro, limpamos os pés no capacho e vemos o aquecedor sobre nós derreter a neve acumulada em nossas botas, e pela primeira vez naquela manhã reconheço uma oportunidade. Se vou contar a alguém sobre o que aconteceu na pista, Emma é a pessoa certa, e este é o momento, mas não sei por onde começar. Como vou contar à minha melhor amiga que um cara apareceu do nada, sorriu para mim e desapareceu diante dos meus olhos, deixando apenas a impressão de seu traseiro e um mistério irritante para solucionar?

— Em?

— Sim?

— Posso contar uma coisa... esquisita? — Olho em volta para ter certeza de que ninguém pode me ouvir, porque uma coisa é contar a sua melhor amiga que você pode estar ficando maluca, e outra é a notícia se espalhar e começar a dar voltas.

— É claro.

Caminhamos em direção aos nossos armários e paramos, mas, quando abro a boca para falar, Alex Camarian entra no corredor exibindo sua jaqueta de basquete e um sorriso largo, se aproxima e passa o braço sobre os ombros de Emma.

Alex encaixa o rosto entre nós duas, e escuto quando ele cochicha no ouvido dela:

— Bom dia, linda.

— Eca, Alex! — Emma reage, empurrando-o sem muita força, mas mantendo-o perto com um meio sorriso. — Não vê que estamos conversando? O que você quer?

Antes que ele possa responder, o primeiro sinal toca.

— Conto o que eu quero... — diz ele, puxando-a contra o peito — ... se andar comigo pela Rosquinha.

Emma olha para mim. Depois para Alex. Depois para o corredor circular que chamamos de Rosquinha.

Ela olha para mim de novo, dessa vez me pedindo permissão em silêncio, e respondo com o que espero ser um sorriso de incentivo enquanto Alex oferece o braço.

— Permite? — Sua tentativa de fazer uma voz sexy combina com a expressão sincera que dá a impressão de que ele quer ganhar o papel principal de uma novela brega; vejo Emma deixá-lo enganchar seu braço no dele e levá-la dali. Ela olha para trás na minha direção, dá de ombros e faz uma careta, como se não tivesse alternativa senão o acompanhar, e move os lábios para dizer *mais tarde, está bem?*.

Talvez o convite de Alex tenha sido um sinal: se estou vendo garotos que desaparecem, é melhor guardar essa informação para mim. Abro meu armário, pego os livros das três próximas aulas e um chiclete para mais tarde, e me levanto.

É então que o vejo. Fico imóvel e o encaro como se visse um fantasma, o que ele deve ser. O braço do diretor Parker descansa sobre os ombros do garoto numa atitude paternal enquanto o guia pelo corredor, passando pela multidão de estudantes, apontando portas e chamando a atenção dele para os avisos nas paredes. O diretor o leva para a primeira aula do primeiro dia na nova escola.

O aluno novo. O que veio da Califórnia. Um garoto com cabelos escuros e despenteados — e não tenho dúvida, o mesmo que vi na pista.

Eles passam direto por mim, nenhum dos dois sequer olha em minha direção. Fico ali parada, boquiaberta e pálida conforme desaparecem no fim do corredor.

3

Normalmente, sou a primeira a passar pela porta, mas hoje entro na aula de espanhol quando soa o sinal do quarto período. O *señor* Argotta olha para mim com grande surpresa, como se eu fosse a última pessoa que ele esperava ver se atrasar para a aula. O professor balança o bilhetinho amarelo de atraso na frente do meu nariz quando passo por ele.

— *Hola, señorita* Greene. — Ele tenta parecer severo, mas não consegue manter a expressão por mais de um segundo antes de relaxar e sorrir.

— *Hola, señor.* — Passo apressada por ele, primeiro de cabeça baixa, depois viro e sorrio para me desculpar conforme desabo na carteira. Tiro da mochila o caderno em espiral e procuro uma bala enquanto contemplo o mistério em que este dia se transformou.

Ele é real. Está *aqui*.

Não consigo conter a enxurrada de perguntas que inunda minha cabeça. Primeiro: onde ele esteve durante a manhã toda? Percorri a Rosquinha em todos os intervalos entre as aulas até agora e não o vi. Segundo: por que um garoto que é novo na cidade e cursa o ensino médio estaria sozinho na pista de corrida de uma universidade às 6h45 de uma segunda-feira? Terceiro: por que me olhou como se me conhecesse, mas passou direto por mim duas horas depois, como se eu fosse uma completa desconhecida? A menos... talvez ele apenas não tenha me visto. Se conseguisse encontrá-lo, eu saberia.

Onde ele está?

Alex desaba na carteira ao lado da minha, e Argotta pega o bloco de bilhetes de advertência por atraso e o balança na direção dele, adotando um tom severo e uma expressão correspondente.

— Está atrasado, *señor* Camarian — diz ele com seu sotaque pesado. Mas, segundos depois, deixa o bloco em cima da mesa, e Alex recebe o mesmo sorriso compreensivo que Argotta tinha me dado.

— Desculpe, *señor* — Alex fala para a frente da sala, e em seguida se inclina para o corredor e invade meu espaço. — *Hola*, Anna.

Pisco com o brilho dos dentes dele, ofuscada pelas agudas luzes fluorescentes.

— Oi, Alex.

Ele abre a boca para dizer mais alguma coisa, mas, antes que possa verbalizar o pensamento, Argotta pigarreia na frente da sala e começa a falar.

— Atenção, por favor! Hoje estamos recebendo um aluno novo. — Levanto a cabeça e perco o ar por um instante. — Este é Bennett Cooper. — Argotta faz uma pausa dramática, enquanto o garoto transfere o peso de uma perna para a outra e ajeita a mochila sobre um ombro. — Todos, por favor, deem as boas vindas ao nosso novo amigo e façam com que ele se sinta em casa. – Argotta aponta uma carteira atrás de mim na fileira ao lado, e o novo aluno caminha para o local indicado. – Agora, os trabalhos, por favor, todo mundo.

Vinte pares de olhos curiosos o seguem, pairam sobre ele por um momento; depois, todos os alunos se voltam para as respectivas mochilas, de onde desenterram os trabalhos grampeados sobre a admissão da Espanha na União Europeia. Meus olhos estão entre os que o seguem, mas são os únicos que não conseguem se desviar.

Bennett. O nome dele é Bennett.

Ele mantém os olhos fixos na mesa e brinca com as páginas do livro como se estivesse constrangido com tanta atenção, mas, depois de alguns momentos, levanta a cabeça devagar. Vejo seu olhar pousar sobre a porta do outro lado da sala, seus olhos se moverem em sentido horário pelo perímetro da classe e pararem de repente em mim. Porque ainda o estou encarando.

Não sei por quanto tempo minha expressão fica congelada desse jeito, mas, assim que percebo que ele me viu, um rubor sobe por meu pescoço e para o rosto, e sinto que faço a única coisa que posso àquela altura: sorrio. E espero pela retribuição, não com qualquer sorriso, mas com *aquele* sorriso. O da pista de corrida. O sorriso cheio de afeto, reconhecimento e... interesse. Mas a expressão dele não sugere nada disso. Seu sorriso é contido, quase tímido. O tipo de sorriso que se oferece a um completo desconhecido.

Não posso estar tão diferente depois de trocar as roupas de corrida pelo uniforme. *Por que ele finge não me reconhecer?* Percebo que ainda o encaro, e agora a ponta das minhas orelhas queima e todo o meu rosto está em brasa. Viro o corpo na cadeira e me abaixo para abrir a mochila, procurando uma distração. Meu cabelo faz cócegas no nariz, por isso quando levanto a cabeça junto as mechas encaracoladas, torço-as em volta do dedo e espeto um lápis no centro do coque para prendê-lo.

Vinte minutos mais tarde, Argotta traz minha atenção de volta à sala quando, abrindo os braços, exclama:

— Hoje vamos nos dividir em quatro grupos, está bem?

Olho para o meu caderno e descubro que as páginas estão cobertas de palavras, frases e conjugações, o que é surpreendente, porque não me lembro de ter ouvido uma palavra do que disse o professor. Ele aponta para Courtney Breslin na primeira fileira e diz:

— Comece a contar, *señorita*! *Por favor.*

— *Uno.* — E a contagem continua, percorrendo a sala até chegar em mim.

— *Cuatro* — digo, depois escuto. E me esforço muito para não virar a cabeça.

Alguns minutos mais tarde, ouço o que estava esperando. A voz sobre meu ombro diz:

— *Uno.*

No fim da contagem, Argotta grita:

— Podem se juntar.

E começamos a nos mover pela sala, ocupando os lugares que nos foram designados pelos números. Estou no Grupo Quatro; Bennett ficou no Grupo Um — do outro lado da sala. É assim que vamos ficar até o fim da aula. Tão depressa quanto apareceu atrás de mim, ele agora está o mais longe possível; mas desse ângulo posso estudá-lo melhor, pelo menos.

Seu uniforme é como o de todos os meninos: calça preta e camisa oxford branca embaixo de um suéter preto com gola em V. Acho que ele está usando botas Doc Martens, mas é difícil ter certeza daqui. É fácil perceber o que é diferente: seu cabelo. A maioria dos garotos adota um estilo conservador, quase repartido. Outros exibem cortes ultracurtos ou deixam a parte de cima mais comprida, mas raspam as laterais. Porém, nenhum deixa o cabelo comprido *assim*. Bennett tem cabelos desarrumados que caem um pouco sobre as sobrancelhas e parecem não ver uma escova há dias. Não lembro o que ele vestia na pista de corrida, mas o cabelo... É o mesmo, definitivamente. Disso eu me lembro.

Quando o sinal toca trinta minutos mais tarde, todos se levantam e caminham para a porta, bloqueando minha visão. Fico em pé e pego a mochila, decidindo ir falar com ele a caminho do almoço, mas tudo o que vejo é sua cabeça desaparecendo além da porta.

Quando atravesso a porta dupla para o refeitório, eu o vejo imediatamente. Está sentado sozinho em uma mesa de canto, com as costas voltadas para as janelas panorâmicas. Passo pelo bufê de salada, pego uma banana e encho um copo grande com Coca, o tempo todo olhando de soslaio na direção dele. Na verdade, não corro o risco de ser vista. Nos cinco minutos que levo para pegar minha comida, ele não levanta a cabeça nem uma vez. Fica ali sentado, segurando um livro com uma das mãos enquanto belisca a comida com a outra.

Danielle já está plantada em nosso lugar habitual, e olho depressa na direção de Bennett quando deixo minha bandeja sobre a mesa. Ele come porções de gelatina vermelha sem desviar os olhos do livro.

— Já está de olho no garoto novo? — pergunta Danielle.

Olho para ela surpresa, depois entro em pânico.

— Não. — Sento-me e pego o copo. — Por quê?

— Ah, fala sério! Eu vi você. Nunca tinha visto alguém se servir de salada com os olhos grudados em uma pessoa a cinco metros de distância. Impressionante. Que habilidade!

A ponta das minhas orelhas começa a queimar. De novo.

Ela ri e bebe um pouco de Coca.

— Você é talentosa, Anna, mas não é nada sutil. — E se aproxima para me tranquilizar com um tapinha no braço. — Não se preocupe. Ele não percebeu. Acho que não tirou os olhos daquele livro nem uma vez.

Emma chega ofegante, deixa a bandeja sobre a mesa e se senta.

— Então... o que descobrimos? — Ela pronuncia a última palavra com um tom mais agudo.

Danielle dá de ombros e inclina a cadeira para trás, equilibrando o peso sobre as duas pernas traseiras e olhando para o outro lado do refeitório sem nem tentar disfarçar.

— Ele parece... fora do ar. Acha que ele se dá conta de que tem mais gente na sala?

— Ele parece mais velho, eu acho — opina Emma.

Finjo olhar em volta antes de deixar meus olhos pararem nele de novo. Não é que ele pareça mais velho... Na verdade, tem até cara de bebê. Concordo com Danielle. Bennett parece indiferente, como se não se importasse por estar ali — ou não se incomodasse por estarmos todas olhando, especulando *por que* ele está ali — e só isso já o torna mais interessante. Para mim, pelo menos.

— Hummm... Acho que estou desapontada. — Emma olha diretamente para o garoto, analisando cada detalhe. Depois nos encara, os olhos muito abertos, o nariz franzido. — Definitivamente, ele não é o que eu esperava. Parece com todos os outros garotos dessa cidade fria e horrível. Não é bronzeado. Não tem cabelo louro de surfista gato. — Ela morde um pedaço de pão. — Eu não devia ter criado expectativas.

— Talvez este seja um cabelo de surfista — sugere Danielle.

— Como você sabe como é o cabelo de um surfista?

— É comprido, sabe? — Emma balança os dedos perto da cabeça. — E legal. Não é — e aponta o polegar para a mesa de Bennett — aquela vassoura ali.

— Ei, parem com isso. Deem um tempo. — As duas me encaram, as sobrancelhas desenhadas e erguidas compondo expressões idênticas. — O que é? — Dou de ombros e bebo um gole de refrigerante pelo canudinho, deixando o líquido gelado descer pela garganta e esfriar meu rosto.

Emma enfim pega uma porção de salada e leva o garfo à boca, e por uma fração de segundo eu acredito ter escapado. Mas então ela para.

— Tudo bem, eu pergunto. — Alfaces e tomates estão suspensos diante de seu rosto. — Por que se importa com o que estamos pensando?

— Não me importo. É só que... isso é maldade.

— Não estamos sendo maldosas! — Emma olha para Danielle. — Estamos?

Danielle balança a cabeça.

— Não acho que fomos maldosas.

— Estávamos só observando. Como... cientistas. — Ela olha para mim com um sorrisinho debochado e leva o garfo à boca.

Suspiro e pego meu sanduíche. Emma tem razão. Por que me *importo* com o que elas pensam? Nem conheço o garoto. E como ele não parece me reconhecer, começo a me perguntar se tudo aquilo na pista de corrida hoje de manhã de fato aconteceu.

Emma e Danielle estão me observando atentamente e trocam olhares significativos enquanto comem. Depois de um tempo, Emma olha para Danielle com aquela expressão de "não se preocupe, já entendi tudo" e crava em mim seus olhos suaves, dedicando-se ao que sabe fazer melhor: induzir as pessoas a dizer coisas que não querem dizer. É como um superpoder, ou algo assim.

– Anna? – pergunta, cantarolando. – O que está acontecendo?

Olho para ela dando a entender que conheço o truque, que não vou cair nele, mas acabo cedendo. Enterro o rosto entre as mãos.

– Não é nada. É só esquisito. – Tento murmurar, mas minha voz soa alta o suficiente para elas escutarem. Emma remove gentilmente minhas mãos da frente do rosto e me faz encará-la.

– O que é esquisito? – Então ela se lembra da manhã de hoje, e as coisas se encaixam. – Espere, isso tem a ver com a coisa esquisita que ia me contar antes da aula?

Olho em volta e verifico se mais alguém está perto o bastante para me ouvir. Quando me viro de novo, descubro que Emma e Danielle estão inclinadas em minha direção, tão próximas que seus rostos quase se tocam.

Olho em volta mais uma vez antes de me inclinar para elas.

– Muito bem. – Deixo escapar um suspiro. – Então... eu estava correndo na pista da Northwestern hoje de manhã. Dei algumas voltas, e, de repente, levantei a cabeça e vi um cara sentado na arquibancada, me observando. No início, o ignorei, continuei correndo. Ele continuou me observando. Mas quando fiz a curva... – Parei a fim de olhar o refeitório outra vez. – Ele havia sumido. E estou dizendo *sumido* sumido. Simplesmente... desapareceu. – Omito a parte sobre como ele sorriu para mim.

– Tudo bem, isso é esquisito mesmo – concorda Emma, e me olha espantada. Ela deve ter visto em minha expressão alguma indicação de que havia mais, porque pergunta: – E?

Movo o queixo na direção da mesa de Bennett.

– E era *ele*. – Em voz alta, a situação parecia ainda mais esquisita do que na minha cabeça.

Emma e Danielle se viram na cadeira para olhar de novo para o garoto.

– Tem certeza? – pergunta Emma sem tirar os olhos de Bennett.

Meu olhar as segue diretamente para a mesa dele.

– Parece ser a mesma pessoa. O mesmo tamanho. Definitivamente, o mesmo cabelo. O mais estranho era que, na pista, ele olhou para mim como se... soubesse quem eu era, entende? Mas agora nem parece me reconhecer. – Elas ainda o encaravam. – Por favor, parem de olhar.

– O garoto não é tão feio, acho – diz Danielle.

– É, se não prestar atenção ao cabelo, é até bonitinho – concorda Emma.

Mas, quando olha para mim novamente, sua expressão é séria, quase maternal.

– Mas, sabe, essa história da pista de corrida é meio estranha.

Observo o garoto. Se percebeu que estamos falando dele, analisando cada detalhe, ele não demonstra.

— Verdade! — exclama Danielle, e desconfio do otimismo em seus olhos. — Vá até lá e pergunte!

Reviro os olhos diante do sorriso encorajador, mas, antes que eu possa responder, Emma se manifesta.

— Boa ideia. — Ela bate as mãos abertas sobre a mesa e se levanta com uma declaração enfática. — Vamos esclarecer tudo isso.

— O quê? Não! — Prendo os cabelos atrás das orelhas. — Por favor, não. Juro, se forem lá, não falo mais com vocês.

Emma para e olha para mim.

— Eu quero ajudar.

Ranjo os dentes e a encaro com ar sério.

— Emma. Atkins. É sério. Por favor, não faça isso.

Emma volta para a mesa.

— Olha, ele estava a observando, a assustou e agora está agindo como se nada tivesse acontecido. Quero saber por quê.

— Ela se vira e caminha na direção dele outra vez, e antes que eu tenha tempo de pensar em sair correndo, Emma já chegou à mesa do aluno novo. Paralisadas e impotentes, Danielle e eu a vemos invadir o espaço do garoto com um aceno rápido. Eles trocam um aperto de mãos e algumas palavras antes de Emma apontar para nós.

O garoto marca a página do livro, fecha-o e o enfia na mochila, depois pega a bandeja e acompanha uma sorridente Emma até nossa mesa. Eu provavelmente pegaria mais do que uma detenção se tentasse esganá-la assim que ela se aproximasse da mesa, mas nem por isso deixo de considerar a possibilidade.

— Meninas — Emma estende um braço na direção do nosso convidado —, este é Bennett Cooper.

Ele sorri para nós duas, depois olha para Emma com ar de expectativa.

– Sente-se aqui. – Emma puxa uma cadeira vazia, depois se senta na dela. – Então, Bennett, essa é Danielle. E essa... – ela faz uma pausa numa tentativa patética de conseguir um efeito dramático – ... é nossa estrela das pistas de corrida. – E aponta para mim. Os olhos de Bennett encontram os meus.

– *Cross-country* – corrijo.

– Tanto faz. – Emma dá de ombros e olha de novo para Bennett. – Ela é corredora. – E vira a cadeira para poder encará-lo. – Mas você já sabe disso, não é? – O olhar acusador é penetrante e determinado.

Ai. Meu. Deus.

Ele olha para Emma. Depois para mim. E para ela de novo.

– Não sei se entendi o que quer dizer.

– Vocês dois não se viram hoje de manhã na pista da Northwestern, Bennett? – pergunta ela, incisiva e crítica como uma advogada interrogando seu suspeito. Emma toca meu ombro. – Ela corre lá antes de o dia amanhecer. E viu você lá. Olhando para ela.

Sim. Emma ia morrer.

– Northwestern? – Ele franze o cenho e olha para nós. Como se nunca tivesse ouvido falar na universidade que domina a cidade. – Lamento, mas isso é impossível. Eu me mudei para cá no fim de semana. Ainda não conheço nem *este* campus, imagine o da universidade. – Olha diretamente para mim e sorri, um sorriso sincero de quem diz a verdade, e mesmo não sendo o mesmo sorriso, é muito mais parecido com aquele que vi na pista de corrida. Parecido o bastante para me fazer ter mais certeza de que era ele. – Deve estar me confundindo com outra pessoa.

Não estou. Eu o encaro com nervosismo, esperando ouvi-lo dizer que está brincando e estender o braço por cima da mesa para bater no meu braço de um jeito simpático. Mas ele continua ali sentado. Olhando para mim como se me visse pela primeira vez. E como se eu fosse maluca, talvez.

— Tem certeza? Você vestia uma parca — falo afinal.

Lá está outra vez. Seu sorriso ainda sugere confusão, ainda insinua total desconhecimento, mas é simpático. Doce. O *mesmo*.

— Sinto muito, não tenho uma parca — declara ele. — Não era eu. — Quero acreditar, mas não consigo, e quando olho para Emma vejo em seu rosto aquela mesma expressão que me faz pensar que ela também não acredita.

Mesmo assim, decido não insistir e tento retribuir a simpatia que vejo nos olhos do garoto.

— Você é... idêntico a ele. Acho que me enganei. — Espero que meu rosto não revele que estou mentindo. E constrangida. Estendo a mão por cima da mesa. — Sou Anna.

Ele já estava se inclinando para apertar minha mão, mas para no meio do caminho.

— Anna? — E me encara incrédulo. — Seu nome é Anna?

— Hummm, sim... Devia ser outra coisa? — pergunto, surpresa ao ouvir em minha voz um tom de flerte.

— Então agora o *nome* dela traz uma lembrança! — diz Emma a Danielle em voz alta demais.

Ele continua a me encarar, e por uma fração de segundo vejo em seu rosto um lampejo de reconhecimento que me lembra do olhar que vi na pista hoje de manhã. Mas em seguida ele supera o momento e aperta minha mão.

— É um prazer conhecer você, Anna. — A voz agora soa forçada, o aperto de mão é tenso, e tudo que sugeria reconhecimento é substituído por frieza. Bennett solta minha mão e olha para Emma e Danielle, cumprimentando cada uma com um movimento de cabeça, um aceno formal. – É um prazer conhecer vocês também. – Depois se levanta, leva sua bandeja até a lata de lixo no centro do refeitório, e vejo-o sacudir a cabeça ao se dirigir à porta dupla e desaparecer em direção à Rosquinha.

– Certo, *isso* foi esquisito – suspira Emma. – Mas, pelo menos, está feito. – E bate as mãos uma na outra como se quisesse limpá-las depois de um serviço sujo.

Sei que ela só queria me proteger, mas isso não me faz me sentir melhor sobre ter feito papel de idiota. Palavras como *mais que desconfortável* e *mortificante* e *por quê?* saltitam dentro da minha cabeça, e quero transformá-las em frases coesas e pronunciá-las; mas não consigo raciocinar. Além disso, Emma sabe que sempre cumpro o que prometo: não falo mais com ela.

O pequeno grupo de sinos pendurados desde sempre na porta da livraria tilintam; papai levanta os olhos atrás do balcão. Jogo a mochila para lá e a deixo cair com um baque.

– O que aconteceu? – A voz de meu pai soa preocupada.

Saí sem me despedir de Emma e percorri a pé três quilômetros de tundra congelada. Ainda estou batendo os dentes, meu rosto está vermelho e ressecado pelo frio, e neste momento não há no mundo lápis grande o bastante para segurar meu cabelo no alto.

– Nada. – Ajeito o cabelo e o distraio com uma pergunta. – O movimento ficou fraco o dia todo?

Papai olha em volta, analisa a livraria vazia que meu avô comprou quando se aposentou do cargo de professor na Northwestern há quinze anos.

– Março é sempre assim. Depois das provas finais o movimento vai aumentar.

Papai me vê tirar da mochila uma camiseta para trocar, depois extrair livro após livro e empilhá-los sobre a mesa.

– Bom Deus, quantos livros consegue enfiar aí dentro? Essa mochila parece um carro de palhaço. – Ele ri, mas sei que está realmente perplexo com quanto minha experiência em Westlake Academy parece ser diferente da que teve em Evanston Township.

– Foi você quem quis que eu fosse para aquela escola chique – lembro, brandindo um dos meus livros mais pesados.

Papai o pega, faz uma careta, fingindo que o livro é pesado demais para levantá-lo, e o deixa cair sobre a mesa.

– Você é uma estrela do rock. – E me beija na testa a caminho da porta. – Logo vai começar a nevar – diz, fechando o zíper da parca e enrolando o cachecol no pescoço. – Ligue para mim se quiser carona para casa, está bem?

– São só três quarteirões, papai.

– Sei que você é destemida e indestrutível, mas telefone se mudar de ideia, está bem?

Reviro os olhos.

– Pai. Três quarteirões.

Ele está prestes a abrir a porta de vidro quando percebo que a caminhada da manhã seguinte será muito mais longa. E mais fria.

– Ei, pai. – Ele se vira, uma das mãos tocando a barra de metal da porta. – Aceito a carona para a escola amanhã de manhã... Tudo bem?

– Ah. Por acaso a Emma tem consulta médica ou coisa assim?

– Não.

Parece que vai me perguntar o que está acontecendo, mas decide deixar pra lá, já que apenas dá de ombros e diz:

– Claro. – E os sininhos tocam quando ele sai.

4

— O que estou fazendo? — pergunto-me em voz alta ao aplicar a segunda camada de brilho labial. Olhando para o espelho do banheiro feminino, passo o rímel, depois reviro os olhos para meu reflexo.

Tá, ele é bonitinho. Mas isso não justifica o esforço que tive hoje cedo para decidir qual brilho passar. Não sou o tipo de garota que põe maquiagem no banheiro da escola, e estou me sentindo meio maluca. Ontem pensei que estava doida por ter visto coisas. Acho que prefiro aquela loucura a essa de hoje.

Quando saio do banheiro e me dirijo à sala do quarto período, começo a sentir... a descarga de adrenalina que costumo associar ao último quilômetro de uma corrida. Paro por um momento do lado de fora da sala a fim de recuperar o fôlego e me lembro de entrar como havia planejado, aparentando frieza e desinteresse. Sacudo os braços, alongo o pescoço movendo a cabeça para a frente e para trás e respiro fundo pela última vez antes de entrar.

Vejo Bennett imediatamente. Está reclinado na carteira, girando o lápis entre os dedos. Eu esperava que desviasse o olhar quando fizéssemos contato visual, mas não é o que acontece. Na verdade, seu rosto parece se iluminar, como se estivesse feliz por me ver. Depois baixa os olhos, ainda sorrindo sozinho, e começa a rabiscar. E não levanta mais a cabeça.

Eu me sento e solto o ar que não percebi que estava prendendo. Tentando me ocupar, pego o dever de casa na mochila enquanto todos ainda estão entrando, despreocupados.

Quando o sinal toca, Argotta levanta os braços e grita:

– Prova relâmpago!

Felizmente, o coro de gemidos e o barulho de folhas sendo arrancadas dos cadernos abafa o som do meu coração batendo acelerado no peito.

Minhas palmas estão suadas, e tenho certeza de que o calor de meu corpo é suficiente para fazer meu cabelo encaracolar. Sem pensar, jogo o cabelo para trás, faço um rabo de cavalo, torço e seguro no topo da cabeça com uma das mãos, enquanto procuro uma presilha dentro da mochila. Toco livros, uma coleção de embalagens de chiclete, um tubo de pastilha Certs, uma capinha de CD, mas nenhuma presilha, nenhum elástico de cabelo. Olho para o lápis em cima da mesa, que sempre funciona nessas horas, mas só tenho um e vou precisar dele para fazer a prova. O braço erguido começa a formigar, e estou quase desistindo quando escuto um ruído atrás de mim.

– Psiu.

Viro a cabeça sem soltar o cabelo.

Talvez seja por estar debruçado sobre a carteira, mas Bennett agora parece muito mais próximo de mim do que ontem. Ou talvez seja apenas a proximidade física; também é a combinação da distância e a expressão no rosto dele. Os olhos não são vagos como eram ontem, quando o encarei na aula, ou confusos, como quando minha melhor amiga o acusou de ser um perseguidor esquisito. Hoje seus olhos estão suaves, como se sorrissem sozinhos, e noto que têm um tom interessante e esfumaçado de azul, com pequenas manchas douradas que refletem a luz. Quando afinal percebo o que estou fazendo – olhando nos olhos dele como uma idiota –, baixo o olhar para a boca e descubro que não são só os olhos que estão sorrindo. A boca também está. Como se ele se divertisse. Como se risse de mim. E é então que percebo que perdi alguma coisa.

Ele aponta com o queixo, tentando desviar minha atenção de seu rosto para a mão que mantém estendida em minha direção o tempo todo. A mão que segura um lápis.

Olho para a mão e de novo para seus olhos, confusa. Então, compreendo o que ele está fazendo e aceito o lápis.

Obrigada, digo com movimentos silenciosos dos lábios.

Viro para a frente da sala, prendo o cabelo com o lápis e fico constrangida quando percebo que, enquanto isso, estou revelando o rubor que sobe por minha nuca. Respiro fundo e me obrigo a prestar atenção ao teste, que já começou, mas não consigo impedir o sorriso que distende meus lábios.

Ele *estava* prestando atenção em mim ontem. Notou como eu prendo o cabelo.

Deve ser só um lápis amarelo comum nº2 Dixon Ticonderoga, exatamente igual ao que estou usando para responder a esta prova relâmpago ridícula, mas, enroscado no meu cabelo, segurando as mechas no lugar, parece muito com o que aconteceu entre nós ontem na pista de corrida: uma conexão.

De alguma forma consigo passar o dia todo sem encontrar Emma. Até agora.

Tinha terminado o treino de corrida e estava saindo do vestiário, caminhando para o estacionamento de alunos e conversando com algumas das minhas colegas de equipe quando a vi. Ela se dirigia ao carro com o taco de hóquei na grama pendurado ao lado do corpo, e mesmo sabendo que devia ter suado durante o treino, não vejo nela nenhum sinal disso. A maquiagem está perfeita, e a touca e as luvas de lã combinam com o aplique no agasalho. Olho para o meu moletom. Acabei de sair do chuveiro, sequei o cabelo com a toalha e o prendi embaixo do boné de beisebol para impedir que congele durante a caminhada para casa.

– Vou ligar o aquecimento! – grita ela ao me ver. Depois de abrir a porta e ligar o motor, sai do carro e se apoia ao capô para me esperar.

Olho para o céu e vejo as nuvens negras se formando, prontas para expressar sua fúria na forma de neve pesada. Olho de novo para Emma, que sorri acenando para mim. Por um segundo, minha determinação derrete um pouco e me imagino sentada no assento quentinho. Realmente não quero ir para casa a pé. Mas de jeito nenhum, *nenhum*, vou deixá-la escapar dessa com facilidade.

Continuo andando com o grupo e passo direto pelo carro dela.

– Anna! – Identifico o choque e a mágoa na voz dela. – Espere. – O som dos tênis batendo com cuidado no chão atrás de mim, se aproximando, me faz acelerar um pouco os passos.

– Sério, você não pode parar e falar comigo? Estou tentando me desculpar. – Minhas colegas de equipe olham para mim, depois se entreolham. Aceno para elas e reduzo a velocidade dos passos para Emma poder me alcançar.

Ela me segura pelo ombro.

— Me desculpe, de verdade. — Seu remorso soa genuíno, e o sotaque britânico a faz parecer tão sincera que sinto vontade de abraçá-la e perdoá-la sem dizer mais nada. Mas não esqueci a vergonha que senti ontem, como ela me fez passar por idiota. Por isso a encaro em silêncio. — Desculpe — repete e me abraça. Quero retribuir o abraço, mas continuo imóvel.

Emma me solta, e quando ela recua noto o quanto está magoada. Mas logo sua expressão se suaviza e ela estende as mãos, segura meu rosto e aperta minhas bochechas com as mãos enluvadas.

— Eu fui uma idiota. Por favor, não fique mais zangada comigo. Não suporto isso.

Eu suspiro.

— O que você fez não foi legal. — Minha voz sai distorcida, porque ela continua me apertando tão forte que faço boca de peixinho.

— Eu sei. Mas você me ama do mesmo jeito, certo? — Ela afaga minhas bochechas. — Certo? Só um pouquinho? — E não precisa de mais nada. Porque a amo. Quando tento não rir, minha boca deve ficar ainda mais engraçada, porque Emma não contém uma gargalhada, e isso nos faz rir de verdade.

Finalmente ela para de me apertar, mas continua segurando meu rosto.

— Sinto muito, de verdade. Acho que me deixei levar. Não queria fazer você passar vergonha.

Mordo o lábio.

— Mas fez.

— Eu sei.

— Por favor, nunca mais faça isso.

— Não vou fazer. — Ela promete com um sorriso e um movimento de cabeça. Depois segura meus ombros e dá dois beijinhos no ar bem perto do meu rosto. Minhas bochechas ainda estão vermelhas após todo aquele aperto. — Podemos entrar no carro agora? — Ela range os dentes e treme.

Quando movo a cabeça numa resposta afirmativa, Emma me leva ao Saab. Ela até abre a porta para mim e espera que me acomode antes de ir se sentar ao volante.

— Para onde? — pergunta. — Quer tomar um café?

— Não posso. Hoje é terça-feira.

— Certo, noite do jantar em família. — E sai da vaga no estacionamento quase vazio. Ficamos em silêncio por alguns segundos, e espero ela estender a mão e ligar o som alto como sempre faz, mas, em vez disso, Emma olha para mim. — Então, ainda acha que o garoto novo é o mesmo que estava espionando você na pista de corrida?

Dou de ombros.

— Não sei. — Abro a boca para contar a Emma sobre o lápis, mas desisto. Para alguém que já o considera esquisito, o gesto pode parecer sinistro, em vez de encantador. Pensando bem, talvez *eu* devesse achar aquilo sinistro, em vez de encantador. Levanto a mão e toco minha cabeça. Havia esquecido que agora usava um boné, e que o lápis estava guardado dentro da minha mochila.

— Quer minha opinião? — pergunta Emma.

— Tenho escolha?

— Não. Fique longe dele. Não sei o que é, mas tem alguma coisa... que não encaixa ali.

— Ah, por favor. Está falando isso por causa da história da pista. Ele disse que nunca esteve em Northwestern. Talvez eu tenha me enganado. – Não sei ao certo por que o estou defendendo, e ainda tenho certeza de que *não* me enganei, mas acho que consigo soar bem convincente.

– E a reação que ele teve quando ouviu seu nome?

Sim. Isso tinha sido esquisito. Dou de ombros.

– Olhe só para você. Acha que ele é bonitinho. – Seu sotaque se torna mais intenso.

– Eu nem o conheço.

– Não precisa conhecê-lo para achar que ele é bonitinho.

– É claro que preciso. – Olho pra ela. – Estou só... curiosa, só isso. – Mas, sendo honesta, Emma pode estar certa. Trocamos alguns olhares sem importância, e ele me emprestou um lápis, e isso, de alguma maneira, deu a ele o direito de se enfiar na minha cabeça e não sair mais de lá.

O carro derrapa quando ela para na frente de casa, deixando um espaço de meio metro entre a porta do meu lado e a calçada coberta de neve. Emma olha para mim.

– A propósito, senti sua falta hoje de manhã.

– Eu também. – Finalmente a abraço. Saio do carro e fecho a porta atrás de mim, e ela vai embora levantando um jato de neve suja.

– Pegue uma faca! – A voz melodiosa de minha mãe atravessa o espaço desde a cozinha até o corredor, superando Pavarotti e seu tenor retumbante. Sigo o aroma delicioso de cebolas e pimentões assados e encontro mamãe trabalhando duro na cozinha.

– Oi, querida! – Ela sorri para mim e volta a cuidar do molho. Está usando um avental preto sobre as roupas de hospital, e seus cachos escuros – foi dela que herdei os meus – estão presos por uma fivela no topo da cabeça, embora algumas mechas tenham escapado para emoldurar o rosto. Ela canta acompanhando a canção italiana enquanto corta os tomates maduros.

– Pode fatiar a muçarela de búfala? – Com a faca, aponta a bolinha de queijo branco molhado em cima da bancada. – Como foi na escola?

Vejo minha mãe cortar o último tomate e jogar tudo na panela alta, mexer um pouco e sentar-se sobre uma das banquetas na minha frente. Ela apoia os cotovelos sobre a bancada, e paro de cortar o queijo para olhá-la. Mamãe espera que eu conte tudo, porque hoje é terça-feira – dia em que cozinhamos e eu conto quem está saindo com quem, quem está brigando com quem, quem não está se dando muito bem nas pistas de corrida. Então pergunto a ela sobre as coisas no hospital, e mesmo imaginando que tudo lá é muito corriqueiro e que aquele é um lugar triste para passar o dia, minha mãe consegue dar a impressão de que trabalha em um cenário de *Plantão médico*, criando histórias dramáticas sobre pessoas que conseguiram escapar, mesmo quando parecia não haver esperanças, médicos que flertam com enfermeiras, e pacientes que flertam com médicos. Fico feliz por ela gostar do que faz, especialmente por saber que minha mãe só voltou a trabalhar para ajudar a pagar a mensalidade da Westlake. Foi ideia dos meus pais me mandar para lá, mas os dois precisam trabalhar para pagar por isso. O jantar de terça-feira é a única coisa que eles pedem em troca.

– Então? – Seus olhos estão muito abertos e parecem prestes a explodir. – Vamos lá. Conte como foi sua semana. Alguma coisa interessante?

Ouço-me dizer "foi tudo bem" e baixo os olhos para a tábua de corte. Deslizo a faca pela muçarela e vejo as fatias se empilhando sobre a tábua.

– E você? Como foi seu dia? – Minha voz soa aguda demais, falsa.

Não olho diretamente para ela, mas de rabo de olho percebo que minha mãe se move na banqueta, desconfortável como se não soubesse o que fazer, e os segundos se arrastam até ela falar novamente.

– Ah, vamos lá! – diz mamãe afinal. – Não pode ser minha vez já. – Ela se levanta para ir ver o molho, cantarolando de novo com a música enquanto mexe o conteúdo da panela, depois volta ao seu lugar junto da bancada. – Vamos lá – repete, sorrindo e quase implorando. – Deve ter acontecido *alguma coisa* interessante.

Quero muito contar toda a verdade. Ontem, alguém desapareceu diante dos meus olhos. Quase recebi uma advertência por atraso pela primeira vez na vida. Voltei para casa a pé, porque até trinta minutos atrás minha melhor amiga e eu não estávamos nos falando. E tem um lápis na minha mochila que não devia ser tão importante. Quero dizer a ela que, até agora, nada nessa semana foi normal, e só isso já é interessante. Principalmente, quero dizer a ela que tem um garoto no centro de toda essa empolgação, para ela poder me perguntar se ele é bonitinho, e eu poder corar e assentir. Em vez disso, continuo olhando para a tábua de corte e digo:

– Tirei um A naquele trabalho de anatomia que você me ajudou a fazer na semana passada.

Ela força um sorriso modesto.

– Ah, bem... isso é bom. – Sinto que mamãe continua me observando fatiar a muçarela, esperando que eu fale mais.

Faço movimentos lentos, esperando passar o tempo certo para poder anunciar que agora é a vez dela falar. Depois de alguns minutos, ouço minha mãe tamborilar com os dedos na bancada. Enfim, quando não consegue mais suportar o silêncio, senta-se com as costas eretas e diz: – Tudo bem, minha vez. – E começa uma longa história sobre uma enfermeira que foi pega beijando um paramédico no estacionamento das ambulâncias.

Quinze minutos mais tarde, ouço a porta da frente abrir e fechar.

– Cheguei! – grita meu pai do hall.

Quando ele aparece na cozinha, mamãe e eu estamos em pé perto da bancada, colocando camadas de massa, molho e queijo em um refratário fundo.

– Oi, Annie. – Ele se inclina e beija minha cabeça.

– Oi, papai. – Tiro os dedos sujos de molho de tomate e queijo da lasanha e aceno para ele.

Mas, antes que papai possa dar mais um passo, mamãe se vira e segura seu rosto com as mãos sujas de molho.

– Oi, meu bem.

Papai recua dois passos, as bochechas cobertas por marcas vermelhas, e nós duas olhamos para ele, esperando sua reação. Papai fica ali parado, perplexo. Depois balança a cabeça e beija a ponta do nariz de minha mãe.

– Vou me lavar – anuncia.

– Faça isso – concorda mamãe, rindo, e nós duas gargalhamos ao terminar nossa criação com uma generosa camada de queijo ralado. O refratário vai para o forno, mamãe vai para o chuveiro, eu subo para o meu quarto a fim de começar o dever de casa.

Sento no tapete de retalhos e abro a mochila. No pequeno compartimento frontal e externo, vejo o lápis exatamente onde o deixei, agora coberto por embalagens vazias de chiclete. Pego o lápis e o giro entre os dedos, como Bennett fazia hoje de manhã quando entrei na sala de aula. Fecho os olhos, lembrando como ele sorria quando me ofereceu o lápis. E começo a elaborar um plano para devolvê-lo.

5

Protelar.

Há mais detalhes por trás do meu plano brilhante para devolver o lápis de Bennett, mas, basicamente, esse é o ponto central: protelar. Pretendo me arrastar para a sala de espanhol a fim de não ter tempo de devolver o lápis antes da aula. Então, quando o sinal do almoço soar, eu me levanto, me viro para impedir a passagem de Bennett e devolvo o lápis. Se tudo acontecer de acordo com o plano, vou conseguir sustentar a conversa até o refeitório.

Meu coração está disparado quando paro na porta da sala. O sinal toca bem na hora, mas, no momento em que entro na sala e passo pelo *señor* Argotta, ele bate palmas e anuncia:

— Aula de conversação! Vamos lá, todo mundo se mexendo!

O professor está animado como se propusesse uma comemoração.

Não. Conversação não. Esse é o pior de todos os exercícios espertinhos de grupo de Argotta. Calculei a hora da minha entrada com perfeição, mas não vai adiantar nada se Bennett for parar do outro lado da sala de novo.

Argotta caminha entre as fileiras de carteiras, nos dividindo em duplas, distribuindo cartões laminados que retratam uma situação que ninguém jamais vai viver durante uma viagem à Espanha – ou a nenhum outro lugar do mundo, na verdade. Ele me entrega um cartão, e fecho os olhos temendo o pior. Abro um olho e leio: *Parceiro número um, você está em uma entrevista de emprego para a vaga de garçom/garçonete em um dos melhores restaurantes de Madri. Parceiro número dois, você é o dono do restaurante.* Olho para Alex, meu parceiro habitual, e ele pisca.

O *señor* Argotta para e olha para trás.

– *Señorita* Greene, trabalhe com o *señor* Cooper, *por favor*.

O quê? Não. Sinto muito, *señor*. Não posso formar uma dupla com Bennett Cooper. Passei a noite toda pensando em como vou devolver o lápis dele; em como vou perguntar novamente – longe dos olhares atentos de Emma e Danielle – se era ele na pista de corrida na segunda-feira. Vou perguntar por que ele parecia me conhecer naquele momento, mas agora não me reconhece. Imaginei a conversa inteira, até o último detalhe; mas nunca me imaginei falando com ele em *espanhol*.

Penso em correr para a porta. Fingir um desmaio. Posso atravessar a sala e ir me sentar na carteira vazia diante do *señor Kestler*, como se tivesse me confundido por causa do sotaque de Argotta. Mas é tarde demais. Bennett também ouviu a instrução, e agora ele olha para mim com aquela cara de "não se preocupe, eu não mordo". E levanta o queixo para indicar que devo ficar em pé. Quando me levanto, ele vira minha carteira de frente para a dele.

– Oi – digo quando estamos sentados novamente.

– Oi. Anna, não é? – Bennett parece estar completamente relaxado, e pronunciar meu nome não causa a reação estranha que ele teve quando o ouviu no refeitório há dois dias.

– Sim. – Olho para a mesa, tentando não o encarar por medo de acabar presa naqueles olhos outra vez. – Bennett, certo?

Ele assente.

– Alguém chama você de Ben? – De onde saiu *isso*? Ai, Deus.

Ele sorri.

– Não. Só... Bennett.

E lá vem o rubor. Eu me pergunto se ele está tão curioso para saber como fico sem o rosto vermelho quanto eu para saber como ele fica com o cabelo cortado.

– Obrigada por emprestar – digo. E, quando devolvo o lápis, sinto que todas as minhas perguntas estão ali, esperando que eu as formule uma a uma, mas não consigo encontrar a voz, agora que ele está sentado na minha frente.

– Disponha – responde ele, deixando o lápis na fenda no topo da mesa de madeira. O lápis deve ter propriedades magnéticas, porque parece nos puxar para ele. – Então, qual é nossa tarefa para hoje? – Ele se inclina para a frente, e eu engulo as perguntas.

– Não é das mais fáceis. – Estico o braço sobre o vão entre nossas carteiras e mostro o cartão, com as palavras voltadas para Bennett.

Ele o pega, e gradualmente um sorriso ilumina seu rosto.

– Ah, isso vai ser fácil. – E se debruça sobre a mesa como se fosse contar um segredo. – Fiz várias entrevistas para trabalhar de garçom em Madri.

— É mesmo?
— Não. — Ele sorri. — Estou brincando.
Rio alto demais.
— Tudo bem. — Respiro fundo para me acalmar e apoio as mãos abertas sobre a mesa, impedindo-as de tremer. Inclino o corpo para ele e digo: — Não faço ideia de como contratar alguém nesse país, nem em qualquer outro. — Pego o cartão sobre a mesa dele e apoio as costas na cadeira, tentando parecer confortável. — Então — começo, exibindo minha pronúncia mais ensaiada —, fale sobre sua experiência como garçom, *señor* Cooper.

Bennett faz uma descrição detalhada de seu trabalho em vários restaurantes fictícios pela Espanha. Em frases perfeitas, ele descreve sua experiência como raspador de migalhas. Explica como consegue convencer qualquer cliente a pedir o especial do dia, em vez do prato que realmente queria pedir. É capaz de atender dez mesas ao mesmo tempo, inclusive com grandes grupos, e sempre divide as gorjetas com os colegas que limpam as mesas. E diz tudo isso sério, sem a menor sugestão de humor no rosto.

Entendo seu espanhol, mas tenho que me esforçar para ouvir as palavras. Sua pronúncia é bonita. A voz é firme e forte, a cadência é equilibrada, e me sinto completamente fascinada, envolvida pela riqueza de sua voz. Ele fala sobre outro trabalho fictício em um restaurante em Sevilha chamado *El Mesero Mejor*. O Melhor Garçom.

No final estou sorrindo. Rindo. E mais do que só um pouco impressionada. Ele conclui com seu espanhol perfeitamente confiante:

— Como vê, sou o garçom perfeito para o seu restaurante. — Não sei ao certo quanto tempo passa entre a conclusão dessa frase e a próxima palavra. – Então? – Com as sobrancelhas erguidas, ele espera minha resposta.

Quando percebo que fui pega olhando para ele outra vez, mordo o lábio e espero o rubor se espalhar por meu rosto, mas, agora, nada acontece. Digo apenas:

– Está contratado. – E dou de ombros.

– Uau! Simples assim? – diz ele. – Você é uma gerente fácil de convencer.

Tento pensar em uma resposta inteligente, mas minha cabeça está vazia.

– Seu espanhol é muito bom – comento.

– Participei de um programa de intercâmbio no verão passado. Fui para Barcelona.

Sorrio quando penso em morar em Barcelona com uma família local.

– Eu adoraria fazer isso. Deve ter sido divertido *viver* lá. Realmente ingressar em outra cultura.

– Foi incrível. – Ele apoia os antebraços sobre a mesa. – E você? Já esteve na Espanha?

– Não – respondo em voz baixa. – Nunca estive... em lugar algum. Trabalho na livraria da minha família e passo muito tempo na seção de viagens. Isso é o mais próximo do resto do mundo a que eu já cheguei.

– Estou surpreso. – Ele se inclina ainda mais para mim, como se tivesse um segredo para contar. – Estou aqui há três dias, apenas, mas o grupo todo parece ser bem viajado.

– E é. – Dou de ombros novamente. – Eu é que não... faço parte desse grupo.

– Então, você trabalha em uma livraria. – Era uma afirmação, não uma pergunta. – E lê livros de viagem.

Olho para ele e tento pensar em como responder. Faz tempo que superei o fato de ser a aluna mais pobre nesse colégio incrivelmente rico, mas ele não precisa esfregar isso na minha cara.

— É mais ou menos isso. Imagino que você viaje muito.

— Eu? — Ele olha para a mesa. — Sim. Com certeza se pode dizer que sim... — E para de falar como se lutasse contra um sorriso. — Adoro viajar. — Minha expressão deve ser de confusão, porque ele fica sério e esclarece: — Sim. Viajo muito... Tanto quanto posso.

— Sorte sua. — As palavras soam amargas quando saem da minha boca, e desejo imediatamente poder pegá-las de volta.

— Desculpe. Eu fui grosseiro? Não foi minha intenção.

— Não. — Não é culpa dele se mal saí do estado. — Você não foi grosseiro.

— Escuta, qualquer pessoa que queira realmente viajar pode encontrar um jeito. Você só precisa ser criativa.

O *señor* Argotta se aproxima, e Bennett volta a falar em espanhol. Ele olha nos meus olhos.

— Sabe o que dizem, *la vida es una aventura atrevida o no es nada*. E olha de lado como se estivesse pensando. — Não consigo lembrar quem disse isso.

Solto uma risadinha.

— O que é? — Bennett também sorri, embora não saiba o que estou achando tão engraçado.

— Helen Keller — cochicho, descrevendo o pôster que enfeitava a parede da sala de inglês da srta. Waters no sétimo ano, a vela branca lutando contra a corrente no fundo e a frase *A vida é uma aventura ousada ou nada* em letras de forma embaixo da imagem.

— Ela provavelmente não dizia a frase em espanhol, então.

Tento conter o riso, mas é inútil.

— Não, provavelmente não. — Ainda estamos sorrindo e nos olhando, mas quebro a conexão quando levanto a cabeça para me certificar de que Argotta não nos ouve conversando sem ser em espanhol. Ele está do outro lado da sala, abaixado ao lado de outra dupla que precisa de ajuda com uma tradução. Quando olho para Bennett novamente, descubro que os olhos dele continuam fixos em mim. — Bem, seja qual for o idioma — digo —, tenho que concordar com ela. Pessoalmente, estou pronta para *muito* mais aventura e muito menos nada.

O sorriso dele desaparece, e Bennett me olha com uma expressão séria. Penso que ele se prepara para dizer alguma coisa importante, mas comprime os lábios. Eu o observo, espero, até ficar claro que seu plano é ficar em silêncio.

— Ia falar alguma coisa? — pergunto, afinal.

Ele sorri para mim.

— Sim... na verdade... — Mas o sinal o interrompe. — Deixa pra lá — diz ele, e se levanta para sair. — Vejo você mais tarde, está bem?

Eu o vejo atravessar a sala e sair para o corredor. Quando olho para a mesa, vejo o lápis ainda na fenda, exatamente onde ele o deixou. Torço os cabelos e seguro o coque contra a cabeça com uma das mãos, enquanto, com a outra, enfio o lápis no meio das mechas para prendê-las.

Vejo você mais tarde. Foi o que ele disse três dias atrás: *Vejo você mais tarde.* Mas não o vi mais tarde. Ele não estava no refeitório, não passei por ele na Rosquinha e não o vi no estacionamento dos alunos.

Bennett foi à aula de espanhol na quinta e na sexta-feira – e tenho certeza de que observava a porta e esperava por mim nos dois dias, porque, no minuto em que entrei, ele cravou os olhos na mesa. Além disso, não houve nenhum sorriso satisfeito ao me ver, nem aquela expressão contente enquanto ele rabiscava – e não levantou a cabeça antes de eu me sentar. Nos dois dias, tentei devolver o lápis, mas ele correu para a porta assim que o sinal tocou. Era como se nossa conversa nunca tivesse acontecido.

6

A tempestade que começou no sábado de manhã fez o treino de corrida ser cancelado, me manteve acordada a noite toda e não parou até a tarde seguinte. Vou andando para a livraria meio atordoada, e quando consigo chegar à esquina sem quebrar nada, decido me recompensar com um *latte*. Mesmo com a parada, ainda tenho quinze minutos livres até o início do meu turno, então me dirijo à loja de discos.

— Anna! — grita Justin para soar mais alto que a música de fundo que vem do teto, onipresente e divina. Ele sai de trás do balcão e vem me abraçar. — Estava esperando que aparecesse este fim de semana.

— Ei, camarada — respondo, e me censuro em silêncio por chamá-lo desse jeito. Deve ser pior que chamá-lo de Sardas, mas palavras como *camarada* ou *parceiro* ou qualquer outro termo fraternal simplesmente saem da minha boca quando o vejo. Ele se afasta um pouco e olha para mim, e embora seja apenas um lampejo breve, está lá. Uma pontada, como se eu acabasse de insultá-lo.

– O que é isso? – pergunto, apontando para cima a fim de indicar a música.

Ele se aproxima de mim.

– Consegui! – cochicha no meu ouvido e olha em volta para se certificar de que ninguém nos ouve, e ninguém poderia, já que somos os únicos ali. – O baterista do Nirvana acabou de gravar uma demo, e Elliot me deixou pegar emprestada. – Não sei quem é Elliot, mas imagino que seja alguém importante na emissora de rádio comandada pelos alunos da Northwestern, onde Justin começou um estágio há três meses. Enquanto eu sonho em visitar lugares distantes, ele sonha em se mudar para um dormitório no fim da rua para poder se formar em radiodifusão e passar seus anos de universitário como DJ no lendário *The Rock Show* da emissora. – Quer emprestada? – pergunta ele, se aproximando ainda mais de mim.

– Não, sério, isso é... – Estou balançando a cabeça, mas não importa. Ele já está se afastando e, quando se abaixa atrás do balcão, a música para. E ele volta segurando o CD. – Aqui, pegue. Quero saber o que acha.

– Sério?

– Com certeza. Só precisa trazer de volta na semana que vem.

– Obrigada. Muito legal da sua parte. – E aperto o CD contra o peito.

– Acho que vai gostar.

– Tenho certeza. Você sabe que confio inteiramente no seu gosto. – Levanto a cabeça e descubro que ele está olhando para mim, e é então que sinto: ele quer me beijar.

– Mais alguma novidade? – Tento olhar para os lançamentos na prateleira.

– Ali não, nada. – E sorri para mim, me convidando com um gesto para segui-lo até seu lugar de costume atrás do balcão. Lá, ele desaparece e reaparece, depois coloca uma capinha de

CD sobre o balcão entre nós. O encarte é pintado em tons de aquarela: azuis, vermelhos e verdes girando em padrões interessantes e clareando nas laterais. Como qualquer aquarela, é única. Singular. Mesmo assim, combina com todas as outras que estão na prateleira do meu quarto.

— Uma nova coletânea para corrida! — Pego a caixa, viro e leio o nome das faixas. — Você nem imagina. Estou cansada de pular faixas nos meus CDs. Sempre corro melhor com os que você grava.

— Preciso reconhecer que desta vez me superei. — Ele sorri e fica vermelho, e percebo que o rubor faz as sardas desaparecerem. Ele é diferente de todos os garotos que conheço, e por um momento acho que gostaria de pensar nele como algo mais que um amigo.

— Tenho certeza de que sim. — E lá estava outra vez. Na cabeça dele, esse é o momento no filme em que pulo o balcão e arranco os botões de sua camisa. Em vez disso, olho para o meu relógio. 16h59.

— Caramba. — Aponto a rua na direção da livraria. — Tenho que correr e substituir meu pai na loja. Precisa de algum livro? — Seguro meus novos CDs. — Conhece o acordo. Um por um.

Ele assente.

— Na verdade, queria pedir uns... — Justin para de falar, e nós dois olhamos na direção da porta, por onde uma garota com uniforme de fraternidade acaba de entrar. Ela caminha até o balcão e para ao meu lado, esperando. Justin me olha com ar irritado. — Deixa pra lá. Vou tentar passar na livraria mais tarde.

Assim que viro de costas, suspiro, aliviada, e agradeço em pensamento à Tri-Delta por ter me salvado desta vez.

O tempo parece se arrastar. Alunos da Northwestern entram e olham em volta, depois vão embora. Mães chegam com seus filhos pequenos e examinam a bancada de Recomendações do Clube do Livro, enquanto as crianças destroem a seção de livros para colorir. Organizo os recibos de cartão de crédito, arrumo os livros até alinhá-los com perfeição e exibo os mais novos em locais de destaque, leio o guia Michelin para a Côte d'Azur. Às dez para as nove, somo as vendas do dia, guardo o dinheiro no malote de vinil verde e o tranco no cofre na sala dos fundos. Viro a placa na porta para Fechado e aciono a trava.

A cafeteria já está lotada. A semana das provas finais em Northwestern terminou, e ninguém está estudando esta noite. De fato, muitos parecem fatigados e esgotados, como se estivessem comemorando desde sexta-feira à tarde.

Quando passo por lá, olho pela janela como quem não quer nada para ver se encontro Justin com seus amigos da estação de rádio. Ele parecia tão ansioso para conversar comigo mais cedo, mas não apareceu na livraria depois.

Continuo andando e viro a esquina do meu quarteirão escuro e quieto. Vejo um movimento súbito no parque do outro lado da rua e ando mais devagar, tentando enxergar na escuridão. É difícil ver os detalhes, mas há alguém ali, com certeza, e aperto os olhos até identificar a forma de uma pessoa debruçada sobre o banco do parque, balançando para a frente e para trás. Piso na grama para olhar mais de perto. Não contenho uma exclamação, porque, mesmo de longe, tenho certeza de que sei quem é.

Meus pés parecem se mover na direção dele por conta própria, e quando sei que ele pode me ouvir, sussurro:

— Bennett? É você? — Não há resposta, mas agora estou perto o bastante para identificar os gemidos baixos e fracos.

— Bennett? — Dou alguns passos pequenos, me aproximo um pouco mais. — Você está bem?

— Vá embora — grunhe ele. Tenta levantar a cabeça, mas ela pende para a frente outra vez, e massageia as têmporas, repetindo aquele gemido gutural. Percebo que está dizendo alguma coisa, por isso me aproximo mais. — Não posso ir embora — choraminga. — Preciso encontrá-la. — Se balança e geme, repetindo as palavras; eu o observo tremendo e começo a me apavorar.

De repente ele para de se mover e seus olhos me encontram. Bennett parece surpreso por me ver ao lado dele.

— Anna?

— Sim, sou eu. Vou buscar ajuda. Fique aqui, volto já.

— Não! — Ele diz a palavra com força, mas com uma nota de agonia, e sei que não existe a menor possibilidade de eu lidar com isso sozinha.

— Bennett, você precisa de ajuda. — E me viro para sair dali.

— Não. — Ele estende o braço e agarra meu pulso. — Por favor. Não. Vá. — Paro e me viro de novo. Parece que ele está recorrendo a toda força que tem só para levantar a cabeça. — Está... — Ele respira fundo. — Está passando. — Mas não acredito nele. Apesar da temperatura e do banco gelado em que está plantado, o suor que brota de sua testa escorre pelo rosto. Ele se parece comigo depois de uma corrida, concentrado em cada inspiração e expiração. — Por favor. Só. Sente-se.

Olho em volta para o parque escuro, deixo a mochila no chão perto dos pés dele e me ajoelho. Nada vai me fazer sentar naquele banco gelado.

— Eu vou ficar bem. — Ele massageia as têmporas novamente e, devagar, levanta a cabeça. A voz agora soa um pouco mais forte. — É uma enxaqueca — diz entre uma inspiração e outra.

— Elas aparecem quando... — A voz some. — Sente-se aqui comigo, Anna. Por favor.

Olho para a cafeteria.

Começo a me inclinar para a frente com a intenção de massagear suas costas como minha mãe faria, como poderia fazer uma amiga que o conhece melhor que eu, mas me contenho e baixo as mãos. Durante os cinco minutos seguintes, o único som entre nós é sua respiração forçada.

— Continue respirando. — Essa é a única coisa que consigo pensar para dizer, mesmo sabendo que não ajudo em nada.

Finalmente, ele se senta um pouco mais ereto.

— Me faz um favor? — Ele ainda nem disse o que é, e já estou movendo a cabeça para cima e para baixo. — Não conte a ninguém sobre isso.

— Não vou contar. — Balanço a cabeça e vejo o suor ainda escorrendo por seu rosto. — Mas posso ir buscar um pouco de água para você? Eu volto logo.

Ele não diz sim, mas dessa vez não protesta. Antes que mude de ideia e me impeça de ir, fico em pé e, deixando a mochila ao lado dos pés dele, vou à cafeteria. A garota atrás do balcão me dá um copo de água gelada, e corro de volta ao banco no parque.

— Aqui, eu trouxe... — começo a falar, mas as palavras ficam suspensas no ar. Minha mochila continua no chão gelado, mas Bennett desapareceu.

7

Bennett não aparece para a aula de espanhol na segunda-feira. Nem na terça. Estou começando a ficar maluca de preocupação, mas a sra. Dawson, da secretaria, está menos preocupada.

— Não pode me dar o número do telefone dele? — peço. — Só quero ter certeza de que ele está bem. — Uso minha voz mais responsável, mas não consigo o efeito desejado.

Cumprindo o que prometi a Bennett, omiti grandes trechos da história que contei a ela — como o parque, o suor que escorria por seu rosto e o fato de ele estar gemendo sobre ter que encontrar alguém. Não sei que parte de "não conte a ninguém sobre isso" Bennett queria manter oculta, mas espero que a enxaqueca não seja uma delas, porque não consigo pensar em nenhum outro motivo para pedir informações pessoais sem mencioná-la.

— Sei que só quer ajudar, srta. Greene, mas você sabe que não posso revelar informações confidenciais dos alunos. Peço desculpas. — Seu tom é de superioridade, o que desmente o pedido de desculpas. — Tenho certeza de que amanhã ele estará aqui.

Como pode saber? Quero perguntar, mas em vez disso resmungo um "obrigada" e me dirijo à porta. Não devia ter deixado Bennett no parque. Tudo que ele queria era que eu ficasse com ele, mas o deixei sozinho no banco gelado de um parque deserto, suando e ofegante.

Vou para o vestiário e troco de roupa, mas, enquanto escuto a conversa da equipe, começo a odiar a ideia de correr em círculos em uma pista lotada. Em vez disso, afasto-me antes que alguém perceba e vou para a pista abandonada e gelada de *cross-country*. Enquanto corro, tento ouvir os sons do vento e do bosque, o ritmo de meus pés batendo na trilha enlameada, mas tudo que escuto é a voz de Bennett em minha cabeça: *Sente-se aqui comigo, Anna. Por favor.* E me sinto terrível.

A sra. Dawson estava errada. Bennett não aparece na escola na quarta-feira. Nem na quinta. Na sexta à tarde, quando estou andando pela Rosquinha entre a quinta e a sexta aula – e me desesperando com a ideia de enfrentar o fim de semana inteiro sem saber o que aconteceu com ele –, a solução aparece do nada. É minha única opção.

Vou até o armário de Emma e espero, mas ela não aparece. Quando o sinal toca, pego meu caderno e rabisco *preciso falar com você*. Arranco a folha, dobro até deixá-la bem pequena e a enfio por uma das frestas da porta, depois corro para a sala de aula.

Quando o sinal toca novamente, volto correndo ao armário de Emma e a encontro lá, lendo meu bilhete.

– Preciso de sua ajuda, Em – digo de uma vez. – Acha que consegue pegar uma coisa na secretaria para mim?

— Provavelmente.
— Preciso do número do telefone de Bennett Cooper. Pedi a Dawson, mas ela não quis me dar. Ela gosta quando você vai à secretaria e fala sobre os planos para a sua festa de leilão, então, talvez lhe dê o número. — Emma abre a boca para dizer alguma coisa, mas eu a impeço. — Por favor, não pergunte por que preciso disso.

Emma comprime os lábios e levanta as sobrancelhas. Olhando para mim, faz aquela coisa que chamo de *superpoder conte-me tudo*.

— Escuta. Eu o encontrei por acaso no domingo à noite, e ele estava... doente. E não apareceu na escola a semana inteira. Só quero ter certeza de que está bem. — Fico ali parada, apoiada ao armário e pronta para o interrogatório, mas Emma sorri.

— Você quer pegar o descabelado! — Ela ri quando olho em volta apavorada, temendo que alguém mais a tenha ouvido.
— Fale de uma vez. Gostou do garoto, não é? — Nós nos entreolhamos. Não respondo. Ela repete. — Gostou?

Deixo sair o ar que está apertando meu peito.

— Só estou preocupada com ele.

Emma me encara com os olhos muito abertos.

— Tudo bem, talvez.

Ela ri.

— Viu? Você conseguiu. O primeiro passo é admitir que isso é mais forte que você — recita Emma, parodiando os Doze Passos do AA. — Vou ver o que posso fazer. Encontro você no carro depois da aula.

— Como vai conseguir o número?

— Ainda não sei. Vou pensar em alguma coisa.

Uma hora mais tarde, no Saab aquecido, Emma fala eufórica sobre sua habilidade para a manipulação ardilosa.

– Não posso reclamar os créditos pela primeira coisa que aconteceu. Aquilo foi pura sorte – diz ela, tirando o carro da vaga do estacionamento. – Escuta só. Entrei na secretaria, e Dawson estava ao telefone, com Argotta, imagino, dizendo que precisava do trabalho de espanhol que ele tinha passado naquela semana para levá-lo à casa de Bennett Cooper hoje à noite.

Borboletas ganham vida no meu estômago quando ouço o nome dele. Alguém me dê um tiro, por favor.

– Então, me ofereci para levar o trabalho.

– Ela deu o dever de casa de Bennett na sua mão?

– Não. Disse que não podia fazer isso, que não era permitido. *Nem mesmo para você, srta. Atkins.* – Emma imita a voz de Dawson com perfeição.

– Então não conseguiu?

– É claro que consegui.

– Ótimo. Onde está?

– Já vou chegar nessa parte. – Ela arranca com o carro do estacionamento para a rua e fecha um motorista, que buzina. – Então, comecei a fazer perguntas sobre o leilão, e ela pensou que era por isso que eu estava lá, certo? Dawson me falou sobre a grande cabana que os Allen têm em Wisconsin e...

– Ah, por favor. Você está me matando de curiosidade. Vá direto ao ponto.

– Tudo bem, tudo bem. Então estamos falando sobre o leilão, e o *señor* Argotta entra na secretaria e deixa uma pilha de papéis sobre o balcão. Ela agradece, o professor vai embora, ela se dirige ao monitor. Dawson então me fala sobre algumas fotos antigas que alguém vai doar para o leilão... pega um post-it, escreve um endereço e cola o papel sobre a primeira folha da pilha.

– E?

Ela faz uma pausa para criar um efeito dramático.

– Rua Greenwood, 282.

– E o número do telefone?

Ela se vira para me encarar.

– Está brincando? Nem um *Obrigada, Emma*? Nem um *Você é incrível, Emma*? – E olha de novo para a estrada, balançando a cabeça.

– Só queria telefonar...

– Bem, ela não anotou o número do telefone, e não consegui ver os dados na tela. Mas não percebe? Consegui uma informação ainda melhor!

– Mas agora tenho que ir lá! – A ideia me faz estremecer.

Emma olha para mim com aquele sorriso satisfeito que exibe sempre que consegue o que quer.

– Exatamente.

Não acredito no que estou fazendo.

Espio de trás da cerca alta mais uma vez, olhando para a casa. Impressionante. Dois, talvez três andares. Estilo Tudor. Com um galpão para carruagem no fundo, se consegui identificar bem nas três vezes que passei na frente da casa, me acovardei e me escondi atrás dos arbustos da cerca.

Por que estou fazendo isso?

Deixo escapar um grande suspiro ao sair de trás dos arbustos e caminhar em direção à casa mais uma vez – dessa vez com passos determinados –, e chego à calçada que teve a neve recentemente removida. São só 17h30, mas está quase completamente escuro, e eu tremo quando subo os degraus.

Chegando ao topo da escada, seguro a cabeça de leão que serve como aldrava na porta e respiro fundo antes de empurrá-la contra a madeira.

Espero.

Nenhuma resposta.

Bato outra vez, apertando o casaco contra o corpo para me proteger do vento, feliz por ter trocado a saia e a meia-calça por jeans.

Quando me viro para ir embora, ouço passos.

– Quem é? – pergunta uma voz feminina e idosa do outro lado da porta.

– Desculpe. Não se incomode. – Volto à escada. – Acho que estou na casa errada.

A fechadura faz um ruído estranho, e a porta é aberta lentamente. A mulher é mais velha, mas não é idosa, e é muito bonita com aqueles longos cabelos grisalhos e olhos azuis. Ela usa um xale de seda vermelha sobre as roupas escuras e largas, e sorri para mim com uma expressão curiosa.

– Oi. – A mulher abre a porta completamente, acolhedora.

– Oi. Estou procurando alguém chamado Bennett, mas sinto muito. Acho que me deram o endereço errado. – Começo a me virar novamente.

– Não, não deram; Bennett está aqui. Entre e venha se aquecer. – Ela se afasta para trás a fim de me deixar passar. – Sou Maggie. – E estende a mão.

– Anna. – Aperto a mão dela, ainda me perguntando quem é.

– Você deve ser uma amiga da escola.

– Sim. – Não sei bem se me enquadro na categoria amiga, mas essa é a resposta mais simples. – Desculpe incomodar, senhora. – Sim. Sou uma idiota por ter vindo aqui. E só agora percebo isso.

— Não é incômodo algum, querida. — Ela aponta para uma sala do outro lado de um arco largo. — Sente-se, vou lá em cima chamá-lo.

Espio a casa quando ela se dirige à escada. A sala de estar é linda com suas janelas enormes, decorada com bom gosto, com móveis antigos e escuros que tornam o ambiente ainda mais acolhedor do que eu esperava que fosse. O fogo na lareira cria uma luminosidade suave.

Em vez de me sentar no sofá, ando por ali dando uma olhada mais cuidadosa na sala. A parede em torno da lareira é revestida por prateleiras escuras cobertas com uma coleção de clássicos que causaria vergonha à seção da livraria. Com exceção de um grande retrato em preto e branco de Maggie e o marido no dia do casamento, fotos emolduradas de uma menina pequena — cabelos escuros, franja reta sobre a testa — ocupam todas as superfícies disponíveis. Algumas incluem a mãe dela. Poucas mostram a menina com o pai e a mãe. É difícil não ver a fotografia na moldura no centro do console da lareira: a mesma menininha sentada em uma cadeira, sorrindo para a câmera, segurando um bebê com um tufo de cabelos escuros.

— São meus netos — diz uma voz serena atrás de mim, e eu pulo de susto. Não a ouvi voltar. — Aquela é Brooke. Ela tem dois anos. E aquele é meu neto mais novo. — Ela desliza um dedo pelo vidro sobre a foto.

— São muito fofos — digo.

Ela devolve a foto à prateleira e pega outra.

— Minha filha. — E aponta uma mulher com a mesma menininha no colo.

— Elas moram aqui em Illinois?

— Não. Em São Francisco. — E um suspiro triste escapa de seu peito. — Estou sempre tentando convencê-los a voltar para cá, mas o trabalho do marido dela os obriga a ficar na Califórnia. Ainda nem conheço o bebê.

De repente, tenho a estranha sensação de que não estamos mais sozinhas. Olho por cima do ombro e vejo Bennett parado na entrada em arco, nos observando. Seu cabelo está sujo, a barba por fazer aparece em alguns trechos do rosto, e as olheiras escuras em torno dos olhos vermelhos dão a impressão de que ele não dorme há dias. O olhar vago torna o conjunto ainda mais desolador.

— O que está fazendo aqui? — A voz de Bennett é dura, e ele pisca involuntariamente, para ajustar os olhos à pouca luz que há na sala.

Maggie interfere antes que eu recupere a voz.

— Eu estava mostrando à sua amiga as fotos do meu novo neto, Bennett. — Ela olha para mim. — Dá para acreditar? Nunca conheci ninguém com esse nome. Bennett. E agora conheço dois deles! — A mulher balança a cabeça, é incrédula.

Olho de um para o outro, confusa. Bennett se encolhe.

— Vocês querem chá? — oferece Maggie, como se não percebesse a tensão entre nós. — Eu ia mesmo preparar um pouco.

— Não — responde Bennett antes que eu possa falar, transferindo o peso para a frente e para trás.

Maggie o ignora e olha para mim, os olhos ainda inocentes e interrogativos.

— Anna?

— Não, obrigada, senhora...

Ela toca meu ombro.

— Pode me chamar de Maggie, querida. Maggie está ótimo.

Retribuo o sorriso.

— Obrigada, Maggie.

Bennett faz um gesto me convidando a segui-lo, e deixamos Maggie à vontade para ir preparar o chá. Subimos a escada em silêncio e continuamos por um corredor escuro. Como na sala de estar, as paredes ali são forradas de fotografias, mas essas são mais antigas.

O quarto dele é quase escuro, iluminado apenas por um abajur pequeno que mal clareia a mesa de madeira. Xícaras de café e garrafas de água vazias estão espalhadas por todos os lados. Livros e papéis cobrem o chão e a superfície da cama de solteiro. A mobília antiga é linda, mas não reflete o gosto de um garoto do ensino médio. Ele parece deslocado naquele mar de mogno.

Bennett passa a mão por cima do meu ombro para fechar a porta do quarto, e a proximidade faz meu coração disparar. Até eu perceber que ele cheira a suor e meias sujas. Meu rosto deve expressar alguma coisa parecida com nojo, porque ele abaixa a cabeça e dá um passo para trás.

— Não esperava companhia.

— Tudo bem... Eu só... Desculpe. Estou atrapalhando, não é? — Ele não dá nenhum sinal de aceitar meu pedido de desculpas. Também não abre espaço para eu me sentar em algum lugar, então fico em pé, constrangida e nervosa, apoiada ao batente da porta.

— Peço desculpas por minha avó — diz ele, e fala tão baixo que tenho que me esforçar para ouvi-lo.

Estou confusa.

— Sua avó? Maggie é sua avó?

— Ela tem Alzheimer. — Bennett olha para a porta como se escolhesse com cuidado as próximas palavras. — Na cabeça dela, eu... eu sou um bebê.

– É mesmo? – Relembro a conversa na sala. – Mas... então as fotos são de dezessete anos atrás...

Ele assente. Há uma longa e desconfortável pausa, e me sinto mal por ter mencionado as fotos.

– Elas só a perturbam. Tivemos que tirar as mais recentes de lá.

– Então, quem ela pensa que *você* é?

– Depois que meu avô morreu, faltou dinheiro, e ela ficou sozinha, então começou a alugar este quarto para alunos da Northwestern. – Bennett dá de ombros e olha para o chão. – Acho que ela pensa... – E para. O quarto é invadido pelo silêncio.

Sua aparência é horrível. A pele está pálida, e os olhos permanecem semicerrados.

– Você está bem? Parece cansado.

Ele olha para mim e, quando afinal fala, não responde à minha pergunta. Em vez disso, aproxima as sobrancelhas e indaga:

– O que está fazendo aqui?

O jeito como ele faz a pergunta me deixa ainda mais nervosa.

– Não voltei a ver você desde a noite de domingo no parque. Quando estava... você sabe... – Espero um momento para ver se ele vai responder, e quando nada acontece, despejo o restante das palavras: – Você não apareceu na escola esta semana, e fiquei preocupada, acho, e eu... só queria ter certeza de que estava bem. – Levo a mão para trás, procurando a maçaneta. – E agora sei que está vivo. O que é... você sabe... ótimo. Então, preciso ir. – A lembrança de que um telefonema teria sido muito mais apropriado cai como um raio, e pensar nisso me faz sentir vontade de matar Emma. Onde eu estava com a cabeça quando decidi aparecer assim na casa do cara como se o *conhecesse*?

— Domingo. — Ele olha para algum ponto atrás de mim. — Isso mesmo. Eu tinha me esquecido.

Solto a maçaneta e o encaro. Esquecido? Como ele podia ter esquecido?

— Tem certeza de que está bem, Bennett?

— Sim. Estou bem. Eu só... — Ele parece preocupado. Não. Em pânico. — A propósito, como me encontrou?

Sinto minhas mãos começarem a tremer.

— Peguei seu endereço na secretaria. — É verdade. Não faz sentido envolver Emma nessa história, se não for necessário.

— Alguém na secretaria simplesmente *deu* meu endereço?

— Não. Estava num post-it. — Também era verdade.

Bennett olha para mim e, confuso, abre a boca para falar. Mas, de repente, seu rosto fica pálido. Ele balança um pouco, estende a mão para a parede e se apoia.

Seguro seu braço.

— Você está bem?

Ele tenta falar, mas nenhum som sai de sua boca. Bennett respira fundo algumas vezes com dificuldade.

— Vou chamar sua avó. — Começo a soltar seu braço, mas ele agarra meu pulso, como fez no parque.

— Não! Não faça isso! — Tenho a impressão de que ele tenta gritar, mas só consegue sussurrar. Bennett solta meu braço e começa a soltar o ar lentamente. — Quero dizer... tudo bem. — E inspira bem devagar, profundamente. — Só preciso me deitar.

— Tem certeza?

Ele abre a porta.

— Você tem que ir. — E respira fundo. — Agora.

— Mas eu posso...

— Não. Agora. Por favor.

Cruzo os braços.

– Você não pode me obrigar a deixá-lo nesse estado... não outra vez.

Os olhos dele são frios e assustadores quando mergulham nos meus.

– Esta é a minha casa. E estou dizendo para você ir embora. Agora.

Assim que chego ao corredor, a porta bate atrás de mim, uma batida tão forte que penso que ele pode ter caído contra ela. Recuo alguns passos e fico ali parada, olhando para a porta e pensando no que fazer. Dou um passo à frente com o braço erguido, pronta para bater. Mas me contenho. Recuo novamente. Viro, caminho devagar pelo corredor e desço a escada.

Paro no hall de entrada para pegar meu casaco no cabide. Enquanto fecho os botões, penso no que vou dizer à avó dele. *Acho que ele está doente outra vez*, ou *acho que devia ir dar uma olhada nele*. Mas penso na firmeza com que ele disse *não* e *não faça isso* e, contrariando o que penso ser melhor, decido que preciso proteger seu segredo com um pouco mais de cuidado dessa vez. Dou uma espiada na cozinha, digo a Maggie que foi um prazer conhecê-la e que não precisa se levantar, eu posso sair sozinha.

8

– Ah, que bom que está aqui. – Como os sinos que anunciam minha chegada, papai está alegre demais para meu atual estado de espírito. – Se incomoda se eu for embora?

Incomodar? Deus, não. Por favor, vá para eu poder andar pela livraria vazia e me perguntar se deixei Bennett morrendo sozinho em seu quarto antiquado e desarrumado.

– É para isso que estou aqui – respondo, tentando fazer minha voz soar tão leve quanto a dele.

– Obrigado. Sua mãe já ligou duas vezes para perguntar quando vou chegar em casa. Ela está um pouco agitada com a festa.

Papai está muito bonito. Eu me aproximo e ajeito sua gravata.

– Estaremos no Museu de História de Chicago. Devemos voltar para casa por volta da meia-noite, mas não precisa esperar acordada. Você sabe que sua mãe e os amigos dela gostam de conversar.

– Pode ir. Divirta-se. – Eu o seguro pelos ombros e o viro para a porta.

Meu pai dá alguns passos, mas para e vira para mim.

– Obrigado por vir trabalhar na sexta à noite. Não atrapalhamos sua vida social, não é?

– Infelizmente, não.

Assim que meu pai sai, ando pela loja ajeitando os livros e pensando na expressão no rosto de Bennett. Quando passo pela porta da frente, paro e me sinto tentada a virar a placa para Volto em dez minutos e correr até a casa dele. Vou à sala dos fundos e tenho um impulso de pegar o telefone, ligar para Emma e contar o que aconteceu. Olho pela janela e vejo a viatura de polícia parada na frente da cafeteria. Penso em correr até lá e mandá-los ao número 282 da Greenwood. Mas não faço nenhuma dessas coisas. Em vez disso, caminho até a seção infantil e pego um pufe de brim, que arrasto para a seção de livros de viagem, onde me acomodo com o guia da Lonely Planet para Moscou.

Estou abaixada no chão da sala dos fundos, girando o segredo do cofre, quando ouço o sino da porta. Eu me levanto, apoiando-me sobre as mãos, e vejo alguém com um gorro de lã segurando um casaco preto em pé na frente do balcão.

– Desculpe... estamos fechando! – grito. Giro o segredo para introduzir os últimos três números da combinação, puxo a alavanca de metal e jogo o malote de vinil dentro do cofre.

Estou olhando para o meu relógio quando volto à loja e me dirijo ao balcão.

– Desculpe, fechamos às...

Bennett se vira para olhar para mim, e um sorrisinho ilumina seu rosto lentamente.

Paro onde estou.

— Oi. — Sei que não consigo disfarçar a surpresa. Ele está com uma aparência muito melhor do que aquela que vi há três horas. As olheiras desapareceram, e os olhos não estão mais vermelhos. Bennett parece diferente, relaxado na calça de algodão marrom e suéter azul-claro, uma cor que provoca um efeito mágico em seus olhos. E não posso deixar de notar que ele cheira a banho recente. Parece melhor, mas ainda cansado.

— Oi, Anna.

— Você está bem? — Sinto um alívio tão grande que quero correr e abraçá-lo.

— Sim, estou bem. — E sorri. — Então... — Seus olhos se movem pela loja. — É aqui que você trabalha?

Respondo movendo a cabeça para cima e para baixo.

— Legal. — Ele dá alguns passos em minha direção e se apoia ao balcão. — Fico feliz por estar aqui. Não sabia se trabalhava nas noites de sexta.

— Não trabalho. Meus pais foram a uma festa na cidade. — Não sei o que dizer. Chego mais perto do balcão e imito sua pose.

— Ei, queria me desculpar. Não tive a intenção de ser tão grosseiro mais cedo.

— Tudo bem.

— Não, não está. Foi muita bondade sua ir até lá. — Sua expressão é suave, a voz é gentil, e não há mais nenhum sinal de aborrecimento em seus olhos.

— Eu devia ter telefonado, e tal, em vez de ir até lá.

— Não, eu não devia ter saído do parque naquela noite. Não me lembrava de que você tinha estado lá até que me disse. — Bennett olha para mim como se tentasse descobrir em que estou pensando, analisando como prosseguir. — De qualquer maneira, obrigado por me ajudar. Lamento não ter agradecido antes.

— Não tem de quê.

Os olhos dele estão cravados nos meus, e o sorriso se torna mais largo.

— Posso tentar compensar?

— Compensar?

— Que tal um café?

— Café?

— Sim. Café. A menos que... — os olhos dele percorrem a loja vazia — esteja ocupada.

Sei que estou franzindo a testa.

— Tem certeza de que está bem o bastante para ir tomar café?

Bennett dá de ombros. E assente.

— Na verdade, a cafeína alivia minhas enxaquecas. Vamos lá. É o mínimo que posso fazer depois de ter expulsado você da minha casa.

Enquanto ele está ali parado esperando minha resposta, penso no que Emma disse hoje mais cedo na Rosquinha. *Apenas fale*, ela tinha insistido. *Você gosta do garoto, não é?* Não acho que o conheço o suficiente para que isso seja verdade, mas é.

— Tudo bem. É claro. — Talvez, quando terminarmos o nosso café, eu o conheça melhor. Talvez tenha até respostas para todas as perguntas que ele continua acrescentando à pilha.

Ando pela loja apagando as luzes e viro a placa na porta de ABERTO para FECHADO. Quando estou trancando a porta, Bennett tira a mochila do meu ombro e a pendura no dele.

Andamos em silêncio até o fim do quarteirão. Ouço o barulho da cafeteria cada vez mais alto à medida que nos aproximamos e sinto o aroma que flutua no ar gelado e desaparece nas nuvens lá em cima. Assim que entramos, vejo um grupo saindo. Caminhamos por entre as mesas cheias e nos jogamos contra o sofá de veludo amassado no canto.

— O que vai querer?

— Um monte de explicações. — Pego a carteira dentro da minha mochila. — E um *latte*, por favor.

— Pode deixar. — Ele toca minha mão, e me censuro em silêncio pelo arrepio que o contato provoca. Bennett se afasta e volta com duas canecas de vidro cheias de espuma, cada uma com um biscoito coberto de chocolate equilibrado na borda.

Ele deixa as canecas sobre a mesa e se acomoda no sofá. Não escondo a expectativa quando olho para ele.

— Conversas sérias pedem *biscotti* — diz Bennett. Desta vez permito que ganhe um sorriso meu.

Ele pega a caneca e atravessa a espuma com o biscoito italiano e, depois de repetir o gesto algumas vezes, joga o biscoito na boca e o mastiga. Quando percebo que o estou encarando, olho para minha caneca. O café é quente e reconfortante.

— Então... por onde devo começar? — Ele mergulha o biscoito no café enquanto olha para mim. — Acho que pela noite de domingo. O parque? Tenho que admitir, alguns trechos estão confusos na minha memória, mas acho que falei sobre as enxaquecas.

Sinto meu rosto suavizar com a preocupação e movo a cabeça numa resposta afirmativa.

— Francamente, não sei o que aconteceu. Estava andando pela cidade e senti a dor de cabeça chegando. Antes mesmo que eu pudesse processar o que estava acontecendo, ela me atacou... — Bennett come mais um pedaço do biscoito e bebe mais um pouco de café antes de continuar: — Enfim, não sei quanto tempo passei naquele parque antes de você me encontrar. Tudo o que lembro é que tentei ir para casa.

— Eu teria ajudado. Por que não esperou por mim? — Olho para a caneca e bebo mais um gole. Quando levanto a cabeça, descubro que ele está me observando.

— Saí dali assim que consegui andar novamente. — Ele faz uma pausa, procurando no ar algo que não consigo ver, depois olha nos meus olhos. — Sinto muito. Não lembro por que você saiu de lá.

— Fui à cafeteria pegar água para você.

Ele assente, e é como se começasse a se lembrar de tudo.

— Desculpe, não quis deixar você lá sozinha. Eu não estava pensando direito. — E balança a cabeça como se tentasse se livrar das lembranças daquela noite.

Nunca perdi a consciência desse jeito, mas posso imaginar a desorientação.

— E passou a semana toda doente?

— Melhorando e piorando. Pretendia ir à escola na quinta-feira, mas senti outra dor de cabeça se aproximando quando acordei, e fiquei com medo de ter outro episódio como o de domingo. Teria sido constrangedor desmaiar na minha segunda semana no colégio. — Fico surpresa por saber que Bennett se preocupa com o que pensamos. — E agora tenho uma tonelada de dever de casa para fazer nesse fim de semana. Depois que você saiu, uma mulher do colégio esteve em minha casa para deixar todos os trabalhos e tarefas.

— A sra. Dawson.

— Achei que fosse ela quando você chegou. Acho que por isso fiquei tão surpreso quando a vi.

— Surpreso? — Ergo uma sobrancelha. — É assim que chama o que aconteceu?

Ele apoia um braço sobre o encosto do sofá.

– Sinto muito por ter feito você sair da minha casa hoje mais cedo.

Ele está sorrindo e se inclinando para mim, e descubro que estou fazendo a mesma coisa.

– Tudo bem.

– É que você meio que... me deixou confuso.

– Confuso?

Ele olha para baixo, depois ergue os olhos de novo e sorri envergonhado para mim.

– Eu estava horrível. Uma garota bonita aparece na minha casa, e estou de moletom, fedido e com cara de quem passou um mês sem dormir. – Os olhos continuam fixos nos meus. – Não devia ter sido tão mal-educado.

– Não se preocupe com isso. – Sorrio.

– Obrigado por não ter contado a Maggie. Não quero que ela se preocupe.

– Sem problemas. – Bennett ainda está me encarando, e com toda a tensão que paira no ar, agarro a chance de mudar de assunto. – Sua avó parece ser legal – digo. E vejo o rosto dele se iluminar.

– Sim, ela é ótima.

– E você se mudou de São Francisco para vir morar com ela?

– Por enquanto. Só vim passar um mês enquanto meus pais estão na Europa.

– Ah. – Abaixo a cabeça e sinto meu coração afundar. – Eu não sabia. – Acho que isso explica por que ele nem se deu o trabalho de conhecer alguém.

– Sim, bem... acho que posso contar a verdade. Você guarda segredo? – Ele espera eu assentir. – Não é só a viagem dos meus pais.

— Ah, não? — Dou mais uma mordida no biscoito e mastigo. Espero que entenda que isso significa que deve continuar falando.

— Eu devia ter ido com eles, mas cometi um erro — prossegue Bennett. — Pisei na bola mesmo. Meus pais são compreensivos, mas vamos dizer que Evanston é o melhor lugar para eu estar agora. Cuidar de Maggie é muito melhor do que passar um mês com eles... ou no reformatório. — O sorriso largo me faz pensar que isso é para ser uma piada.

— E? — pergunto.

— E o quê?

— E não vai me contar o que fez para merecer essa versão congelada do inferno?

Ele balança a cabeça e dá uma risadinha que diminui a importância do assunto.

— Acredite em mim, você não vai querer saber.

— Ah, não pode ser tão ruim. Você não matou ninguém. — Paro no meio do ato de mergulhar o biscoito no *latte* e olho para ele. — Matou?

Ele mexe a caneca em movimentos circulares para misturar o *latte*, olhando dentro dela como se procurasse respostas, como se ali houvesse folhas de chá.

— Não, não matei ninguém. Mas alguém... desapareceu. E foi minha culpa.

Penso nele naquele banco gelado do parque, balançando para a frente e para trás e resmungando sobre ter que encontrar alguém. Penso em contar o que ouvi e perguntar o que significa, mas olho para seu rosto e alguma coisa me diz para não fazer isso. Quando o silêncio continua, eu o pressiono para obter mais informações.

— Isso não é exatamente um segredo. É só isso que você tem para me contar?

— Por enquanto, só. — Seu rosto se ilumina quando faz a pergunta: — Então, há quanto tempo você mora em Evanston?

Eu olho fixamente para ele.

— Ah, então vai ser assim, agora? — pergunto.

— Sim, agora vai.

Decido não insistir por ora, mas olho para ele de um jeito que anuncia que as explicações ainda não acabaram. E suspiro.

— Moro aqui a vida inteira. Na mesma casa onde meu pai cresceu. Na mesma casa onde meu avô cresceu.

— Uau. — Ele olha para mim com o que, de início, penso ser olhos doces e compreensivos, mas logo percebo o que está na verdade por trás de sua expressão: pena. Como se eu fosse um hobbit que nunca saiu do Condado.

— Sim. — Eu me sinto pequena. — Uau.

Ele se inclina um pouco mais em minha direção, preenchendo o que restava de espaço entre nós, demonstrando interesse genuíno em minha vida pateticamente simples.

— Você nunca se sente... presa?

Quero contar a ele sobre meu mapa e meus planos de viajar pelo mundo, mas quando as palavras começam a se formar em minha cabeça, percebo que elas vão soar tão dignas de pena quanto o olhar de Bennett sugere. Sim, estou presa, por enquanto, mas não estarei para sempre. Mesmo assim, no fundo, posso sentir a realidade que faço questão de ignorar fervendo sob a superfície: posso sonhar o que eu quiser. O mais provável é que ainda esteja aqui quando for velha e tiver cabelos grisalhos, que me sentarei na cadeira de balanço para tricotar na varanda nos momentos em que não estiver na livraria que vou administrar com a ajuda dos meus netos, e eles vão pensar que sou uma velha maluca porque me recusarei a chegar perto da seção de livros de viagem. Presa é pouco para descrever minha situação.

– Todo dia – respondo.

– Não consigo me imaginar no mesmo lugar por tanto tempo. – Eu me afasto um pouco, mas Bennett apoia a cabeça nas mãos e preenche o espaço que acabei de criar. – Viajei para muitos lugares. Já vi mais coisas que a maioria das pessoas vai ver na vida toda. – Isso não estava ajudando. Ele deve perceber, porque muda de rumo de repente. – Mas você tem uma coisa que eu nunca tive. – A expressão se torna suave, e ele parece quase triste. – Raízes profundas. A história de um lugar. Viu as crianças que conheceu no jardim de infância crescerem diante dos seus olhos. Além de meus pais e minha irmã, tenho a sensação de que todas as pessoas que conheço são... – ele faz uma pausa para procurar a palavra certa – temporárias, de alguma forma.

É minha vez de demonstrar compaixão. Conheço Justin há mais tempo do que conheço meus outros amigos, mas não consigo nem imaginar como seria pensar em um deles como temporário.

– Não me diga que vai estudar em Northwestern. – Bennett continua sorrindo, por isso continuo falando, como se tivessem injetado soro da verdade em mim.

– Deus, não. Pelo menos espero que não. Vou me candidatar, porque é o que todo mundo faz, mas é minha última opção, definitivamente. – Conto a ele sobre a corrida e meus planos para conseguir uma bolsa de estudos; ele me olha como se sorvesse cada palavra, e não consigo entender de jeito nenhum o porquê. Mas seus olhos transbordam interesse, e dessa vez, quando penso em meu mapa, decido que posso falar com ele sobre isso. – Também tem o outro plano – digo –, o que meus pais não conhecem.

Ele sorri animado.

– Também vou ganhar um segredo?

– Sim, mas é diferente, porque pretendo contar a história toda – disparo, e seu sorriso é tão amplo que faz seus olhos se estreitarem em duas fendas. – Estou pensando em tirar um ano depois da formatura para viajar. Sei que vou para a faculdade, mas sinto que posso ter essa abertura depois do colégio para ver o mundo. – Olho para o sofá. – Mas, é claro, meus pais jamais aprovariam esse plano.

– Por que você não pode viajar depois da faculdade?

Ele precisava perguntar. É claro. Eu tinha visto a casa dele.

– Porque vou ter que trabalhar para pagar o financiamento estudantil – explico. – Mesmo que eu consiga a bolsa de estudos para atleta e uma ajuda financeira, ou qualquer coisa, ainda vai faltar dinheiro. – O sorriso dele me incentiva a continuar. – Acho que tenho medo de adiar a viagem a ponto de não ir nunca mais, e eu simplesmente... preciso ir.

Bennett me olha. Não consigo imaginar o que está pensando.

– O que é? – pergunto.

– Você é interessante. – Seus lábios se distendem em um meio sorriso. *E bonita*, quero acrescentar. *Antes você disse que eu era bonita*. – Tive a sensação de que você seria interessante. – Ele me observa, e espero que não possa perceber que meu estômago começou a dar aqueles pulos estranhos de novo.

Olho para ele e percebo que na última hora não pensei nas pequenas – e grandes – coisas que têm me atormentado nas últimas duas semanas. Como ele desapareceu na pista de corrida naquele dia e depois negou ter estado lá. Como sua reação foi estranha na primeira vez que ouviu meu nome.

Como o encontrei no parque naquela noite. Até mesmo a visita bizarra à casa da avó dele algumas horas atrás. Não sei o que ele vê em mim de tão interessante, mas sei que estou fascinada por tudo que não sei sobre ele. Só quero completar o quebra-cabeça, mas as peças mais importantes estão sempre caindo no chão, com o desenho para baixo e fora do meu alcance.

Mas as questões desaparecem quando ele estende a mão e traça lentamente o contorno da minha mandíbula até o queixo. Fecho os olhos ao sentir o polegar deslizar para minha boca e roçar o lábio inferior e me inclino para ele como se fosse atraída pela gravidade que o cerca. Bennett ameaça me beijar, e fecho os olhos esperando pelo contato dos lábios nos meus.

Mas o beijo não acontece. Em vez disso, ele para. Sinto o hálito passar por cima de minha face e a palavra *desculpe* invadir minha orelha na forma de um sussurro.

— Por quê? — murmuro.

— Por isso. — Ele suspira. — Desculpe. Não posso...

— E as aventuras ousadas? — Espero que ele perceba o sorriso em minha voz.

Sinto a risada em meu pescoço e ouço mais um sorriso.

— Receio já estar envolvida em uma. Uma aventura diferente.
— Afasto-me para ver seus olhos, e me pergunto por que ele parece triste. Depois de afagar meu rosto com o polegar, se afasta de mim.

Bennett olha para o relógio.

— Preciso ir embora. Posso acompanhar você até sua casa?

Afundo na cadeira e me sinto confusa. Triste.

— Não se preocupe. São só alguns quarteirões.

— Eu me sentiria muito mal se acontecesse alguma coisa.

— Se eu desaparecesse? — pergunto com sarcasmo. — Sim, parece que você tem esse efeito nas pessoas. — Ainda estou perto o bastante para ver seu rosto entristecer, depois endurecer.

— Obrigado. — Ele recua, e aquela parte em mim que se aborreceu por não ter sido beijada agora fica satisfeita. — Já volto. — E vai ao banheiro, deixando-me sozinha para me censurar.

— Bennett, desculpe — digo assim que ele retorna. — Estava tentando ser engraçada.

Ele se inclina para a frente e pega minha mochila no chão.

— Tudo bem. Não se preocupe com isso. — Vestimos nossos casacos, caminhamos em silêncio entre os sofás e as mesas, e logo saímos para a rua. Andamos lado a lado, mas há uma fenda visível entre nós. Quase não nos falamos ao longo dos três quarteirões seguintes, e não posso deixar de notar que o Bennett com quem estive conversando durante a última hora não é o mesmo que agora me acompanha até em casa.

— É aqui — digo ao chegarmos. Vejo Bennett olhar para nossa casa do século dezenove com sua pintura amarela e meio descascada e a varanda panorâmica, que é seu único atributo exterior. A luz da cozinha está acesa, mas não tem nenhuma atividade lá dentro, e meus pais vão demorar algumas horas para chegar. — Não quer...

— Não — ele me interrompe com tom seco. Depois deixa minha mochila no chão ao lado dos meus pés. — Olha, você estava certa... sobre o que disse agora há pouco. — Sua voz agora era mais suave, mas tive a impressão de que ele se esforçava para manter esse tom.

— Ah, por favor. Eu estava brincando. — Tento amenizar a tensão, mas Bennett enfia as mãos nos bolsos e se recusa a me encarar. Não pensei que meu comentário o tivesse ofendido tanto, mas foi suficiente para mandá-lo ao banheiro de um jeito e fazê-lo voltar de outro completamente diferente. A primeira versão estava quase me beijando. A segunda versão mal podia esperar para ir embora.

— Você não sabe nada sobre mim.

Chego um pouco mais perto e sorrio para ele de um jeito provocante, esperando trazer de volta o Bennett da cafeteria.

— Conheço dois de seus segredos. — Alguma coisa naquele quase beijo me fez sentir corajosa o bastante para segurá-lo pelas lapelas do casaco de lã. — Já é alguma coisa, não é?

Ele se aproxima de mim como fez no sofá, mas dessa vez seu rosto é tenso, e ele para antes de aproximar a boca da minha. Segurando meus pulsos, ele me faz soltar seu casaco. A expressão que vejo se torna ainda mais fria.

Não acredito que meu comentário o ofendeu tanto.

— Qual é o seu problema?

Ele dá um passo para trás.

— Olha, isso *não* vai acontecer de novo. Entendeu, Anna? Isso — e move a mão apontando nós dois — não vai acontecer dessa vez.

— Não faço ideia do que você está falando! Como assim, "dessa vez"?

— Não importa. — Ele cruza os braços sobre o peito e olha nos meus olhos. — Preste atenção. Vou ficar aqui por mais duas semanas, e só porque não tenho escolha. Depois vou embora, e você nunca mais vai me ver. Então, por favor, volte para a sua vida. — Bennett se vira, e eu o vejo se afastar andando pela neve.

abril

9

Trinta e cinco dias. Bennett está na cidade há trinta e cinco dias, e, de acordo com a minha definição de mês, isso significa que ele deveria ter ido embora há quatro ou cinco dias. Porém, quando entro na aula de espanhol, ele ainda está lá. Mal nos falamos desde a noite na cafeteria há três semanas, e ele nunca olha para mim; se nossos olhares se encontram por acidente, ele sorri de um jeito superficial, e eu desvio os olhos. Mas tudo naquela noite ainda me atormenta, e não consigo entender como ele é capaz de virar meu mundo de pernas para o ar e, ao mesmo tempo, deixá-lo exatamente igual.

– Tenho novidades! – cantarola Argotta, sorrindo radiante e abrindo os braços. Ele move o olhar pela sala de aula, mantendo-nos reféns de suas palavras, e nós o observamos voltar para a frente da sala e se sentar na beirada da mesa.
– Quantos aqui já ouviram falar no meu Desafio Anual de Viagem?

Alguns alunos levantam a mão.

— Muito bem — continua o professor. — Este ano, até *vocês* vão se surpreender. Porque, este ano, tenho uma recompensa bem grande e muito excitante.

Ele pula de cima da mesa e puxa um marcador identificado com a palavra México. O mapa gigantesco e colorido se desenrola do esconderijo no teto.

— Mas, antes, quero falar sobre a tarefa. Cada um de vocês vai planejar duas semanas fabulosas de férias no México. Devem partir do nosso encantador Aeroporto Internacional O'Hare, mas podem aterrissar onde quiserem. De lá, vocês devem criar um itinerário que permita visitar o maior número possível de destinos mexicanos em quatorze dias. A pessoa que criar o plano de viagem mais lógico, interessante e de melhor relação de custo-benefício vence o desafio.

Ele se dirige à frente da sala e para.

— Gostaram? — Vinte cabeças assentem ao mesmo tempo. — Ótimo. Os planos de viagem devem ser entregues na próxima segunda-feira, daqui a uma semana. — E dá as costas para a sala a fim de apagar o quadro branco.

A sala está em silêncio. Nós nos viramos trocando olhares. Finalmente, Alex pigarreia e levanta a mão.

Argotta se vira e levanta os dois braços.

— Ah, esperem um minuto! — Ele anda de um lado para o outro na frente da sala, sorrindo. — Aposto — fala devagar, prolongando cada palavra — que querem saber qual é o prêmio para o vencedor, certo? — E fica ali parado na frente da sala assentindo e sorrindo, enquanto nós também movemos a cabeça numa resposta afirmativa. Alex baixa o braço. — É claro, é claro. — Ele pronuncia cada palavra bem devagar para aumentar a tensão na sala. — Tenho um amigo, vejam bem, que trabalha em uma das nossas mais importantes companhias aéreas. — Aposto que ele passou a manhã toda ensaiando esse discurso na frente do espelho do banheiro. – Falei com esse bom amigo sobre meu Desafio Anual de Viagem, e ele pensou que seria uma ótima ideia se a empresa para a qual trabalha doasse um voucher de viagem no valor de quinhentos dólares para o vencedor.

Todos se entreolham. Não consigo deixar de olhar para Bennett e, quando o encaro, ele responde com o infalível sorriso superficial, depois olha para a janela.

– Então, o que acham? – Argotta olha para os alunos. – Alguém aqui faria bom uso de um voucher de quinhentos dólares?

Sim, todos ali saberiam bem como usá-lo. Mas eu sou a única que pensa que aquilo pode mudar minha vida.

Sento-me de pernas cruzadas no tapete diante da prateleira marcada com a palavra *México* e leio as lombadas dos livros. A loja está vazia e, considerando a tempestade que desabou lá fora a tarde toda, é provável que continue assim. O que é perfeito, já que tenho um roteiro de férias para planejar.

Puxo *Let's Go Mexico* de seu lugar na prateleira e ponho mais três livros grossos em cima dele.

Folheio o Guia Verde Michelin de bolso e removo dele um encarte fino que se abre em um mapa gigantesco de estradas. Logo tenho uma pilha de guias, todos muito valiosos em ao menos um aspecto para a atividade de planejamento. Pego meu caderno e olho para a pilha. E decido que preciso de um *latte*.

Visto o casaco, penduro a placa de VOLTO EM DEZ MINUTOS na porta e a tranco ao sair. São só seis horas, mas está escuro que nem breu lá fora, e ninguém saberia que haveria grama no chão e folhas em todos aqueles galhos vazios, não fosse o calendário. Faltam dois meses para as férias de verão, mas está nevando forte. De novo.

Compro meu *latte*, levo-o de volta à loja, retomo meu posto na seção de viagens e começo a dividir os livros no tapete em pilhas menores. Sei o que quero: uma combinação equilibrada de sítios arqueológicos e praias, onde eu possa correr na areia e nadar em um mar de verdade. Desenho uma linha no centro da folha de papel e começo minha lista.

A coluna da esquerda é rapidamente preenchida com sítios arqueológicos: as ruínas Maia em Tulum, Chichén Itzá e Uxmal. A coluna da direita, por incrível que pareça, é mais difícil de preencher. Cancun tem o Grande Recife Maia, por isso tem que entrar na lista, mas não sei se quero incluir destinos mais conhecidos como Los Cabos, Acapulco, Cozumel. Todos parecem bonitos, por isso os incluo na lista com pequenos pontos de interrogação na margem.

O granizo está martelando a janela, e um dos galhos do enorme carvalho lá fora fica raspando na vidraça. Parei de pular cada vez que isso acontece, mas ainda acho enervante. Tento ignorar o barulho e me deixar levar para longe da neve e do vento, para as praças do gracioso vilarejo de Mazatlán e os mercados abertos de cerâmica em Guadalajara.

Porém, quando ouço o barulho de novo, me levanto, dou uma olhada na estante e me aproximo cautelosamente da janela. A tempestade ainda chicoteia a árvore, mas o galho que antes arranhava a vidraça agora está caído, quebrado, pendendo silencioso sobre a calçada lá embaixo. Então escuto um barulho atrás de mim e me viro. Dessa vez o ruído sequer vem da rua – vem da sala dos fundos e não é o barulho da tempestade –, é uma voz. Prendo a respiração e ouço com atenção.

Meu coração está disparado quando me aproximo do telefone sobre o balcão.

– Quem está aí? – grito para a sala dos fundos, pegando o fone e discando o número de emergência com a mão trêmula. Fico completamente imóvel e escuto, olhando para a porta da sala enquanto espero alguém atender. – Atenda! – sussurro para o fone.

De repente, a porta da frente se abre com força, e eu giro a cabeça, olhando na direção oposta enquanto os sinos soam sem sua habitual e agradável delicadeza. Ponho o telefone de novo no gancho e corro para a porta.

– Oi! – Minha voz está tremendo. Apoio a mão aberta sobre o peito, como se isso pudesse conter minha pulsação descompassada, e tento agir como se tudo estivesse normal. – Posso ajudar?

Ele olha para trás de mim, como se procurasse algo na loja, e depois por cima do ombro, para a rua. Quando penso em pedir ajuda ao recém-chegado para verificar o que era o barulho na sala dos fundos, ele fecha a porta com tanta força que os sinos batem no vidro, e desenrola a touca para cobrir o rosto. Depois tranca a porta.

– Dinheiro. – Sua voz filtrada pela lã é profunda, mas minha atenção está na faca brilhante que ele tira do jeans largo. E aponta diretamente para mim. Agora.

É difícil apontar o balcão com as mãos tremendo tanto.

– Ali. Não está trancado. Leva tudo. – Também é difícil falar.

Antes que eu possa me afastar, ele me puxa para perto de si, encosta a faca no meu pescoço e me empurra além da caixa registradora.

– O cofre! – grita no meu ouvido apertando a faca.

— No fundo... — As palavras soam hesitantes, mas sigo as instruções que papai me deu quando comecei a trabalhar na livraria. — A combinação é nove-quinze-trinta e três. Não temos alarme. Não vou chamar a polícia. Pegue o dinheiro e vá embora.

Faço um cálculo mental. Deve ter uns cinquenta dólares no caixa, se tanto. No cofre deve haver quase mil.

O assaltante me empurra de volta ao caixa, abre a gaveta e me solta só por um momento enquanto despeja o dinheiro em sua bolsa. Depois me agarra de novo e me arrasta para a sala do fundo, enquanto olho para o chão e tento não pensar no aço frio da lâmina em meu pescoço ou na respiração pesada na minha orelha.

— Mexa-se!

Sinto uma onda de náusea.

Imagino que por isso estou vendo coisas.

Estreito os olhos tentando focar o movimento perto das estantes de livros. Estou relativamente certa do que vi, embora saiba que é impossível. A loja estava vazia, a porta, trancada.

Olho por cima das estantes e vejo um tufo de cabelos escuros se movendo em direção ao corredor. Estico o pescoço para tentar enxergar melhor, mas paro quando sinto a lâmina fria apertada contra minha garganta. Quando chegamos à sala dos fundos, o homem afasta a faca do meu pescoço e me empurra para dentro, e caio no chão na frente do cofre.

— Abra — ordena ele. Giro o segredo: direita, esquerda, direita, e puxo a alavanca pesada. A porta se escancara, e ele me empurra para longe.

É quando vejo o movimento outra vez, a cabeça emergindo lentamente das sombras em um local que só eu posso ver, e percebo, atônita, que Bennett leva o dedo indicador aos lábios. Não existe a menor chance de conseguirmos derrotar um homem desesperado com uma faca, mas, mesmo assim, a primeira coisa que sinto é alívio.

O homem sai da minha linha direta de visão, porém ainda consigo vê-lo pelo canto do olho, se aproximando de mim com passos cuidadosos. Permaneço em silêncio, imóvel.

E enquanto o ladrão está distraído com o conteúdo do cofre, três coisas acontecem, tão depressa e sobrepostas que parecem ocorrer simultaneamente. Bennett desaparece por completo, e de repente está ajoelhado no chão ao meu lado. Ele segura minhas mãos e fecha os olhos, e acho que também fechei os meus porque, quando volto a abri-los, a loja desapareceu. O ladrão e sua faca desapareceram. E Bennett e eu continuamos exatamente na mesma posição – ele ajoelhado, eu sentada, ainda de mãos dadas – mas agora estamos ao lado de uma árvore no parque vizinho, com o vento soprando violentamente e espalhando neve à nossa volta.

10

Bennett solta minhas mãos e segura meu rosto, e ouço as palavras que ele diz, mas é como se estivessem distantes, abafadas.

– Você está bem, Anna. Respire e não fale. Apenas escute com cuidado e faça o que eu digo. Vou explicar tudo, mas agora precisa me escutar.

Concordo com um movimento de cabeça, confusa e de olhos arregalados.

– Primeiro, preciso que você corra até a cafeteria. Peça um *espresso* e dois copos grandes de água sem gelo, sente-se e espere por mim. – Ele olha nos meus olhos. – Você consegue, Anna. Preciso de você. Confia em mim?

Assinto mais uma vez.

– Tudo bem, corra. Não fale com ninguém, apenas peça o café e a água e sente-se.

Eu me viro e corro para a cafeteria.

Estou tremendo tanto que mal consigo falar, mas o barista é gentil e se oferece para levar as bebidas até a mesa. Eu o conduzo até o sofá perto da janela e desabo.

As sirenes soam cada vez mais altas, até que duas viaturas de polícia param na frente da livraria. Não consigo ver muito de onde estou, mas enxergo os faróis iluminando o prédio e vejo os policiais sacando as armas e se aproximando cautelosos da entrada. Logo eles desaparecem, e eu pressiono a testa contra o vidro tentando ver o que está acontecendo. Estou esperando os policiais reaparecerem quando sinto um peso do meu lado.

Bennett deixa o corpo cair para a frente, apoia os cotovelos nos joelhos, aperta os dois lados da cabeça com a ponta dos dedos. Um gemido escapa entre inspirações profundas, difíceis, como na noite do parque.

Sem me deixar questionar meus atos desta vez, começo a massagear suas costas.

— O que posso fazer?

— Água...

Deixo uma das mãos sobre suas costas e uso a outra para pegar o copo com água, que dou a ele. Bennett levanta a cabeça e bebe tudo em três goles gigantes.

— Mais...

Depois do segundo copo, sua respiração se torna mais regular. Ele levanta a cabeça, olha para mim e sorri.

— Ei, ainda está aqui. — Depois pega a xícara de café e bebe o líquido quente. Olho para ele. Quero dizer alguma coisa, mas não consigo, porque, toda vez que inspiro, meu corpo parece expulsar o ar imediatamente. Tento uma inalação profunda, pois sei que assim vou conseguir diminuir a pulsação e banir o tremor dos membros, mas meus pulmões se recusam a cooperar. *Que diabo acabou de acontecer?*

Não percebo que o estou encarando até ele balançar os dedos diante do meu rosto e dizer:

– Você está em choque. – E levanta um dos copos vazios, chamando a atenção do barista e apontando para mim. – Beba isto – diz, quando o garçom retorna.

Pego o copo com as duas mãos, porque não confio em meus membros trêmulos para cumprir uma tarefa tão complicada quanto levar o copo à boca. Bennett fala controlando a respiração.

– Você precisa me ouvir, Anna. Vamos ter que falar com a polícia em alguns minutos. Eles devem ter chamado seus pais, e é provável que estejam procurando você. – Bennett me segura pelos ombros e me faz virar para fitá-lo. – Prometo contar tudo o que acabou de acontecer, mas, por ora, vai ter que confirmar uma história. Acha que consegue?

Termino de beber a água e balanço a cabeça para cima e para baixo.

– Ótimo. Vamos começar com a parte verdadeira: O homem invadiu a loja e obrigou você a abrir o cofre. Mas, depois, diga que, quando ele não estava olhando, você saiu correndo pela porta dos fundos em direção ao beco. Eu a vi lá fora e fui ajudar. Esperamos no fim da rua e só voltamos quando vimos a polícia chegar. – Ele levanta meu queixo. – Acha que consegue?

Concordo novamente, os olhos muito abertos.

– Não se preocupe, eu falo. Só precisa confirmar a história.

É como se eu não conseguisse fazer nada além de assentir.

Nós nos aproximamos da janela e olhamos para as duas viaturas restantes estacionadas lá fora, ainda com as luzes girando. Fico em pé e muda enquanto Bennett explica o que aconteceu. O policial registra cada detalhe da invasão e da minha fuga pela porta dos fundos em seu bloco de anotações com capa de couro preta. Eu escuto, ainda balançando a cabeça, mas sei que Bennett está mentindo, porque tenho consciência do que aconteceu. Eu *não* o encontrei no beco do lado de fora. *Como ele entrou na loja? Como saímos de lá?*

O policial repassa as anotações.

— Fique aqui — diz ele. — Já volto.

Fico surpresa quando ouço minha voz.

— Oficial? — Ele para e olha para mim. — Conseguiu pegá-lo?

— Sim. Nós o pegamos quando ele tentava abrir a trava da porta dos fundos. Esse inverno prolongado parece estar deixando algumas pessoas desesperadas. Mas não se preocupe, ele não irá a lugar algum por um tempo. — E se vira para se afastar.

— Oficial? — repito, e ele me encara mais uma vez. — Como conseguiu chegar aqui a tempo? — Bennett passa um braço sobre meus ombros e aperta quando o policial vira algumas páginas do bloco de anotações.

— Parece que foi uma denúncia anônima. Alguém telefonou para informar um assalto em andamento. — Ele olha para mim com um sorriso solidário. — Um de seus vizinhos deve ter visto quando o ladrão entrou. Você tem um anjo da guarda, mocinha.

Papai entra de repente na loja com minha mãe logo atrás. Bennett deve ter se afastado, porque, de repente, eles conseguem me cercar, e sinto dois conhecidos pares de braços me envolvendo.

— Anna... — diz mamãe quase histérica, afagando meus cabelos e beijando minha testa várias vezes.

— Eu sinto muito — sussurra papai repetidamente ao afagar nossas costas.

Todos nós ouvimos o policial pigarrear e levantamos a cabeça.

— Com licença. Lamento interromper, mas vocês e sua filha precisam ir à delegacia registrar a queixa. — A delegacia é o último lugar aonde quero ir. O que quero é uma xícara de café quente e uma hora sozinha com Bennett.

Olho para meu pai e pergunto:

— Pode nos dar um minuto primeiro? — Aponto para Bennett. Meus pais notam pela primeira vez a presença do garoto, mas agora ele tem toda a atenção dos dois.

— Olá, sr. Greene. Sra. Greene. — Ele estende a mão para meu pai primeiro, depois para minha mãe. — Sou Bennett Cooper.

— Bennett é um... amigo. Da escola. Ele me ajudou quando... — Minha voz falha quando vejo minha mãe fazer uma careta. Mas ela relaxa e sorri depois que minto sobre os detalhes, como Bennett me pediu para fazer.

— Bem, obrigada, Bennett. — Ela aperta a mão dele e mantém o outro braço sobre meus ombros, os olhos oscilando entre mim e ele. — Não sei bem o que podia estar fazendo na rua com uma tempestade como essa, mas foi uma feliz coincidência. — E me olha de lado, levantando as sobrancelhas. Eu dou de ombros.

— Podemos? — pergunto mais uma vez para meu pai.

— Cinco minutos — concede ele e olha para o relógio.

Levo Bennett para a seção de autoajuda, e afinal ficamos sozinhos outra vez, mesmo que só por alguns minutos.

— Então... — Olho para ele com expressão séria. — Suponho que esse seja o grande segredo?

— Sim. — Ele ri baixinho. — Basicamente. — E estica o braço para pegar minhas duas mãos. As dele são quentes e macias. — Tenho muita coisa para falar.

— Que bom.

— Tem certeza de que quer ouvir?

Confirmo com a cabeça.

— Acha que consegue faltar aula e ficar em casa amanhã?

Olho para o relógio. São só oito e meia, mas tenho a sensação de que já é quase meia-noite. Quando chegar em casa depois de passar pela delegacia, talvez já seja.

— Acho que meus pais não vão achar ruim, considerando as circunstâncias.

— Eu passo na sua casa às dez horas. Vamos a algum lugar para conversar.

Olho para ele procurando respostas que não quero esperar até amanhã para ouvir.

Bennett se inclina para mim e cochicha:

— Tem medo do que eu posso fazer?

Olho em volta, para a polícia e meus pais, e de novo para Bennett. Não tenho medo, embora suspeite de que deveria ter. No momento, apenas estou feliz por estar viva. E por ver que as peças do quebra-cabeça que tem sido Bennett desde que o conheci começam a se encaixar, enfim, ocupando seus lugares e formando uma imagem que um dia talvez eu compreenda.

— Não — respondo. — Nem perto disso.

11

Meu quarto ainda está escuro, mas sinto que já amanheceu. Viro de lado e dou uma olhada no mostrador do relógio digital sobre o criado-mudo. 9h15. Não me lembro da última vez que acordei depois das sete horas, especialmente em um dia de aula.

Então, me lembro de tudo o que aconteceu na noite anterior e me dou conta – Bennett vai chegar em quarenta e cinco minutos.

Pulo da cama, visto o moletom e desço apressada. Não como desde o almoço do dia anterior, o que explica minha fome voraz. Encontro um bilhete sobre a bancada, ao lado da torradeira:

A.
Fico feliz por estar dormindo até mais tarde. Papai está na livraria e eu vou trabalhar. Telefone se precisar de <u>qualquer coisa</u>. Estaremos em casa às cinco da tarde. Descanse. E, por favor, não vá correr hoje.
  Um beijo e um abraço,
    Mamãe

Pego uma tigela no armário e a encho até a borda com cereal. Como tão depressa que nem sinto o gosto de nada, mas o cereal de milho com leite preenche o vazio desconfortável no meu estômago. De repente, começo a me sentir enjoada de novo. Tive uma faca no pescoço. Estava em perigo e, no instante seguinte, não estava.

Bennett consegue desaparecer. E reaparecer. E pode fazer outras pessoas desaparecerem e reaparecerem. Ele tem um talento secreto, eu sou a única que sabe sobre isso, e hoje ele vai me contar tudo.

Tomo uma ducha e lavo o cabelo, e quando estou me enxugando, pego o óleo para o corpo que tem cheiro de baunilha e deixa minha pele macia. Aplico um pouco de rímel e brilho labial e corro até o armário a fim de escolher algo para vestir.

Quando a campainha toca, desço a escada correndo e aterrisso com um baque no piso do hall. Respiro fundo e abro a porta abruptamente.

– Oi. – Estou mais do que agitada.

– Oi. – Ele parece confuso. – Meu Deus, você parece... na verdade... animada por me ver. Você se lembra do que aconteceu ontem à noite, não é?

Sorrio para ele.

– Você salvou minha vida. E hoje vou descobrir como fez isso. – A expressão de Bennett continua confusa. – Você *ainda* vai me dizer como fez isso, não vai?

Ele levanta as sobrancelhas.

– Tenho que contar parado aqui na varanda?

– Não. Meu Deus, desculpe. Entre. – Recuo um passo para deixá-lo passar, fecho a porta, e ele me olha com um sorriso aliviado. Penduro seu casaco no cabide, e Bennett me segue até a cozinha. – Café? – Ofereço e começo a servir sem esperar pela resposta. Entrego a ele uma caneca bem grande com um desenho do Arco da Northwestern em um dos lados, e nos sentamos frente a frente nas banquetas perto da bancada. Tudo é silêncio enquanto ele bebe o café e eu observo empoleirada no meu banco, pronta para vê-lo desaparecer novamente a qualquer momento. Bennett não tem jeito de quem vai a lugar algum, mas parece um pouco aterrorizado.

– Você está bem? – Seguro minha caneca de café, mas ainda não bebi nem um gole, então não pode ser a cafeína que me deixa agitada, à beira de um surto.

– Sim. – Ele se ajeita na banqueta e brinca com a alça da caneca, demonstrando nervosismo. – Só não sei por onde começar.

Olho para ele de um jeito encorajador.

– Comece do início.

– Você precisa saber que é a primeira pessoa para quem conto isso. – Bennett para e olha para mim, como se esperasse algum tipo de reação. – Meus pais sabem, minha irmã sabe, mas eu nunca *contei* nada. Eles descobriram acidentalmente. Mas é isso... minha família, e agora você. – Assinto indicando que ele deve continuar. – Honestamente, eu não tinha intenção de contar a mais ninguém. Se a noite de ontem não tivesse acontecido...

Entendi. Ele mal me conhece, e deve haver muitas outras pessoas com quem ele teria preferido dividir seu precioso segredo. Mas não vou facilitar. Não posso. Não agora.

– Pode confiar em mim. Esse segredo é seu, não meu. Não vou contar a ninguém.

– Obrigado – resmunga ele e depois fica quieto outra vez. – A questão é... você não sabe o tamanho disso. Não quero que se apavore.

Descanso os cotovelos na bancada da cozinha e olho para ele.

— Prometo que não vou me apavorar. — Bennett estreita os olhos, talvez querendo dizer que eu não devia estar fazendo essa promessa. — Vou me esforçar muito para não me apavorar — retifico.

Ele se inclina para a frente, os cotovelos na bancada. Aqueles olhos azuis esfumaçados são incríveis, especialmente em contraste com seu tom de pele e do cabelo. Bennett fica lindo desse jeito, todo nervoso e agitado.

— Olha, Anna. Essa... — Ele se balança para a frente e para trás entre nós como fez naquela noite na calçada, a noite em que quase me beijou na cafeteria. — Essa é uma péssima ideia.

— Provavelmente — concordo.

Ele ri e balança a cabeça, parece se censurar pela decisão de me contar o segredo.

— Vou propor um acordo. Depois que eu contar tudo, você vai poder formar uma opinião; se decidir que isso é demais, vou entender, sem problemas. Voltarei a ser o esquisito que está de passagem, e você pode voltar para seus amigos e sua vida.

— Ou?

— Ou... você vai achar tudo muito interessante. E talvez um pouco excitante. E, de alguma forma, isso vai encobrir o fato de que sou uma completa aberração da natureza.

— Você não é uma aberração. Além do mais, já vi o que você é capaz de fazer, Bennett, e é incrível. Se aquilo não me assustou, não imagino o que mais você pode fazer ou dizer para mudar o que sinto. — Droga. Não queria ter dito essa última parte. Afasto-me um pouco para poder ver a expressão dele.

Não parece assustado, e acho até que posso ter deixado ele mais feliz.

– É bom ouvir isso. Mas você só sabe uma parte da história.

Deixo escapar uma risada nervosa.

– Tem muito mais?

– Tem mais. – Ele me encara. Depois se afasta do balcão e fica em pé. Leva a caneca até a cafeteira, enche com café e acrescenta dois cubos de gelo do compartimento na porta do freezer. – Onde você guarda os copos de água? – Ele não está de brincadeira, como um vendedor que se prepara para demonstrar um novo e milagroso produto de limpeza.

– Naquele armário – aponto –, à direita da pia.

Ele pega dois copos iguais e os enche com água fria da torneira. Deixa os copos e a xícara sobre a bancada e a contorna para sentar-se novamente na banqueta.

– Tudo bem – diz, e respira fundo. Quero que fique aí sentada e observe. Vou embora, mas volto em um minuto. – E olha para o relógio. – Está pronta?

– Sim. – Assinto e tento não parecer ansiosa.

Bennett me olha por um momento e sorri. Depois fecha os olhos. Eu o vejo ficar transparente – consigo enxergar através dele, na parede atrás de sua silhueta translúcida, a fotografia em que apareço com meus pais – e ele permanece nesse estado por menos de um segundo antes de desaparecer. A banqueta está vazia. Vou ao outro lado da bancada e toco a superfície do banco.

Sim. Bennett desapareceu completamente.

Sinto minha respiração perder profundidade enquanto espero por mais de um minuto, acho, sem tirar os olhos da banqueta, e de repete ele está de volta. Exatamente no mesmo lugar onde estava. Opaco e sólido como deve ser. Como se nada tivesse acontecido. Mas aconteceu.

Ele bebe a água dos dois copos e depois engole sonoramente o café.

— Precisa de alguma coisa?

Bennett balança a cabeça para dizer que não e olha para o chão.

— Aonde você foi?

— Meu quarto. Contei até sessenta e voltei. — Ele levanta a cabeça e me encara com uma expressão hesitante, avaliando minha reação.

— Para que a água e o café? — Lembro o que ele pediu na cafeteria na noite passada, as garrafas e as xícaras vazias espalhadas pelo quarto na noite em que fui visitá-lo sem ter sido convidada.

— Viajar me desidrata, e a cafeína ajuda a aliviar as enxaquecas. Normalmente, não sinto dor quando viajo *para* algum lugar. É a volta que me mata.

— Como na noite no parque.

— Exatamente.

— Tudo bem, então, você consegue desaparecer e reaparecer? É isso?

— Você me faz parecer um mágico de quinta categoria. — Ele ri. — Não acha que é suficiente?

— É claro — respondo nervosa. — Só quis dizer...

— Estou brincando. — A seriedade retorna. — Na verdade, isso é só o começo.

— Começo?

— Sim. Eu disse. Tem mais.

Olho para ele.

— Quanto mais?

— Duas coisas. — Ele dá de ombros. — Mais duas coisas.

— Espere um minuto. Poder desaparecer é a primeira de *três* coisas?

Ele confirma.

— Eu disse. Não vou explicar tudo hoje, mas vou contar... muita coisa.

— O quê? Acha que não vou suportar? — Meu coração começa a bater mais depressa quando penso nessa pergunta. Ou é porque o rosto de Bennett está muito próximo do meu?

— Se tem alguém que pode lidar com tudo isso, esse alguém é você. Mesmo assim, é informação demais para processar. — Ele me olha, parecendo esperar um protesto. E é justamente o que eu estou pensando em fazer. — Escute, hoje vou contar como tirei você da livraria ontem à noite. E, com o tempo, vou contando o resto. Confie em mim, passos de tartaruga. Tudo bem?

Ele parece determinado. Percebo que discutir não vai adiantar.

— Tudo bem. — Endireito as costas e dou a ele total atenção. O que não requer nenhum esforço. — Estou pronta. Comece do início.

Bennett também se senta na banqueta com as costas eretas, como se tivéssemos descoberto nesta posição a cura para tanto nervosismo. Ele se prepara, respirando fundo duas vezes, e então começa a falar.

— Uma vez, quando eu tinha dez anos, estava na minha cama lendo um livro de mitologia grega. Eu adorava deuses e mitos quando era criança. Lia e pensava como seria legal se eu pudesse ir lá. Então me sentei na cama com meu pijama de *Guerra nas estrelas* e tentei me transportar para lá com o pensamento. Fechei os olhos e imaginei a Grécia antiga enquanto repetia a data muitas, muitas vezes. E... bem, não aconteceu nada. Mas comecei a pensar na segunda melhor opção, e isso me fez focar em outra cena: imaginei as várias fileiras de livros de mitologia na biblioteca da escola. Fechei os olhos, imaginei a biblioteca e me concentrei. De repente o ambiente ficou frio, muito mais frio do que meu quarto era, e, quando abri os olhos, eu estava em pé na frente de uma estante de metal. Foi quando entrei em pânico. Estava escuro, todo mundo já tinha ido embora, e comecei a correr para a grande porta de aço por onde poderia sair. Mas parei. E me obriguei a ficar calmo. Fechei os olhos, imaginei meu quarto, me concentrei. Quando abri os olhos, estava em casa novamente.

Bennett pega a caneca de café e bebe um grande gole, e eu continuo ali sorvendo cada palavra, vendo sua boca encostar na borda e a língua lamber o resíduo em seus lábios.

Bennett devolve a caneca ao balcão, e me obrigo a olhar para os olhos dele, não para a boca.

— Espere. Você realmente *foi* à sua escola? No meio da noite?

Ele confirma com a cabeça.

— Sim, e fiz aquilo mais algumas vezes durante a semana, sempre perto de casa. Fui ao parque, ao cinema, ao supermercado. Nunca ficava mais de um minuto. Depois de um tempo, comecei a interagir com as pessoas para ter certeza de que podiam me ver e ouvir, e elas podiam. Eu estava *realmente* ali.

— E as enxaquecas? — pergunto.

— No começo eu não sentia nada. Nenhuma dor. O grande problema naquela fase era não saber como ia contar isso aos meus pais. Tinha muito medo de que eles me levassem ao médico ou me internassem em um manicômio.

Não consigo me imaginar guardando um segredo como esse dos meus pais. Nem aos dezesseis anos, muito menos aos dez.

— Quando eu tinha doze anos, decidi descobrir o que acontecia comigo quando eu sumia. Montei uma câmera de vídeo sobre um tripé, acionei o gravador e me concentrei em uma cadeira no fundo do cinema que tinha na minha rua. Fiquei lá sentado, contando o tempo com meu cronômetro, e voltei depois de exatos dez minutos. No vídeo eu apareço sentado no quarto de olhos fechados; depois desapareço, e o filme continua mostrando uma cadeira vazia. Dez minutos mais tarde, eu reapareço.

Ele para e olha para mim, depois continua:

— Algumas semanas depois disso, meus pais descobriram. Minha mãe acordou no meio da noite e encontrou minha cama vazia. Ela revirou a casa e, como não me encontrou, decidiu chamar a polícia. Já tinha discado os dois primeiros números da emergência quando apareci diante de seus olhos. Mamãe quase morreu de susto. — Ele sorri ao lembrar. — Naquela noite contei tudo aos dois. E mostrei o vídeo.

Mais uma pausa.

— O que está achando de tudo isso?

— Estou absorvendo bem. — Pelo menos acho que estou. Sinto minha cabeça se mover para cima e para baixo, então, devo estar compreendendo em algum nível. — O que seus pais fizeram quando descobriram?

Ele gira os ombros para trás e sacode um pouco os braços.

— Minha mãe ficou maluca. E ainda está muito abalada. Ela quer que eu vá ao médico, que consulte psiquiatras, qualquer um que possa me "curar", mesmo que eu não possa contar a eles o que está "errado" comigo. Mas meu pai... Ah, meu pai adora. Ele acha que eu poderia ser como um herói de história em quadrinhos, e tal. E entende que tenho total controle sobre o fenômeno, por isso não se preocupa, mas ele anda pegando no meu pé. – Bennett olha para o balcão. – Enfim, eles reagem de maneiras diferentes, então, quando meus pais não estão brigando comigo por causa do meu "dom", estão brigando entre si pelo mesmo motivo.

Fico triste por Bennett.

– Você salvou minha vida ontem à noite. Devia contar a seus pais.

– Ontem à noite foi divertido. – Os olhos dele se iluminam com o entusiasmo. – Sempre tive medo de repetir o esforço numa sequência muito rápida, mas ontem desapareci e apareci várias vezes e só senti a dor de cabeça no final. Acho que deve ter alguma coisa a ver com a adrenalina... – Ele para de repente. – Mas foi burrice. Se a enxaqueca tivesse aparecido quando saí de perto da estante e apareci do seu lado, aquele cara podia ter matado você.

– Mas não aconteceu nada disso.

Ele fecha os olhos com força, depois abre e olha para mim. Sua voz é sincera, cheia de pesar.

– Eu não pensei em nada, Anna. Vi que você estava em perigo e reagi. Não pode ser assim. Tenho que planejar e calcular para não... estragar tudo.

Sorrio para ele.

– Bem, se não se importa, vou continuar agradecendo do mesmo jeito.

Ele sorri e me observa, mas não sei muito bem o que está procurando.

– O que é? – pergunto.

– O que acha de a gente conversar em outro lugar?

– Quer sair e enfrentar aquilo ali? – Aponto para a janela da cozinha e para a neve e o granizo que ainda caem pesados lá fora, acrescentando centímetros à grossa camada que cobriu o gramado durante a tempestade da noite anterior. A entrada da garagem desapareceu.

— Na verdade eu estava pensando em algum lugar mais quente. Um lugar... tropical. — Minha expressão deve demonstrar que ainda estou confusa, por isso ele decide ser mais direto e pergunta: — Quer experimentar?

— Eu posso ir com você? — Acho que devia ter juntado as peças mais depressa; ainda nem acabei de falar e já percebo que estou parecendo uma tonta.

Ele assente, e um sorriso largo ilumina seu rosto.

— Se acha que ainda é cedo demais, eu entendo.

— Não, não... eu só... — gaguejo. — Vai doer?

— Minha irmã sente dor no estômago. Minha mãe nunca experimentou, mas meu pai não sente nada. Tecnicamente, você é a terceira pessoa a viajar comigo. — Lembro como fiquei enjoada na noite anterior, mas não quero que ele mude de ideia, por isso não conto nada. — Vai ser uma grande experiência.

— Eu aguento. Acho. — Deixo escapar uma risada nervosa. — Quanto tempo vamos ficar fora? E se meu pai chegar em casa?

Bennett explica que planeja nos trazer de volta a este exato lugar um minuto depois de sairmos.

— Mas, enquanto a gente estiver fora — explica ele —, o tempo continua igual para todo mundo aqui. Talvez você deva avisar seu pai, só para ele não se preocupar caso volte para casa antes de nós.

Não tenho certeza de que entendo tudo perfeitamente, mas ligo para a livraria e explico que acordei me sentindo bem, e papai parece aliviado. Enquanto conversamos, vejo Bennett se mover pela cozinha e encher copos de água e canecas de café.

— Pronta? — pergunta ele quando desligo. Sorrio e respondo que sim com a cabeça, principalmente para me convencer disso. Bennett se aproxima da janela da cozinha, perto de onde estou, e segura minhas mãos. As dele são quentes, fortes, e por alguma razão inexplicável me sinto segura, embora esteja aterrorizada.

— Feche os olhos — diz ele, e eu fecho, sorrindo nos segundos que antecedem a primeira contorção do meu estômago. Tenho a impressão de que meu intestino é retorcido, amassado, e apesar de não ser doloroso, também não é agradável. No instante em que sinto a náusea, vejo uma luz brilhante atravessar minhas pálpebras, o que me obriga a fechar os olhos com mais força. Então sinto um calor no rosto e uma brisa quente que levanta meu cabelo da testa.

Ele aperta minha mão.

— Pode abrir os olhos. Chegamos.

12

Estamos exatamente na mesma posição em que estávamos na cozinha, de frente um para o outro e de mãos dadas. Mas, quando olho para baixo, vejo meus pés na areia.

Aperto os olhos contra a luz do sol e vejo atrás dele a água azul-esverdeada que se estende até onde a vista pode alcançar. A enseada é pequena; posso vê-la por completo olhando para os dois lados. Pedras enormes envolvem a baía tranquila e azul-turquesa até ela encontrar a água, e rochas altas e escarpadas se elevam para o céu, como marcadores de página que seguram a areia branca entre eles no seu devido lugar. Viro e olho para trás, para nada mais do que uma densa coleção de árvores. Não tem ninguém aqui. Em lugar algum.

Bennett está me observando. Ele ainda segura minhas mãos, o que é bom, porque tenho certeza de que parei de respirar.

— Sei que é um péssimo clichê. Uma praia isolada em uma ilha deserta... — Bennett interrompe a fala e me olha. — Anna? Tudo bem?

Não consigo desviar os olhos da paisagem. Isso não pode ser real.

— Onde estamos? — Preciso largar suas mãos, porque agora me afasto dele como se fosse puxada para a água.

A voz dele me segue.

— Em um dos meus lugares preferidos no mundo... Ko Tao. Uma pequena ilha na Tailândia. Só dá para chegar de barco, e não tem píer aqui. Na verdade, você precisa andar pela água...

— Até parece! — Paro e me viro a fim de encará-lo. — Estamos na Tailândia? Agora... estamos na Tailândia?

— Bem-vinda à Tailândia. — Ele sorri e abre os braços.

— Estou na Tailândia. — A repetição talvez me ajude a compreender. Meus pés se movem em direção à água brilhante e infinita diante de mim. É como uma miragem de desenho animado, refrescante e linda até um dos personagens se inclinar para a frente, incrédulo, tocar a água com a ponta dos dedos e se ver cercado de areia, porque a água desapareceu. Estou tão preparada para viver esse fenômeno que me surpreendo quando ajoelho, toco a água e sinto o oceano.

Posso sentir o olhar de Bennett em mim quando olho em volta, girando lentamente no lugar, estudando cada centímetro quadrado da ilha. Cada palmeira. Cada pedra. Cada onda. Cada concha. Sinto a expressão em meu rosto. Meus olhos estão arregalados e minha boca, aberta. A testa está enrugada, e acho que devo parecer ridícula. Mas olho para Bennett, e ele está sorrindo com um ar maravilhado, como se fosse ele quem estivesse fascinado. Fecho os olhos e respiro... tudo.

— Está tudo bem?

Balanço a cabeça dizendo que sim.

— Ótimo. Venha. — Bennett segura minha mão, e caminhamos pela praia. A água cobre e descobre nossos pés enquanto andamos pela areia molhada até as pedras gigantescas. Bennett me leva por uma pequena encosta para uma porção isolada de areia que é quente e seca; eu tiro o suéter, e então não há mais nada entre minha pele e a areia quente além da camiseta. Eu me deito e me derreto.

— Muito melhor que a minha cozinha — digo para o céu, depois olho para Bennett.

Ele está esticado na areia, apoiado sobre um cotovelo e me olhando com um sorriso satisfeito, e eu rolo para o lado e imito sua pose. Cada um de nós tem uma das mãos ocupadas segurando a cabeça, mas nenhum dos dois parece saber o que fazer com a outra. Não sei se é o calor da areia ou o quanto ele fica atraente vestindo camiseta e calça jeans, mas tudo que quero é usar minha mão livre para tocar aquele pequeno trecho de pele visível entre as duas peças de roupa. Imagino Bennett me puxando para um beijo e nós dois rolando na areia como se participássemos de uma sessão de fotos cafona de algum perfume de grife. Mas então me lembro da noite em que ele me levou em casa depois do café e eu criei coragem para segurá-lo pelas lapelas, só para ser rejeitada e ficar sozinha na neve. Não consigo tocá-lo, por isso encosto a ponta do dedo na areia e começo a desenhar pequenos círculos.

— Então... — comento. — Tailândia.

Ele me dispara um sorriso confiante.

Eu o observo por um momento, me perguntando por que ele tinha se preocupado tanto com a ideia de me trazer a este lugar. Quem não gostaria de ter uma pequena participação em algo tão improvável? Tão mágico?

— Não entendo. O que tem aqui para não gostar?

Quando ele sorri para mim, sinto que acabei de passar no teste, qualquer que fosse, para o próximo nível, como se ele tivesse uma lista mental com um quadrado vazio ao lado das palavras *teletransportada para ilha deserta / não surtou*. E o marcasse com um tique.

Mas sei que ele ainda tem mais coisas para me contar. Mais duas coisas, na verdade. Devia ficar ali deitada na areia só apreciando a paisagem, mas não consigo. Preciso de respostas.

— Como sabia que eu precisava de ajuda ontem à noite?

— Não sabia. Fui à livraria procurar um livro sobre o México. Para o trabalho de Argotta, o plano de viagem.

Estou confusa com muitas coisas que aconteceram ontem à noite, mas tenho certeza de que estava sozinha quando o ladrão entrou com a faca.

— Não mesmo. Você não estava na loja.

Ele move a mão livre, e meu coração dispara quando penso que Bennett vai me tocar, mas, em vez disso, ele pega um punhado de areia e deixa os grãos escorregarem por entre os dedos.

— Tem certeza de que quer ouvir essa parte?

Eu o encaro por um momento, depois assinto.

— O assalto não aconteceu exatamente como você se lembra dele. — Quando toda a areia escorrega pelos dedos, ele limpa a mão na calça jeans e olha para mim, a fim de avaliar minha reação.

Apenas levanto as sobrancelhas e espero.

— Entrei na livraria. Você e eu falamos sobre o México. Então, o cara invadiu a loja.

— De jeito nenhum. Eu lembro, estava sozinha...

Ele me interrompe:

— Vou explicar. Nas suas lembranças você *estava* sozinha. Mas não foi assim que aconteceu na primeira vez.

— Na *primeira* vez?

— Na primeira vez que estive na loja. Estávamos conversando sobre os planos de viagem. Quando a porta se abriu de repente, você levantou do chão para ir atender o homem que pensava ser um cliente, e ele a agarrou. Mas não me viu. Tive tempo para desaparecer.

Penso no truque que Bennett acabou de me mostrar — Deus, há quanto tempo? Quinze minutos, mais ou menos? Ele estava sentado na banqueta da cozinha de casa e, de repente, desapareceu e reapareceu um minuto depois exatamente no mesmo lugar. Mesmo que tenha desaparecido na noite passada, isso não explica como saí da livraria, onde alguém apertava uma faca contra o meu pescoço, e fui parar embaixo de uma árvore no meio de uma nevasca.

— Desapareci da livraria, voltei cinco minutos antes, reapareci na sala dos fundos e usei seu telefone para chamar a polícia.

A voz. O ruído na sala do fundo.

— Eu ouvi você... — Os detalhes estão voltando aos poucos, mas ainda não fazem nenhum sentido. O que ele quis dizer com *primeira vez*? — Espere aí. Você acabou de dizer que voltou? Cinco minutos antes?

— Sim. Voltei.

— No *tempo*?

Ele levanta a cabeça e sorri acanhado.

— Eu... também faço isso.

— Você *voltou* no tempo. E *mudou* o que aconteceu?

Ele continua com aquele sorriso tímido no rosto, como se pedisse desculpas, mas simplesmente não pudesse se conter.

— É como uma segunda chance.

— Então, por que não me disse que alguém ia assaltar a loja, simplesmente? Ou, sei lá, por que não trancou a porta antes de o ladrão entrar? – Não quero parecer ingrata, mas não consigo deixar de pensar que teria sido melhor não sentir a faca no meu pescoço.

– Não faço isso – responde ele. – Não *impeço* os acontecimentos, só altero coisas pequenas, detalhes que podem afetar o desfecho. Se tivesse impedido completamente o assalto, e nunca fiz nada parecido, o que significa que nem sei se teria conseguido, algo ainda mais terrível poderia acontecer. Aquele cara poderia ter assaltado alguém com a mesma faca e nunca ter sido pego. Poderia ter visto você ir para casa um pouco mais tarde e... – A voz de Bennett desaparece, e o silêncio se prolonga por um momento. – Enfim, eu adoto a regra de não mudar o cenário maior.

– Então, não podia ter *impedido* o roubo. Mas conseguiu voltar cinco minutos *antes*?

Ele assente.

– Tecnicamente, eu não devia ter feito nem isso, mas sim.

– E ligou para o número da polícia do telefone na sala dos fundos.

O movimento de cabeça se repete.

– Por que a polícia não apareceu?

– Apareceu, mas não tão rápido. Depois que telefonei, saí da sala e me escondi atrás de uma estante. Quando o assaltante levou você até os fundos da loja, para o cofre, decidi não esperar mais pela polícia. Tinha que tirar você de lá por conta própria. Só por precaução.

De repente tudo ficou claro: Bennett não só desaparece e reaparece em lugares diferentes, mas viaja no *tempo*? Quero parecer corajosa, inabalável, digna de ouvir o próximo segredo, mas não consigo assimilar o que já ouvi.

– Imagino que essa seja a segunda coisa?

— Sim, parte dela.

— *Parte* dela? — Arregalo os olhos. Deito de costas na areia e olho para o céu.

— Você está bem? — pergunta Bennett. Sinto minha cabeça afundar um pouco na areia quando a movo numa resposta afirmativa. Mas ele está certo, isso é demais para processar. Dobro o braço sobre os olhos para protegê-los do sol, e ficamos ali em silêncio por alguns minutos. Um braço está em cima dos olhos, o outro descansa na areia entre nós. De repente sinto grãos mornos escorregando por meu braço e se acumulando lentamente na palma de minha mão e, quando olho para cima, vejo Bennett inclinado em minha direção, observando a areia passar da mão dele para a minha.

— Viu? — pergunta ele sorrindo. — Eu disse que podia ser aterrorizante.

— Não estou aterrorizada.

— Sim — responde ele com uma risada nervosa —, você está *definitivamente* aterrorizada.

Apoio o corpo sobre os cotovelos, arruinando a pequena pilha de areia que Bennett fez, e olho para ele. Depois olho para o lindo cenário — palmeiras, areia branca e água azul-turquesa —, esse cartão-postal no qual ele acaba de nos inserir de um jeito mágico, e começo a entender o quanto essa coisa toda é implausível. Teríamos que pegar pelo menos dois aviões, um barco, e viajaríamos durante mais de trinta horas para vir de Chicago. Eu devia estar muitos fusos horários longe daqui, e devia estar escuro. Devia estar reclamando do vento gelado e não sentindo essa brisa morna na pele. Acima de tudo, eu devia estar na aula de História Mundial. Olho para Bennett com um sorriso sincero.

— Obrigada por me trazer aqui.

Ele parece aliviado.

— Não tem de quê.

— O que você consegue fazer é... — Todas as palavras que passam por minha cabeça parecem inadequadas, mas finalmente me contento com *incrível*. — Obrigada. — Não ouvi o resto da segunda coisa, mas sei que estou caminhando a passos de tartaruga.

— Olha, sei que não posso dar todas as respostas que você quer, mas, por enquanto, pelo menos, posso criar aquela aventura ousada. — Bennett se levanta e limpa a areia do jeans, depois estende a mão para mim.

— Eu nunca tinha visto o mar, sabia? — Tento dar à minha voz um tom leve, uma nota de flerte, como se nada daquilo fosse estranho.

— Eu sei. Você me contou ontem à noite. Estava tentando decidir quais praias incluir no seu plano de viagem para poder fazer sua corrida matinal na areia e nadar no mar.

Tudo bem, isso era estranho.

— E imagino que você tenha sugerido alguma coisa.

— La Paz — diz ele sem rodeios.

Sim, isso *é* estranho. E não me agrada nada saber que tivemos uma conversa da qual não consigo me lembrar. Mas não tenho tempo para ficar irritada, porque ele cruza os braços, segura a barra da camiseta e se despe. Seus braços são mais musculosos do que eu tinha imaginado, o peito é perfeito, e acho que meu queixo acaba de cair.

Ele estende a perna para a frente e, com o dedão do pé, traça uma linha na areia.

— Não é La Paz, mas tem areia e água. — Sorrindo, se inclina, adotando a posição de um corredor na linha de largada. — Ao seu lugar, Greene.

Não sei se ele espera que eu tire a camiseta e fique de sutiã e calcinha, mas pensar nisso é suficiente para deixar meu rosto quente, e a reação não tem nada a ver com a temperatura local. Olho para meus pés descalços, para a calça jeans. Imagino o quanto a camiseta cinza vai ficar transparente. Mas quando olho para a água e aperto a areia com os dedos dos pés, decido que não importa. Rindo, me coloco na posição de largada.

– Preparar. – Ele olha para mim com um sorriso desafiador. – Já! – grita, e disparamos, correndo tanto quanto podemos até a areia ficar mais escura, mais fria e molhada, até as ondas nos carregarem para longe da praia morna.

Nado a favor da corrente. Mergulho. Sinto as ondas envolverem meu corpo e nado de encontro a elas. Quando olho para o lado, vejo Bennett, dando uma braçada antes de mergulhar novamente, e o sigo, deixando a água arder em meus olhos. Deixo o sabor do sal invadir minha boca. Saboreio cada minuto de cada sensação. Querendo que aquilo nunca acabe.

Quatro horas mais tarde, voltamos para casa e descobrimos que só um minuto havia se passado. As canecas de café fumegavam. A água ainda está gelada. E eu acho que vou vomitar.

– Você não parece bem. – Bennett me leva até o sofá na sala de estar e me diz para deitar. Uma voz distante avisa: – Vou buscar bolachas salgadas. – E de longe escuto armários se abrindo e fechando. Ele volta carregando uma caixa gigante de bolachas salgadas.

Sentado na beirada do sofá, esfregando as têmporas, Bennett olha para mim.

— Interessante. — Ele me observa com um olhar fascinado, como se eu fosse uma substância não identificada em uma placa de Petri. — Em mim dá dor de cabeça, já em você e Brooke, afeta o estômago.

Vejo uma bolacha branca vindo em minha direção, mas não consigo nem pegá-la; cubro a boca e fecho os olhos para não ver a sala girar. *Por favor, Deus,* imploro em pensamento. *Por favor, não me deixe vomitar na frente dele. Por favor. Só mais esse pedido.* E não sei se é o tempo ou a ação de uma força maior, mas depois de alguns minutos horríveis a sensação diminui até desaparecer, e consigo abrir os olhos outra vez. Ele ainda está ali. Ainda parece culpado e ainda segura a bolacha. Dessa vez eu a pego, mordo um canto pequeno, depois tento morder um pouco mais.

— Sinto muito — diz ele, mas olho para Bennett confusa e, mesmo com a boca cheia, tento falar. — O que disse? — pergunta ele. Parece preocupado.

Engulo com esforço.

— Valeu a pena. — Ofereço um sorriso amarelo e pego outra bolacha. Como um pouco mais e me sento quando ele oferece um copo de água e me diz para beber em goles pequenos. A sala vai ganhando foco.

Passo a unha na perna da calça e examino a areia molhada e compacta que vem no meu dedo. Estamos em casa, de volta à neve fria, e estou molhada e coberta de areia de uma ilha tailandesa.

— Impossível. — Minha energia começa a voltar. Dou risada e balanço a cabeça com incredulidade. — Isso é tão legal! — Olho para Bennett e descubro que a calça dele também está molhada.

Fico em pé, agora um pouco mais perto do meu estado normal, e ele me segue escada acima para o quarto dos meus pais.

Pego uma calça de moletom velha e uma camiseta do armário de meu pai, entrego a ele as roupas dobradas e mostro onde fica o banheiro.

Sozinha no meu quarto tiro a roupa molhada do corpo. Dispo a camiseta e sacudo o cabelo, notando fascinada a areia que se desprende dele e salpica a colcha sobre a cama, e não contenho o riso. Visto uma calça justa de moletom preto e uma blusa de moletom que ganhei em uma corrida de dez quilômetros que disputei no ano anterior, e vou me sentar na cama. Passo a mão sobre os grãos de areia e penso em Ko Tao. Penso no calor do sol e no sal do oceano, e de repente me sinto grata por todos os grãos de areia – na cama, no tapete, no meu cabelo, grudados em minhas roupas – porque são a única coisa tangível que tenho como lembrança desse dia.

– Onde ponho isto? – A voz de Bennett me traz de volta à realidade, e eu o vejo parado na porta do quarto, lindo na camiseta que meu pai usou na Maratona de Chicago.

Recolho minhas roupas cheias de areia do chão e vou encontrá-lo na porta.

– Eu levo – ofereço, e junto as roupas dele às minhas.

Bennett me segura gentilmente pelo braço quando passo por ele.

– Ei... você está bem? Parecia triste há um minuto.

– Não, de jeito nenhum. – Dou risada. – Só estava pensando que queria ter uma lembrança, como um cartão-postal ou algo assim. Bobagem. Eu volto já. – Desço a escada flutuando, como se meus pés nem tocassem a madeira.

Saí de Evanston.

Saí do *país*.

Ponho a pilha de roupas sujas em cima da secadora e vou até a cozinha pegar um saco plástico.

E Bennett está no meu quarto.

Volto à lavanderia e ao passar pela escada olho para cima.

Bennett simplesmente fechou os olhos, segurou minhas mãos e me levou para a Tailândia.

Raspo as roupas, recolhendo toda areia que posso no saquinho, e o fecho.

E agora estamos de volta. E ele está no meu *quarto*?

Jogo as roupas na máquina de lavar e fico ali segurando o saquinho de areia, ouvindo a água encher o tambor, pensando na noite passada. Lembro a expressão no rosto de Bennett quando estávamos na seção de autoajuda da livraria, a voz dele tremendo quando me perguntou: *Tem medo do que sou capaz de fazer?* Não tinha. Agora tenho?

Não tenho medo porque Bennett pode desaparecer e reaparecer. Não tenho medo nem porque ele pode viajar no tempo. Não tenho medo do que é capaz de fazer. *Adoro* o que faz. Mas existem mais coisas que não sei, e quando penso nisso sinto um nó se formar em meu estômago. *Tenho* medo – tenho medo do que está por vir. Seja o que for que possa me fazer questionar se quero ou não o conhecer, mesmo depois de termos passado a tarde nadando em um mar tão salgado que literalmente nos fez flutuar. Seja o que for, não pode ser tão ruim que me faça não querer esta aventura ousada. Imagino Bennett sozinho no meu quarto, e de repente não posso esperar para vê-lo de novo. Com o saquinho de areia na mão, subo a escada correndo, pulando os degraus de dois em dois.

13

Bennett está em pé diante da parede de prateleiras embutidas, examinando meus troféus e números de corrida.

– Uau! Quantas provas já disputou?

– Oitenta e sete. – Atravesso o quarto e deixo o saquinho de areia em cima do criado-mudo. Ele faz um barulhinho ao se chocar contra a superfície, e fico feliz por ter uma confirmação de que isso é real.

Bennett anda pelo quarto examinando cada troféu e cada foto.

– Isso é incrível. Você é muito boa.

– Parece surpreso.

– Não. – Ele olha nos meus olhos, e sinto o ar preso na garganta.

– Estou impressionado. Não surpreso.

Sua atenção passa dos troféus para o que há entre eles: meus CDs. Andando, desliza o dedo pelas caixinhas até puxar uma delas, examinar a capa e devolvê-la a seu lugar na ordem alfabética. Apoiada à escrivaninha, vejo Bennett examinar o

Cheshire Cat, do Blink-182. E *Sixteen Stone*, Bush. E *Siamese Dream*, Smashing Pumpkins.

— Bela coleção.

Deve parecer que gasto tudo que ganho na livraria comprando CDs.

— Meu pai é amigo do dono da loja de discos do outro lado da rua. Trocamos livros por música. A maior beneficiada sou eu.

Ele remove mais algumas caixinhas e para com o dedo sobre uma das coletâneas.

— O que é isto? — E pega uma das vinte e tantas caixas pintadas com os funis de aquarela, a marca registrada de Justin.

— Coletâneas de corrida. Meu amigo Justin grava os discos para mim. O pai dele é o dono da loja de discos.

Bennett assente e vira de costas antes que eu possa ver sua expressão. Enquanto ele continua examinando minha coleção de músicas, aperto o play e seleciono o modo *shuffle* no aparelho de som, e a música "Walk on the Ocean" começa imediatamente.

> *We spotted the ocean*
> *At the head of the trail*

> Nós vimos o oceano
> No final da trilha

— Ei, eu vi esses caras — diz ele sem desviar os olhos das prateleiras. — Em um barzinho em Santa Barbara. Eles são bons.

— Você viu ao vivo? — Eu já tinha entendido, mas preciso dizer alguma coisa, porque meu peito parece pesado enquanto fico ali parada lembrando Ko Tao, ouvindo a canção contar uma história sobre viajar para um litoral distante, andar sobre pedras e voltar para casa sem fotos para provar.

– É uma espécie de hobby.

– Quem mais você viu?

Ele dá de ombros e aponta as prateleiras.

– Quase todos esses aqui. – Como se os destinos exóticos pelo mundo não fossem o bastante.

– É mesmo? – Vejo o quadro de avisos em cima da minha mesa, onde prendi meu único canhoto de ingresso do Pearl Jam, e suspiro. Até as coisas que eu valorizava há alguns dias parecem patéticas e triviais quando as vejo através dos olhos dele.

Bennett segue a direção do meu olhar e se aproxima do quadro.

– Mentira.

– O quê?

Ele balança a cabeça com vigor, como se tentasse se livrar de um pensamento que não devia ter aparecido.

– Nada. Eu tenho um pote gigante com canhotos de ingressos... – Ele abre os braços para confirmar o tamanho do pote e confirma minha suspeita. Não deve acreditar que só fui a um show.

E é então que ele vê o mapa. Agora me sinto realmente insignificante.

Ele se aproxima para olhar de perto, e fica ali de braços cruzados, sério, examinando o mapa como se fosse uma obra de arte em uma galeria. Cubro os olhos tomada pela vergonha e me obrigo a chegar perto, parar ao lado dele.

– Meu pai fez isso para mim. A ideia é marcar nele todas as minhas viagens. – Lembro a noite em que fomos à cafeteria e eu contei a ele meus planos de viajar pelo mundo. Dou uma espiada rápida em seu rosto. Imagino o que ele está pensando. Não, eu *sei* o que ele está pensando. Como o canhoto de ingresso, os quatro alfinetes devem ser uma triste declaração, em especial para alguém que nunca conheceu limites. – Como pode ver, comecei com o pé direito.

Mas ele olha para o mapa e diz:

– É fantástico. – Depois de uma longa pausa, recua um passo para poder examinar melhor o conjunto. – Eu nunca estive em nenhum desses lugares. – Dou risada. – É sério – diz ele. Até parece. Como se não estivesse debochando de mim.

Abro as mãos e as movimento para cima e para baixo como se pesasse os destinos.

– Vamos ver. Hoje é terça-feira. Devo ir praticar canoagem em Boundary Waters ou *rafting* na Amazônia? Amazônia ou *Boundary Waters*? – Enfatizo o último destino como se ele fosse o mais interessante e exótico dos dois. – Tudo bem, Bennett. Não precisa fingir que acha "fantástico". – Olho além dele, em vez de encará-lo. – Para dizer a verdade, o mapa costumava me deixar um pouco triste. Acho que às vezes ainda fico.

Ele se aproxima de mim, e acho que paro de respirar quando sinto o calor de sua pele tão próxima da minha. O moletom largo não exibe seu corpo como a camiseta que ele vestia antes, mas não me impede de imaginar os ombros fortes, o jeito como ele movia os braços na água e nadava cortando as ondas.

– Por que fica triste?

Quando olho para ele, meu peito se oprime com a sensação de sufocar o que realmente quero dizer.

– Quatro alfinetes – resmungo afinal, forçando um sorriso e tentando dar a impressão de que não me importo tanto. Nós nos entreolhamos, mas não dizemos nada.

Então, Bennett pega o pote de plástico transparente atrás de mim e tira dele um alfinete pela ponta afiada e prateada.

Ele o segura. A bolinha vermelha em uma das extremidades parece enorme no espaço reduzido entre nós.

— Cinco — fala ele e estica o braço.

Pego o alfinete da mão dele e o examino, comprimindo os lábios para não chorar.

— Não sei nem onde fica — falo depois de um tempo com uma risada constrangida.

— Bem aqui. — A voz dele é gentil, nada condescendente, e o dedo aponta um ponto não identificado no Golfo da Tailândia.

Considero o ponto no mapa, não muito maior que a ponta do alfinete, e me pergunto como uma coisa tão pequena pode marcar as quatro horas mais extraordinárias de minha vida. Então olho para Bennett, que ainda tem areia nos cabelos bagunçados e veste o moletom do meu pai. A expressão dele é doce, suave e, se possível, ainda mais grata que a minha. Hoje ele me deu esse presente, mas sinto que também dei alguma coisa em troca.

Olho o alfinete mais uma vez e me aproximo do mapa. Ainda luto contra as lágrimas de profunda emoção e felicidade quando levanto a mão trêmula e espeto o alfinete na pequena ilha de Ko Tao.

Faço sanduíches de queijo quente, e nos sentamos no sofá, comendo e tentando pensar em alguma coisa para dizer. Ele não fala sobre o resto de seus segredos, e já tínhamos ultrapassado o momento de falar sobre amenidades, por isso ligo a televisão e mudo de canal só para ter alguma coisa com que me ocupar, mas não há muito o que ver às 14h30 de um dia de semana. Não que Bennett pareça se importar; ele acha as propagandas mais divertidas que os programas, mas se recusa a me explicar por quê. Mais importante, ele não parece preocupado com o tempo, com o dia passando depressa, e com o fato de ainda não ter me contado tudo. Eu ainda nem sei o resto da *segunda* coisa.

Levanto o controle remoto com um gesto dramático, olho para ele e desligo a TV. A sala mergulha no silêncio, e ele me encara.

— Estou pronta para ouvir o que falta da segunda coisa.
— Não foi o suficiente para um dia?

Nego balançando a cabeça.

— Tudo bem. — Ele se encosta às almofadas outra vez e se vira de frente para mim. Apoia um braço sobre o encosto do sofá, e por um momento é como se estivéssemos de novo na cafeteria, contando segredos um ao outro. Bennett sorri, e o gesto pequeno, insignificante, me faz querer beijá-lo de uma vez. Mas tenho medo de ceder ao impulso e nunca mais ouvir o resto da história.

Ele respira fundo.

— Posso ir a qualquer lugar do mundo, mas *quando* viajo... tem restrições. Posso ir a outras *épocas*, mas só para certos períodos. — Ele olha para mim como se esperasse uma reação, mas eu fico quieta, e ele abre a boca para continuar.

— Espere — digo, e levanto um dedo diante de seu rosto pedindo silêncio.

— O que é?

Ouço a porta de um carro. Mamãe ou papai teriam entrado pela garagem, o que deixa apenas uma opção.

— Emma — anuncio em pânico. Não quero que Bennett vá embora, mas também não quero ter que explicar por que ele está sentado em minha sala de estar.

— Não se preocupe. Eu vou embora. — Ele pega minha mão e aperta depressa. — A gente se vê amanhã — diz. Vejo a mão dele, ainda segurando a minha, ficar transparente. Depois ela desaparece com o resto do corpo. Eu me pergunto se algum dia vou me acostumar com isso.

Emma bate na porta com força e toca a campainha, só para garantir.

— Já vou! — grito, empurrando para baixo do sofá os dois pratos com as sobras dos sanduíches e olhando em volta, inspecionando a sala em busca de outros sinais de que não passei o dia sozinha. Quando abro a porta, Emma praticamente cai dentro de casa.

— Ah, meu Deus! — grita ela, e joga a mochila no chão para me abraçar. — Soube o que aconteceu ontem à noite. Você está bem?

Ontem à noite? O assalto? Foi *ontem* à noite?

— Estou bem — respondo, e ouço meu coração batendo acelerado.

— Estou tentando vir para cá desde que soube, mas Dawson me pegou fugindo do colégio, e depois disso não consegui escapar! — A voz dela é estridente e dramática. — Fiquei muito preocupada. Tem certeza de que está bem? Quer conversar sobre isso? — Ela se joga no mesmo lugar onde Bennett estivera sentado pouco antes.

— Na verdade, não — respondo suspirando. Mas percebo pelos olhos ansiosos de Emma que seu lado protetor precisa saber se estou bem, mas seu lado fofoqueiro mal pode esperar para ouvir todos os detalhes. Como não posso contar a ela que passei o dia em uma praia tailandesa e não sei bem se estou preparada para falar sobre Bennett, decido que é melhor contar logo o que ela quer ouvir. — Foi tudo muito rápido.

14

— Não. — Minha voz é firme, tanto quanto é possível àquela hora da manhã. — Está brincando?
— Tem medo de que eu não consiga acompanhar o ritmo?
— Papai está vestindo um agasalho bem quente, se alongando com movimentos quase cômicos, como imagino que fazia nos velhos tempos.
— Não. — Cubro os olhos. — Vou correr na rua. Vou ficar fora do campus. *É sério* — insisto, apontando a janela da cozinha. — Não preciso de babá. O sol vai nascer em poucos minutos, vou ficar bem. — As últimas palavras são um gemido, e me sinto como a menina de dez anos que ele parece acreditar que voltei a ser. Acho bom que essa coisa de pai superprotetor seja passageira e rápida.
— Pode me ignorar. — Ele bebe água de sua garrafa esportiva e se abaixa, girando o tronco para o lado. — Não precisa falar comigo ou olhar para mim, mas estarei bem atrás de você, garota. — Evidentemente, era inútil tentar convencer meu pai

de que eu estava segura depois de ter sido assaltada e ameaçada por uma faca.

— Não, tudo bem. Vamos correr juntos. — Deixo o discman sobre a mesa do hall, já lamentando sua ausência. Preciso de música para organizar as ideias antes de encontrar Bennett no colégio.

Papai me segue para fora de casa, e corremos lado a lado para o lago. Juntos, acenamos para o homem de colete verde e rabo de cavalo grisalho. Percorremos a trilha quatro vezes, atravessamos o campus e passamos pela torre do relógio quando ele anuncia sete horas. Eu o desafio nos últimos oitocentos metros antes do nosso gramado, o que é um erro, porque agora ele não consegue recuperar o fôlego.

— Tem certeza de que está bem? — pergunto várias vezes.

Meu pai está vermelho e cheio de manchas, mas assente e força um sorriso mesmo assim.

— Tudo... bem... — ele arfa. — Por que... a pergunta?

— Você exagerou. — Eu o censuro como sei que mamãe vai fazer amanhã, quando ele não conseguir se mexer. Depois me alongo ao lado dele. — E agora, vai me levar de carro para a escola também?

— Não. Emma está encarregada disso.

— Aposto que nunca a viu dirigindo. — Termino o alongamento, sacudo as pernas e corro para a escada.

— Ei, Annie — chama papai, e eu paro a fim de olhar para trás. Ponho as mãos na cintura enquanto ele tenta escapar de um infarto. — Convide Bennett para jantar. Sua mãe e eu queremos conhecê-lo. Do jeito certo.

Fito papai de cima da varanda.

— Pai, nós nem somos *próximos* para isso. — O simples fato de meu pai ter sugerido a ideia é mortificante.

Ele responde com sua melhor e mais austera voz paternal.
— Tudo bem, mas se isso for sério, queremos conhecê-lo.

— Bom dia, amor. — Emma cantarola seu cumprimento habitual e belisca minha bochecha. — Minha corajosa amiguinha.
— Não me sinto corajosa. Estou nervosa porque vou ver Bennett. E me sinto culpada por não ter contado a Emma sobre ele. E cansada, porque quase não dormi.
Ela engata a ré e sai da entrada da garagem. Meu pai está parado junto à janela da cozinha, olhando para nós com ar de pânico moderado, e dou de ombros quando nos afastamos.
— Em — começo —, se eu contar uma coisa, promete não ficar brava?
Ela olha para mim com ar irritado.
— Ah, francamente... Não sei por que as pessoas fazem essa pergunta. Como posso prometer que não vou ficar brava, se não sei o que vai dizer? — A cara dela me faz pensar que isso pode se enquadrar em sua categoria Americanos Estúpidos. — Fale de uma vez.
Cuspo as palavras depressa, antes que mude de ideia.
— Ontem não contei toda a história sobre o roubo. — Lembro os pontos principais, mas não revelo toda a verdade. Como posso contar tudo? Mesmo que não tivesse prometido a Bennett que guardaria segredo, ela nunca acreditaria em mim. Em vez disso, incluo a versão que Bennett criou para mim, e repito o trecho em que saio pela porta dos fundos e dou de cara com ele. Depois acrescento que ele faltou à aula ontem para ficar comigo.

— O quê? — Emma vira para mim bruscamente de um jeito dramático e quase bate em um carro estacionado. — Caramba! Tudo bem, tudo bem. Está tudo bem. — Ela olha para mim outra vez. — Vocês passaram o *dia* juntos.

Sorrio, lembrando a cara de Bennett quando ele desenhou a linha na areia com o dedão do pé e me desafiou para uma corrida até o mar. Em minha cabeça, vejo em câmera lenta seu corpo flutuando na água azul-turquesa e os braços cortando as ondas de crista branca.

Sim, passamos o dia juntos.

E não posso contar as partes mais interessantes à minha melhor amiga.

— Ele ficou preocupado comigo. — As palavras soam estridentes, mas Emma parece não notar.

— Agora que estamos falando nisso, não o vi na aula de Liter...

O filme em câmera lenta congela dentro de minha cabeça.

— Que bom. Não tinha pensado nisso. Todos da turma de espanhol sabem que nós dois faltamos ontem. — Pergunto-me se Courtney já começou a especular em voz alta.

— Ei, não tente mudar de assunto. Continue contando sobre ontem, sobre como vocês *ficaram* na sua casa o dia inteiro, sozinhos. — Ela levanta uma sobrancelha e olha para a estrada, esperando como só Emma sabe fazer.

— Não foi bem assim. Ele nem me beijou. — Escuto o desapontamento em minha própria voz. — Nós conversamos. Ouvimos música. Almoçamos. Ele... — Quase digo *desapareceu*, mas me contenho. — Ele foi embora um pouco antes de você chegar.

— E por que não me contou tudo isso ontem?

— Meu pai chegou em casa.

Ela faz uma careta e revira os olhos. Lá vem...

– Ah, é claro. Você tem um telefone? Eu tenho. Tenho um telefone. É ótimo para contar a sua melhor amiga as maiores notícias da sua vida quando não é possível falar pessoalmente.

Não tenho tempo nem para improvisar uma desculpa. Paramos em um sinal vermelho, e ela olha para mim.

– O que está fazendo, Anna? – Agora Emma fala como minha mãe quando não lavo a louça direito, ou quando ponho roupas demais na secadora. – Ele não disse que vai, você sabe, *embora*? – Ela enfatiza a última palavra como se só isso fosse suficiente para me fazer pensar melhor.

– Sim. – Não consigo dizer mais nada. Não preciso de Emma para me dizer que é loucura entrar nisso com Bennett, seja lá o que *isso* for.

– E vale a pena o sofrimento inevitável? – pergunta ela. – Por um casinho rápido que você sabe que vai acabar?

Não é um casinho rápido. É uma aventura ousada.

– Sim, Em. Para mim, vale.

Ela morde forte o lábio inferior.

– Isso não vai acabar bem.

Estudo os tapetes do carro. Ela está certa, eu sei. Mas a verdade é que eu não poderia parar agora, mesmo que quisesse. Passei a noite toda pensando sobre como isso vai acabar, mas neste momento só há uma coisa em que quero pensar: vai ter um meio antes do fim.

– Gosto dele, está bem? Pronto. Falei. Gosto de verdade. – Olho nos olhos dela. – Sei que provavelmente é um erro, mas, por favor, apenas... me deixe aproveitar tudo isso?

Nós nos encaramos.

– O sinal abriu. – Aponto o para-brisa com o polegar.

Emma continua olhando para mim. Não pisa no acelerador, mas assente, e sei que isso significa que vai se comportar da melhor maneira possível. Pelo menos por hoje. Quando o motorista atrás de nós buzina, ela enfim segue adiante. Percorremos os dois quarteirões seguintes em silêncio, mas sei o que ela está pensando.

— Então, já que estamos sendo francas, também tenho uma coisa para contar, algo que queria ter dito ontem. — Tudo bem, talvez eu não saiba o que ela está pensando. Olho para Emma e espero ela continuar. — Seu amigo da loja de discos, Justin, me convidou para sair.

— Justin? *Meu* Justin? — Assim que o possessivo sai de minha boca, eu me arrependo e quero puxá-lo de volta. A habilidade de Bennett seria muito conveniente em momentos como esse, quando meto os pés pelas mãos e tudo que quero é voltar no tempo só *um* minuto para poder dizer a coisa certa. — Desculpe, só quis dizer... — Nem sei o que quis dizer. — É que... normalmente estou com você quando ele aparece, e nunca percebi nada que... — Eu devia realmente calar a boca, ou vou acabar dizendo o que estou pensando: *Mas eu sempre pensei que ele gostasse de* mim*!*

— Bem, nem sempre. Sabe, às vezes paro na loja de discos depois de deixar você na livraria. — Não. Eu não sabia disso. — Há algumas semanas, começamos a conversar sobre música. Ele sabe muito sobre música. — Sim. Isso eu sei. Conheço Justin desde que eu tinha cinco anos. — E depois ele me convidou para tomar um café, e saímos para jantar antes de ontem.

— Vocês saíram para jantar? — pergunto. — Você e Justin tomaram café e saíram para *jantar*? Por que não me contou nada... sei lá... na semana passada? Ontem? — Mas me sinto um pouco culpada quando lembro que ainda nem mencionei a noite em que fiquei conversando com Bennett na cafeteria. Foi muito esquisito, em especial porque aquilo não deu em nada.

Emma olha para mim como quem se desculpa e dá de ombros.

— Ele disse que tentou conversar com você sobre mim uma vez, quando estava pensando em me convidar para sair, mas... — Emma para de falar, e eu lembro aquele dia na loja de discos no mês passado. Ele queria me perguntar alguma coisa, mas eu o evitei porque pensei que Justin estava tentando me convidar para sair. Agora me sinto duas vezes idiota: primeiro, porque entendi tudo errado, e segundo, porque ele e minha melhor amiga tinham conversado sobre mim, se aproximado por causa da minha falta de perspicácia. — Sei que ele é seu amigo — continua Emma. — E, sabe, sempre pensei que ele gostasse de você, mas... — Ela gosta de Justin? Emma e Justin? Isso não soa bem. — Enfim. Eu nem pensei que isso fosse dar em alguma coisa. Quero dizer, Justin é legal, mas não imaginei que a gente se entenderia, ou algo assim.

— Mas vocês se entenderam.

— É, acho que sim.

E agora ficamos quietas. Não consigo lembrar outra ocasião em que tenhamos ficado em silêncio no carro de Emma por tanto tempo. Alguns quarteirões mais tarde, ela enfim volta a falar.

— Sábado nós vamos passar o dia na cidade. Juntos. — Ela mantém os olhos no trânsito e tenta falar de um jeito casual, mas não consegue conter um sorriso radiante.

— Isso é ótimo, Em.

— Tem certeza? — Emma olha para mim. — Não se *incomoda* com isso, não é? Quero dizer, especialmente agora.

É estranho, mas não, não me incomodo. Não tenho o direito de me incomodar.

– É claro que não – respondo, mas sinto uma ponta de tristeza, sim, porque é Justin. E Emma. *Meus* amigos. Porque, antes que eu possa impedir, penso em como isso vai mudar minha amizade com eles, se vão acabar gostando mais um do outro do que de mim, e com qual dos dois vou precisar parar de falar se nada der certo. E, ainda mais egoísta, se Justin vai continuar gravando coletâneas de corrida para mim.

Emma deixa escapar um suspiro dramático.

– Que bom. É bom saber que não se importa com isso. – E se anima ao mudar de assunto, voltando a falar de mim. – Então... você e Bennett – começa com tom de provocação. – Como vai ser hoje no colégio?

Deixo escapar uma risada nervosa.

– Não faço a menor ideia.

Ela entra no estacionamento de alunos e segue direto para a vaga que costuma ocupar.

– Bem, já vai descobrir – diz, e sigo a direção de seu olhar.

Bennett está parado no gramado, esperando por mim. Fico enjoada.

– Ah. Meu. Deus. – Emma geme e desliga o carro. – O que você *fez* com aquele garoto? Olhe para ele. – Bennett tinha cortado o cabelo. Ainda era comprido demais para o meu gosto, mas ele parecia limpo e arrumado no uniforme, e nada menos do que lindo, apesar da dificuldade que tenho desde ontem para não o imaginar na camiseta fina e na calça jeans de caimento perfeito. É nesse momento que lembro que as roupas dele ainda estão na secadora de casa, e entro em pânico por um momento, até me dar conta de que hoje não é dia de lavar roupa. – Ele ficou adorável! – Emma dá um aceno provocante, e dou um tapa na mão dela.

– Ah, por favor, só está dizendo isso para ser agradável. – Fico aliviada com a mudança de disposição, mesmo sabendo que é forçada.

Emma olha para mim.

– Não digo nada só para ser agradável, amor. Nem para você.

– Está bem. Então, continue agindo como uma amiga leal e não me faça passar vergonha.

Ainda estou tentando lidar com as borboletas no meu estômago e a maçaneta da porta quando Emma sai do carro, enfia a cabeça na janela aberta e diz:

– Ahhh, vai ser um *bom* dia.

Ela bate a porta e sobe a pequena encosta indo em direção a Bennett, deixando de lado toda a preocupação com meu sofrimento no futuro.

– Ei, oi! – Escuto Emma dizer antes que eu desça do carro e corra atrás dela, tentando alcançá-la antes que tenha uma chance para falar demais. – Eu sei! – Escuto, e a voz dela é tão exagerada quanto o sorriso. – Acho que não conversamos desde seu primeiro dia de aula, não é?

Quando os alcanço, Bennett olha para mim. Deus, ele é lindo.

– Oi – cumprimenta ele. Seu sorriso é tão caloroso que acho que a neve começou a derreter em torno de seus pés.

– Oi.

– Então, Bennett, notei que você não foi ontem à aula de Literatura – comenta Emma, e ele desvia os olhos dos meus para olhar na direção dela. – Ficou doente? – Emma o mede da cabeça aos pés, e eu disparo para ela um olhar cortante como aviso.

— Não. Passei o dia com Anna — responde Bennett, depois olha para mim outra vez. Antes éramos estranhos porque ele insistia nisso. Hoje, estamos ali como amigos porque ele decidiu confiar a mim um segredo tão grande, tão implausível, que eu não teria acreditado se não tivesse visto com meus próprios olhos.

— Ah. Bem. — Emma olha para ele, para mim, depois para ele de novo. Em seguida levanta a mão e bagunça o cabelo dele. — Não corte mais do que isso, ou vou ter que achar um novo apelido para você, Descabelado. Vejo você no almoço, Anna. — Ela começa a se afastar, mas para e vira para nós. — Falando em almoço, vai sentar com a gente hoje?

— Sim — diz ele, ainda olhando para mim, e eu sorrio.

— Descabelado? — pergunta Bennett quando Emma não pode mais nos ouvir. — Isso é o melhor que ela pode fazer?

Reviro os olhos, observo o topo da cabeça dele e sorrio.

— Aliás, quando conseguiu cortar o cabelo?

Ele dá de ombros.

Olho em volta para me certificar de que não tem ninguém escutando a conversa.

— Você viajou? — pergunto.

Ele se aproxima ainda mais de mim e sussurra em meu ouvido:

— Não. Fui ao salão Supercuts.

Solto uma gargalhada.

As pessoas olham para nós. Passam, observam, cochicham. Bennett diz:

— Só queria ter certeza de que está bem. Sabe, depois do...

— Anna! — Três das minhas colegas de equipe de corrida se aproximam de repente, interrompem Bennett sem nem olhar para ele e começam a falar todas ao mesmo tempo. — Meu

Deus! Eu soube do assalto! Você está bem? – Todas têm o mesmo ar de preocupação.

O assalto. Por isso todo mundo está olhando. É claro, uma aluna do colégio é assaltada e ameaçada com uma faca, Westlake inteira está fofocando.

– Sim, gente, estou bem, obrigada.

Todas manifestam alívio. Conversamos por mais alguns segundos até que cada uma me dá um abraço rápido e todas saem apressadas. Bennett e eu vemos uma delas escorregar no gelo e quase cair em cima das roseiras.

– Enfim, eu só queria ter certeza de que você estava bem... depois de tudo.

– Sim. – Eu sorrio. – Estou bem. Mas ainda quero saber o resto. – Espero ele dizer alguma coisa, mas nada acontece.

Depois de um instante, ele diz:

– Você vai saber.

– Devíamos ir para a aula – comento ao mesmo tempo que ele fala:

– Tenho uma coisa para você.

– Tem?

Ele abre a mochila, pega um papel e me entrega. Não contenho uma exclamação quando vejo o que é. O que ele fez para conseguir. Olho para o cartão-postal de Ko Tao e sorrio para a foto.

– Você voltou? Por causa disto?

Ele dá de ombros e sorri acanhado.

– Você precisava de uma recordação. – O sinal toca distante, anunciando que estamos oficialmente atrasados. – É melhor irmos para a aula. A gente se vê no almoço. – Ele começa a se afastar.

– Bennett – chamo.

Ele para e olha para mim.

— Sim?

— Suas roupas ainda estão comigo. — Isso não soa como eu planejei, e olho rápido em volta para ter certeza de que ninguém me ouviu.

Os lábios dele se distendem num sorriso satisfeito.

— Que bom. Acho que vou ter que ir buscá-las.

Argotta me pede para esperar depois da aula e, relutante, mando Bennett sozinho para o refeitório. O professor pergunta se estou bem e fala sobre algumas coisas discutidas na aula do dia anterior. Cinco minutos mais tarde entro no refeitório e vejo Bennett sentado com Emma e Danielle na mesa que costumamos ocupar. Ele parece estar se saindo bem.

— Chegou bem na hora — comenta Emma quando deixo a bandeja em cima da mesa. — Bennett estava contando tudo sobre si. — E olha para mim antes de anunciar. — Ele não gosta muito de esportes, sabe? — E dá de ombros enquanto morde o sanduíche.

— Bem, como eu disse, andar de skate *é* um esporte — explica Bennett.

— É, acho que pode ser. Mas é mais um meio de transporte, não? Quero dizer, sabe, esportes praticados no colégio. Futebol. Basquete. Beisebol. Lacrosse. Hóquei. Esses esportes.

— Esportes de equipe.

— Ah, não, você pode nadar, acho. Ou jogar tênis. Também são esportes.

— Ou você pode andar de skate — argumenta ele sem perder a calma.

Vejo as engrenagens girando na cabeça de Emma enquanto ela tenta encontrar a resposta perfeita. Ela me olha de soslaio, e aproveito para preveni-la com o olhar, lembrá-la da promessa que fez esta manhã: ser gentil. Não me fazer passar vergonha.

– É claro. Você pode andar de skate, acho. – Emma olha para mim em busca da confirmação de que disse a coisa certa, e eu a recompenso com um sorriso grato. E, sem dizer nada, sugiro que pare de falar. Ela olha para Bennett outra vez. – Então, quais são seus outros hobbies?

Então, agora é o hobby. Olho para ele, para o garoto que não precisa de um esporte ou de um hobby, porque, no meu dicionário, o que é capaz de fazer significa muito mais que tudo isso. Bennett parece disposto a continuar a discussão sobre o caráter esportivo do skate, por isso respondo em seu lugar.

– Ele viaja – digo, e os três olham para mim. – Já esteve em todos os lugares. Não esteve?

As duas olham para Bennett, e ele dá de ombros como se não fosse importante. Eu me sento e escuto os três falarem com grande animação sobre os lugares que já visitaram. Já vivi essa experiência antes, mas, dessa vez, não me sinto excluída. Em vez disso, estou completamente encantada, fazendo anotações mentais e me perguntando a quais desses destinos aparentemente tão lindos Bennett vai me levar da próxima vez.

15

Emma para o carro na frente da livraria para eu descer, e antes mesmo de desengatar a marcha ela olha para a loja de discos do outro lado da rua.

Tudo bem, isso já está um pouco esquisito.

– Você vai lá? – pergunto ao abrir a porta e pisar na calçada. Inclino o corpo para trás para ouvir a resposta.

– Não, hoje não. Hoje ele precisa ficar pensando se vou visitá-lo, e depois, sabe como é, sentir minha falta quando eu não aparecer.

Reviro os olhos. Não acredito que esse seja o estilo de Justin, mas então penso que, como não percebi a atração dele por minha melhor amiga, talvez não saiba muito sobre o estilo de Justin.

– Tudo bem, Em. Até amanhã, então.

– Tchau, amor – diz ela, e vai embora.

Os sinos da porta da livraria tilintam como de costume, mas hoje o som provoca em mim um arrepio inesperado. Normalmente associo o barulho a lembranças felizes, como ir à loja em uma manhã de sábado para ajudar meu avô a arrumar as estantes, ou a primeira vez que meu pai me deu as chaves e me deixou fechar a loja à noite. Passei os últimos dois dias me sentindo grata porque o ladrão foi pego antes de levar nosso dinheiro, mas até agora não tinha percebido que ele roubou o som dos meus sinos.

– Oi, Annie. – Papai está atrás do balcão digitando na calculadora e fazendo uma pequena pilha com os recibos do dia.

Planto um beijo no seu rosto.

– Oi, pai. – Ele retribui beijando minha bochecha e volta à conta. Ninguém comenta sobre a loja estar diferente hoje, mas sei que nós dois temos essa sensação.

– Vou dar uma corridinha no banco para fazer o depósito – avisa ele sem olhar para mim. – De agora em diante, não quero mais que feche o caixa à noite. Eu vou cuidar disso.

Eu gostava de fechar o caixa. Vejo meu pai juntar todos os recibos, grampeá-los e guardar o dinheiro do caixa no malote fechado com zíper. – Já providenciei a instalação de um sistema de alarme para este fim de semana. Parece ser bem sofisticado. Tem até um controle remoto, você pode apertar o botão de qualquer lugar da loja e a polícia é chamada imediatamente.

Olho para ele meio de lado.

– Ótimo, desde que você esteja com o controle.

– Ah, sim, acho que sim. – Ele ri. – Estou exagerando um pouco, não é?

– Não, de jeito nenhum. Podemos mandar fazer cintos de couro iguais com pequenos compartimentos. – Levo a mão ao meu compartimento imaginário, pego rapidamente o controle remoto invisível e aponto para ele. Papai me imita.

— Sabe, eu estava pensando — diz ele.

— Oh ô...

— Estava pensando que talvez seja hora de contratar um aluno da Northwestern para ajudar na livraria. Você está mais ocupada agora, treinando para o Estadual. E as provas finais estão chegando...

— Em um mês.

— E quando abrir os olhos, vai estar ocupada com as inscrições para as universidades.

— Daqui a seis meses.

— E embora eu ainda não tenha sido oficialmente apresentado a ele, parece que você agora tem um namorado.

— Não tenho um namorado.

— E existem coisas mais interessantes para fazer, em vez de ficar nessa livraria velha e úmida quase todas as noites, não acha? Seria um ótimo emprego para um estudante universitário.

— Não, não seria, porque já é um ótimo emprego para mim. Obrigada, pai, mas estou bem. Gosto de trabalhar aqui. — Além do mais, tenho que juntar dinheiro para o meu fundo de viagem de algum jeito, e pode muito bem ser aqui.

Ele me abraça.

— Tem certeza?

— Absoluta — digo, mas minha voz é abafada pelo suéter de lã dele.

Afinal meu pai me solta, veste o casaco e pega o malote com o dinheiro. Mal ele passa pela porta, os sinos soam outra vez.

Levanto a cabeça e vejo Bennett caminhando em minha direção.

— Oi.

— Oi — responde ele.

Ficamos ali meio sem jeito, transferindo o peso de um pé para o outro, tentando pensar em alguma coisa para dizer.

— Que bom que veio. — Estou torcendo as mãos. — Queria agradecer de novo pelo cartão-postal. Foi muito fofo.

— É claro. — Vejo o rosto *dele* se tingir de vermelho e me sinto grata por não ser o meu, para variar. — Comprei um para mim também. Para lembrar aquele dia. — Ele parece tão nervoso quanto eu. E isso, de algum jeito, me faz sentir muito melhor. — Enfim, só vim dar um oi e comprar aquele livro. Sobre o México. Para o trabalho do Argotta.

— Ah, sim, é claro.

Ele me segue até a seção de guias de viagem, e deslizo um dedo pelas lombadas, parando para pegar meus favoritos. Depois de remover uma boa seleção de seis ou sete exemplares, eu me sento de pernas cruzadas no tapete Berber e me apoio na estante.

— Sente-se. — Faço um gesto para Bennett juntar-se a mim, e ele aceita o convite. Pego o primeiro livro da pilha. — Este é ruim. Quase não tem fotos. — Deixo o guia de lado, começando outra pilha no chão, e pego mais um livro. De repente experimento um estranho déjà vu. — Uau.

— O que é?

Olho para ele por um minuto.

— Nós nos sentamos assim naquela noite? Antes do assalto e daquela coisa de voltar no tempo?

— Sim. Foi bem assim. — Ele sorri. Depois me olha surpreso. — Por quê? Você lembrou?

— Não sei. Talvez não.

Bennett pega um livro da pilha.

— Este aqui é bom para viagem de baixo orçamento, mas não é realmente o que procuramos. — Com uma careta, ele deixa o livro em cima do outro com poucas fotos.

O comentário parece com alguma coisa que eu mesma teria dito.

Bennett pega outro livro.

— Este aqui sugere hotéis e restaurantes sofisticados, um pouco caros demais para nós. Mas as fotos são boas.

Sim. É verdade. E isso está me assustando.

Ele pega outro livro, e quando abre a boca — presumo que para repetir mais das minhas palavras — eu o interrompo e digo:

— Por que não me diz qual deles eu recomendei?

Ele se debruça sobre mim, estende a mão para a estante e pega um livro.

— Com licença. — Sua mão toca meu braço quando ele volta a seu lugar no tapete, agora mais perto de mim. Tão perto que nossos joelhos se tocam.

— Este aqui é seu favorito.

Confirmo com a cabeça.

— Mais detalhes. Fotos cheias de vida. Recomendações de hotéis econômicos, mas que não são albergues, nem nada parecido. E vem com sugestões para pacotes de três dias, cinco dias, e para estadias mais longas, de forma que podemos reunir todas as...

— Quero saber o resto da segunda coisa.

Ele me encara por um momento.

— Onde foi que eu...

— Você pode modificar pequenos detalhes do passado e afetar o desfecho de uma situação, mas não consegue apagar completamente um evento. É capaz de viajar para qualquer lugar do mundo *e* para outras épocas, mas tem que respeitar o limite de certas datas.

Ele me encara como se estivesse surpreso por eu lembrar suas palavras com tanta exatidão, mas como poderia não lembrar? Elas passaram a noite toda virando na cama comigo.

– Certo. – Bennett dá um sorrisinho. – Só consigo viajar dentro do período da minha vida. Não ultrapasso o dia em que nasci e não vou nem um segundo além da data atual. Na primeira vez que tentei funcionou, mas, bem, as coisas deram errado. Depois disso tentei mais de mil vezes, mas nada acontece.

Imaginei uma linha do tempo que começa no ano em que ele nasceu e continua até hoje.

– Então, não consegue visitar um tempo anterior a 1978 ou depois de hoje?

Bennett pega um dos guias do México e começa a brincar com as páginas como se fosse um daqueles livros de animação, evitando deliberadamente meu olhar.

– Não. Eu posso ir para o futuro além do dia de hoje.

– Mas você acabou de dizer que não... então, como... – Não estou entendendo, e ele não está ajudando. – Tudo bem, vou reformular a pergunta: Até quando você já foi depois de 1995?

Ele inspira profundamente e continua evitando me encarar.

– Fui até 2012.

– Mas isso não está além do "seu tempo de vida"?

Agora ele olha para mim como se não fosse o caso, e sinto um nó se formar no meu estômago.

Bennett levanta as sobrancelhas, como se estivesse esperando eu tirar minhas conclusões.

– Espere... em que ano você nasceu?

Acho que um minuto inteiro se passou antes de ele responder. Pelo menos, essa é a sensação que eu tenho.

– Seis de março de 1995.

Olho diretamente para ele.

— Isso foi no mês passado.

— Sim. Eu sei.

— Seis de março de 1995?

— Sim.

E é então que eu entendo. As fotos na sala de estar da avó dele. Os retratos emoldurados da filha dela segurando um bebê. O nome do bebê é Bennett.

— Mentira. — Ele continua sem olhar para mim. — As fotos no console da lareira de Maggie. — Nem percebo que falei em voz alta, mas devo ter falado, porque ele finalmente levanta a cabeça e assente.

— Maggie é sua avó.

Ele repete o movimento com a cabeça.

— E o "verdadeiro você"... — Não consigo dizer as palavras: *é um bebê*. — Está em São Francisco. — Por isso não há fotos mais recentes de Bennett na parede de Maggie.

— Bem, eu sou o "verdadeiro eu". — Ele estende um braço e dá um tapinha para provar que é sólido. Depois me olha. — Mas, sim. Em 2012 eu tenho dezessete anos. Em 1995, tecnicamente... não tenho.

Imagino uma linha do tempo completamente diferente. Agora ela *começa* em 1995 e termina em 2012.

— Mas e o... outro você? O das fotos.

— Ainda estou em São Francisco, provavelmente em um berço, olhando para um móbile ou alguma coisa assim. — Eu me encolho, e ele me olha de soslaio, mas supero a reação e tento não demonstrar que essa coisa de bebê Bennett está me deixando assustada. Em vez disso, devo parecer confusa, porque ele esclarece. — Posso estar em dois lugares ao mesmo tempo, mas não no mesmo lugar ao mesmo tempo.

— O que acontece se ficar no mesmo lugar ao mesmo tempo?

— Bem, nunca deixo que isso aconteça acidentalmente. Mas, se eu fizer de propósito, o eu *mais jovem* desaparece e eu tomo o lugar dele, como fiz na noite do assalto. Então a situação se repete. Acontece de novo e pode ser modificada.

Olho para baixo, para os livros, e brinco com as páginas.

— Mentiu para mim sobre sua avó estar doente?

— Não exatamente. Ela *tem* Alzheimer, mas não... em 1995.

— E por que ela acha que você é um aluno da Northwestern? — Dessa vez olho para ele.

Bennett suspira.

— Foi o que eu disse a ela quando fui alugar o quarto.

Ele ainda está pressionando minha mão contra seu braço, mas a removo para poder brincar com uma fibra solta no tapete e tento não hiperventilar.

Ele pode viajar além de 1995, porque tudo desse ponto em diante é seu futuro.

Mora com uma mulher que nem imagina que é avó dele.

E não devia estar aqui em 1995.

— Este é seu passado — digo.

— Sim.

— Quanto tempo já passou em algum lugar no passado? — Fecho os olhos de novo. Não consigo encará-lo.

— Trinta e seis dias — escuto Bennett sussurrar.

— E quando foi isso?

Ele faz uma pausa.

— Amanhã serão trinta e sete dias.

Fecho os olhos. Acho que não estou lidando bem com isso.

E ainda não sei de tudo. Não sei com quem ele estava falando naquela noite no parque, ou como chegou aqui, ou de onde veio, ou o que está fazendo em Evanston, ou por que só devia ficar um mês aqui, mas ainda não foi embora.

Afinal abro os olhos e o observo; então compreendo.
Sou dezesseis anos mais velha que ele. Mas não sou.
Ele é um ano mais velho que eu. Mas não é.
Bennett olha nos meus olhos.

— Olha, sei que isso é esquisito. E mesmo sabendo o que faltava da segunda coisa, ainda sabe só duas das três. — Ele olha para cima, para o teto, e fica em silêncio por um momento antes de me encarar outra vez. — A questão é que eu não devia estar aqui, Anna. Não em Evanston. Não em 1995. Eu não devia conhecer você, ou Emma, ou Maggie. Não devia frequentar essa escola, ou fazer esse dever de casa, ou ficar conversando na cafeteria. — Bennett segura minhas mãos como se fosse me teletransportar para algum lugar, mas não saímos da livraria, apenas nos aproximamos muito um do outro. — Eu não fico em lugar nenhum. Eu visito. Observo. E vou embora. Eu *nunca* fico.

Não sei ao certo o que devo fazer com essa informação. Digo a ele para ir embora? Digo para ficar? Mas não tenho tempo para considerar alternativas, porque ele se aproxima ainda mais e segura meu rosto; caio para trás sobre a estante quando ele me beija com intensidade, como se *quisesse* estar aqui. E se me beijar por tempo suficiente, com profundidade suficiente, vai ser como se nada do que ele tivesse dito fosse verdade. Por mais que eu saiba que é *tudo* verdade e que é incrivelmente estúpido se sentir atraída assim por alguém que nem é daqui, alguém que, quando partir, não estará a uma mera viagem de avião de distância, levanto as mãos do tapete Berber, toco as costas dele e o puxo para mim até estar espremida contra a estante. Porque agora ele está aqui. E porque tenho certeza de que não quero que isso acabe. Nunca.

Mas ele se afasta.

– Desculpe.

– Tudo bem – respondo, e tento recuperar o fôlego.

– Não. *Não* está tudo bem. Não foi assim que planejei... eu não devia ter tornado a situação mais complicada do que ela já era. – Bennett fica em pé e penteia os cabelos com os dedos. – Tenho que ir. Sinto muito.

– Bennett. – Tento sorrir para ele, tento não demonstrar que tudo que acabou de acontecer me deixou meio apavorada, mas ele nem olha para mim. – Está tudo bem. Bennett, por favor, não vá.

Mas ele já saiu da livraria, me deixou sozinha com o resto da segunda coisa e as palavras que disse antes de me beijar: Eu *nunca* fico.

16

— Ei, Anna! Espere! — Courtney bate a porta do armário e me alcança. — Já terminou seu plano?

— Não, ainda não. — Nós nos esprememos ao passar por um grupo de alunos reunido na frente de um armário, depois nos afastamos e seguimos em frente. — Estou trabalhando nele. E o seu?

— Indo bem. Ontem à noite pensei que talvez deva acrescentar algumas ruínas e tal, sabe... alguma coisa educativa. — Ela olha para mim como se esperasse me ver concordar, por isso faço que sim com a cabeça. — Mas as praias parecem *incríveis*. Juro que seria capaz de passar o tempo todo coberta de areia de diferentes praias.

— Fique só com as praias, então.

— Você vai incluir praias?

— Algumas. — Nem sei o que vou fazer. Ontem à noite, tentei ir além da patética lista de duas colunas que comecei na loja na terça-feira passada, mas passei a maior parte do tempo distraída, pensando em um viajante do tempo que visita, mas nunca fica. Um garoto lindo, incrível, com olhos que não consigo tirar da cabeça, um corpo do qual nunca quero estar afastada mais que meio metro, e mãos que podem me levar aonde eu quiser com a velocidade do pensamento. O mesmo garoto que não devia estar aqui em 1995, mas sentou-se no chão da minha livraria ontem à noite como se não houvesse outro lugar no mundo onde preferisse estar e me beijou como se não tivesse mais ninguém no mundo que preferisse beijar. O menino com segredos, que ainda tem mais uma coisa para contar.

– Aonde mais você vai? – pergunta ela com inocência, como se não estivéssemos na mesma competição, disputando um voucher de viagem no valor de quinhentos dólares.

Trago a mente de volta ao corredor onde estamos e tento pensar em uma resposta.

– Tenho um monte de... – começo, mas perco a linha de raciocínio outra vez, porque lá está Bennett, apoiado à fileira de armários na frente da sala de Argotta, todo fofo, descabelado e lindo, e claramente esperando por mim. Tento acompanhar o ritmo de Courtney, apesar do novo ritmo dos meus batimentos cardíacos.

– Do quê? Ruínas? Eu sabia. Eu devia... – Não escuto mais nada depois disso, e quando enfim alcançamos Bennett, eu paro. Meu coração, por outro lado, bate ainda mais depressa.

– Oi – diz ele lançando aquele sorriso incrível, e Courtney praticamente desaparece do meu lado enquanto tento não parecer tão feliz por vê-lo.

– Oi. – Ótimo, agora minhas mãos estão tremendo.

Courtney ainda está aqui, afinal, e a vejo olhar em volta como se tentasse descobrir de onde vem toda aquela eletricidade. Ela olha para nós, primeiro para um, depois para o outro, e um sorrisinho estranho se forma em seus lábios.

— Ah... interessante — diz ela, e vai para a sala de aula com um debochado: — Com licença.

— Podemos conversar? — pergunta Bennett.

Olho pela porta para dentro da sala.

— A aula de espanhol vai começar.

— Eu sei. Venha. — Ele me leva para a lateral do prédio, por um caminho obscurecido por plantas e arbustos crescidos demais, e ouço o sinal tocar ao longe. Subimos a encosta para um pequeno grupo de árvores perto do topo da elevação e paramos na base da maior árvore. Bennett se senta e bate no chão a seu lado. Sentada, descubro exatamente onde estamos: a parede de vidro do refeitório é difícil de não ver, e mesmo dali posso identificar nossa mesa sem dificuldade.

— Então, só queria me desculpar mais uma vez... sobre ontem à noite. — Bennett pega uma pedrinha e brinca com ela de um jeito nervoso, esfregando-a entre os dedos. Depois olha para mim com um ar triste que nunca vi antes. — É que... quis beijar você tantas vezes. — Chego mais perto, esperando que a proximidade transforme este em mais um daqueles momentos, mas ele recua e, com um suspiro, se encosta ao tronco da árvore. — Disse a mim mesmo que tinha que me controlar, porque sabia que começar alguma coisa não seria justo com você. Não queria complicar a situação. Sabe? Queria contar tudo e deixar você decidir o que sentia sobre isso. Sobre mim.

— Eu sei o que sinto. — Digo, e elimino a distância que ele colocou entre nós um momento atrás, adotando uma expressão corajosa. — Mas, nesse caso, acho melhor me contar o resto, e vou poder decidir. — Sorrio de um jeito encorajador, demonstrando que estou pronta para ouvi-lo. E estou, mesmo sabendo que envolve uma garota. Faz mais de um mês, mas não significa que esqueci como o encontrei naquela noite no parque, balançando no banco e resmungando que precisava encontrá-la. Bennett me disse na cafeteria que alguém tinha desaparecido, e que a culpa era dele.

— Perdi minha irmã — diz ele, e eu arregalo os olhos. — Brooke e eu vamos a concertos. É uma coisa nossa.

Brooke. Eu não tinha pensado na garotinha de cabelo escuro e franja segurando o irmão bebê em uma foto na casa de Maggie. Irmã dele. Uma menina de dois anos. Ou dezenove.

— É uma espécie de hobby. Pesquiso bandas de que gosto e descubro os shows mais antigos a que podemos assistir. Bem, Brooke sempre vai comigo.

Ele está se esforçando para falar. Aparentemente, me contar como ele viajou no tempo para salvar minha vida e dizer que não devia estar aqui em 1995 foi só um aquecimento para a revelação mais difícil. Brooke é um assunto sério.

— Lembra quando falei que só podia viajar dentro do meu tempo de vida?

Deixo escapar uma risada nervosa.

— Sim, ainda me lembro dessa parte.

— Bem, se tento viajar para um período anterior ao meu nascimento, não consigo. Fecho os olhos e penso na data, e... bem, não acontece nada. Mas Brooke queria ir àquele show, por isso ela me convenceu a tentar. Foi um experimento. Nenhum de nós acreditava realmente que poderia dar certo. — Ele sorri com a lembrança. — Demos as mãos, fechamos os olhos e eu imaginei o lugar e a hora em 1994. E...

— Funcionou?

— Sim, mas só por alguns minutos. Eu estava lá, e em seguida não estava mais. Fui jogado de volta em São Francisco.

— Jogado *de volta*?

Ele dá de ombros, como se isso fosse um pequeno inconveniente que precisa tolerar.

— Normalmente tenho total controle sobre onde e quando vou, mas, se desafio os limites, é como se o tempo *consertasse* tudo. Sou mandado de volta para o lugar onde deveria estar.

— Mas se viajou para lá com Brooke, por que foi jogado de volta, e ela não?

— Não consegui ficar porque eu não *existia* em março de 1994.

Olho para ele e espero o resto da história.

— Brooke existia. Ela nasceu em 1993.

— Uau. Sério? — pergunto, e ele assente. — Onde você a levou?

— Ao dia dez de março de 1994. Chicago Stadium. — Ele me encara e pergunta: — A data é familiar?

Penso um pouco. Dez de março. Ano passado. Dez de março. Não sei do que ele está falando.

— O canhoto do ingresso — diz ele. — No seu quadro de avisos. Pearl Jam. Não foi um show especialmente épico ou coisa parecida. Ela só queria ver a banda tocar as músicas do disco *Ten* e do *Vs.*

— Mentira. — Repito a mesma palavra que ele disse quando viu o canhoto do ingresso. — Eu estava lá. Com Emma. Nós estávamos *lá*.

— E ficaram mais tempo que eu, provavelmente. Não tive tempo nem de comprar uma camiseta.

Acho que devia rir disso, mas ainda o encaro, incrédula.

— Como vai trazê-la de volta?

— Ainda não tenho certeza. No início, imaginei que tinha que voltar até onde pudesse, ou ao dia seis de março de 1995. Brooke teria vivido aquele ano inteiro e estaria esperando por mim na casa de Maggie. Mas ela não estava lá, e não esteve, é evidente. Então, agora tenho que esperar para ver; ou minha irmã vai "chegar" em março de 1995 e, espero, vai saber que estou lá, ou o tempo vai se endireitar e vai jogá-la de volta para casa em 2012... ou, sei lá, em algum lugar entre agora e depois.

– Meu Deus, ela deve estar apavorada. – Imagino a garota vagando pelas ruas, perdida no tempo e procurando abrigo.

– Conheço Brooke, tenho certeza de que ela se desesperou um pouco no início, mas tem dinheiro suficiente com ela, mais que o suficiente para se garantir. Acho que minha irmã vai ficar bem. Porém, minha mãe está devastada e, uau, furiosa comigo. Talvez essa confusão toda possa ter servido para provar que ela estava certa, que não sou capaz de lidar com esse meu *dom*.

Não faço ideia do que dizer.

– Enfim, voltei sozinho, completamente perdido, e tive que dar a notícia de que a solução poderia demorar. Minha mãe queria que eu voltasse e ficasse aqui até encontrar Brooke. Expliquei que isso podia demorar semanas, então, ela inventou desculpas para o pessoal mais próximo e me fez trazer meu pai a Evanston para me matricular no colégio onde ela estudou. – Consigo escutar a amargura na voz dele. – E aqui estou. Volto para casa de vez em quando a fim de ver como estão as coisas.

As enxaquecas. O balanço do corpo. *Preciso encontrá-la. Não posso partir ainda.* Tudo faz sentido.

– Você estava voltando de São Francisco.

– Sim. Aconteceu algumas vezes naquelas duas primeiras semanas. Eu desaparecia de Evanston e reaparecia em meu quarto em 2012, e então fechava os olhos e me obrigava a voltar para cá. Na verdade, na noite em que você foi à casa de Maggie, eu tinha acabado de voltar. Por isso mandei você embora, porque achei que ia ser jogado de volta. Mas não fui. Doeu muito, mas consegui me segurar aqui, e desde então não fui mais jogado de volta.

Lembro minha visita, as xícaras de café e as garrafas de água espalhadas pelo quarto, como ele me olhou na sala de estar de Maggie. Não é de estranhar que tenha se comportado de maneira tão estranha quando me viu em sua casa, conversando com sua avó e olhando para a foto dele com a irmã de dois anos de idade. Não é de estranhar que ele tenha me mandado ir embora.

— Então, você vai ficar aqui só até Brooke voltar. — Ele faz que sim e me sinto enjoada. Mas eu sempre soube, no fundo, em algum recanto obscuro que insisto em ignorar, que quando descobrisse seu segredo saberia também por que ele não pode ficar.

— Temos que voltar para a aula. — Bennett segura minhas mãos, e, sem pensar, eu fecho os olhos. Mas não nos movemos. O vento ainda é frio em meu rosto quando ele diz: — Anna. — Abro os olhos novamente e o vejo olhando para mim. — Não devíamos nos conhecer. Eu queria que fosse possível, mas você tem muito a perder com essa história, mais do que acredito que pode entender agora.

Acho que balanço a cabeça para dizer que sim. Não tenho certeza, mas sinto quando ele levanta a mão e, com um movimento suave, me faz fechar os olhos. Depois ele segura minha mão outra vez, e sinto uma coisa se torcer dentro de mim.

Quando abro os olhos, estamos na alameda ladeada por arbustos altos, e meu estômago se contorce. Ele abre a mochila, pega um pacotinho de bolacha salgada, e começo a comer uma imediatamente. Depois ele pega uma garrafa de água, tira a tampa e a esvazia sem tirar da boca. Após guardar a garrafa vazia dentro da mochila, Bennett me guia através das portas para o interior do prédio. E para no mesmo lugar onde estivemos mais cedo. Olho para dentro da sala e vejo Courtney se sentando em seu lugar.

— Bem, agora você sabe todos os meus segredos.

Respondo com um movimento afirmativo de cabeça e olho para o corredor. Estamos de volta.

— Então, prometa que vai pensar nisso, está bem? E que vai me fazer mais perguntas.

Perguntas. Tenho muitas. O que preciso é de algum tempo com ele, sem nenhum lugar onde tenhamos que estar e sem razão para pararmos de falar até eu entender que diabos ele quer dizer quando afirma que "tenho muito a perder".

Bennett se vira para entrar na sala, e eu o seguro pelo braço.

— Ei, quando podemos conversar outra vez? — Não vou passar o fim de semana todo pensando se vamos nos encontrar por acaso.

— Logo. — Ele sorri para mim. Depois entra na sala, e eu o sigo, perdida em meus pensamentos, mas, ainda assim, registrando os detalhes do ambiente. Argotta está apoiado à mesa, como de costume, na frente da sala. Alex — e seus dentes brancos demais — já se sentou na carteira ao lado da minha. E Courtney está na primeira carteira da primeira fileira, lançando olhares significativos para mim e Bennett. Quando o sinal toca, ela pisca para mim.

— Quer ouvir a fofoca? — pergunta Emma ao deixar a bandeja sobre a mesa e se sentar.

Danielle joga os cabelos e olha para ela.

— Tem fofoca? — Seus olhos se arregalam tanto que parecem prestes a cair e rolar pela mesa. — De quem é?

— Anna... — ronrona Emma. — E Bennett...

— Se depois disso você falar alguma coisa sobre pombinhos, eu vou embora. — Encosto-me à cadeira e mordo minha maçã. Não quero ser o nome ligado à "fofoca", mas é bom ter outra coisa em que pensar, além de situações reformuladas, ser jogado de volta e uma garota de dezenove anos presa no tempo.

Viro na cadeira e vejo Bennett na fila, enchendo um copo com Coca. Emma segue a direção do meu olhar e sorri insinuante.

— As pessoas estão comentando. Não quer saber o que estão falando, antes de ele chegar aqui?

— Não. — Pareço desinteressada, porque estou. — Na verdade, não quero.

— É *bom* — insiste ela com uma voz aguda que parece preceder o início de uma canção.

— Não *interessa* — respondo imitando seu tom, e dou mais uma mordida na maçã.

— Ouvi dizer que ele mora com a avó — comenta Danielle em alto e bom som, e eu paro de mastigar.

Emma e eu olhamos para ela. Depois, Emma olha para mim.

— Ele mora? — Ela torce o nariz. Não consigo dizer se ela está desapontada com a notícia, ou se está apenas aborrecida por alguém ter conseguido a informação antes dela.

Viro o rosto para Danielle:

— Como sabe disso? — pergunto, mas paro e forço um sorriso, esperando que ele encubra meu tom de voz defensivo.

— Julia Shepherd me contou.

— Ah. Julia? — Agora meu tom de voz é leve e casual, mas só porque estou me esforçando para isso. Dou mais uma mordida na maçã para enfatizar meu desinteresse pelo assunto. — E como Julia sabe?

Danielle une as mãos em pose de oração e inclina a cabeça, tocando a ponta dos dedos com a testa.

— A Rosquinha não guarda segredos. — Ela ri e morde o sanduíche.

— Espertinha.

— Então, é verdade? — pergunta Emma.

Apago do rosto todos os sinais de irritação e digo com voz firme e controlada, como se isso não tivesse nenhuma importância:

— Sim. O nome dela é Maggie. Ele cuida da avó.

— Ah, que fofo — diz Danielle, e sorrio para ela em reconhecimento ao seu comentário.

— Onde estão os pais dele? — cochicha Emma, observando Bennett do outro lado do refeitório. — Não deviam ter voltado?

Queria que ela parasse com as perguntas, porque de repente me dou conta de que não sei que história ele inventou para explicar isso. Bennett me disse que os pais dele estavam na Europa, mas isso foi antes de eu saber onde eles *realmente* estão. Nem imagino o que disse à escola sobre sua família, mas tenho certeza de que Bennett não deixou informações de pessoas que vivem em 2012 para contato em caso de emergência.

Viro novamente na cadeira e o vejo caminhando em nossa direção.

— Pergunte a ele — digo, apontando para Bennett. Espero que ele tenha uma boa resposta.

– Oi – cumprimenta Bennett, escorregando a bandeja sobre a mesa.

– Oi – respondem Emma e Danielle ao mesmo tempo e com entusiasmo excessivo.

Pelo menos as duas têm a decência de deixá-lo comer um pouco antes de começarem com o interrogatório. Emma levanta as sobrancelhas para Danielle, e o jogo começa.

– Então, Bennett – diz Danielle, apoiando os braços sobre a mesa –, ouvi dizer que você mora com sua avó.

Bennett bebe um gole de Coca, aparentemente sem se incomodar com o fato de ela ter invadido seu espaço pessoal, e assente.

– Meus pais estão na Europa, e estou na casa dela enquanto eles viajam.

– Certo – interfere Emma. – Na verdade, pensei que ia ficar aqui só por um mês. Eles decidiram prolongar a viagem, ou algo assim?

– Sim. Agora não sei mais por quanto tempo vou ficar aqui.

Penso em Brooke e onde ela pode estar, no que está fazendo agora. É egoísmo, mas espero que ela esteja se divertindo muito e que não volte para 2012 tão cedo.

– Meu pai está trabalhando em um grande projeto em Genebra – explica Bennett.

Sorrio e reviro os olhos para ele, e recebo como resposta uma piscada.

Todos falam sobre como Genebra é linda.

– Então – interfiro na primeira oportunidade –, como vai indo com o leilão?

Agora sim. Bennett e eu nos calamos e vemos Emma e Danielle falando ao mesmo tempo com entonações entusiasmadas e uma coleção impressionante de superlativos como *o mais legal* e *o mais estelar*. Ele continua olhando para mim de tempos em tempos enquanto elas falam, como se tentasse adivinhar meus pensamentos, mas isso é impossível, pois nem *eu* sei o que estou pensando. Tenho certeza de que a realidade vai me atingir em cheio em algum momento, mas, por ora, tudo que sei é que Bennett está aqui sentado como se pertencesse ao lugar e ao momento.

Quando ouvimos o sinal, Emma e Danielle se levantam e, ainda conversando, caminham para as latas de lixo. Bennett e eu as seguimos, o braço dele toca o meu quando ele sussurra:

– O que vai fazer amanhã?

Duvido que ele tenha notado que Emma e Danielle pararam imediatamente de falar.

– Amanhã à noite?

– Não. Amanhã. O dia todo. – E sorri ao acrescentar: – A menos que seja muito tempo comigo.

Não tenho nada para fazer. E a ideia de tempo demais com Bennett é impossível de compreender. Sorrio radiante.

– Não. Quero dizer, não combinei nada.

– Ótimo. Posso ir buscar você às oito?

– Da manhã?

– Sim.

Danielle deixa escapar uma risadinha, e Emma a cutuca com o cotovelo.

– Aonde vamos?

– É surpresa.

Um sorriso me ilumina de novo. Ou talvez ainda estivesse iluminada. Não consigo distinguir, de verdade.

– Ah, e use suas roupas de corrida.

– Por quê?

— Faz parte da surpresa. Com licença. — Bennett passa por Emma, joga os restos de sua refeição na lixeira e sai do refeitório para voltar à Rosquinha. Ninguém fala nada até ele desaparecer.

Então, Emma olha para mim e guincha:

— Ai, isso foi tão fofo!

— Sim, mas para que as roupas de corrida? — Danielle quer saber.

Emma esvazia a bandeja e põe a mão na cintura.

— Não é óbvio? Ele vai levar você à pista e fazer você correr enquanto a observa da arquibancada. — E gargalha da própria piada.

— Cale a boca! — Bato com força em seu ombro, mas também estou rindo.

— Sim, ele é fofo — decide Danielle.

— Ele é — concorda Emma. — Ainda estou de olho nele — acrescenta, como se fosse uma agente da Inteligência Britânica —, mas admito que o garoto *está* me convencendo.

— E não é uma graça ele cuidar da avó? — acrescenta Danielle.

Emma olha para mim parecendo ter sido uma epifania.

— Ah! Agora *nós duas* temos um encontro amanhã! Domingo de manhã. Cafeteria. Depois comparamos.

17

Às oito em ponto, um utilitário azul para na entrada de casa. Eu fecho a janela e desço a escada correndo. Pela centésima vez, me pergunto aonde Bennett vai me levar. Tinha esperança de que nossa próxima viagem nos transportasse num passe de mágica para Paris, mas passei a noite toda estudando locais que pudessem exigir traje esportivo dos visitantes. Alpes Suíços? Machu Picchu? Bornéu? Não importava realmente aonde íamos, mas essa história da roupa de corrida me deixava perplexa.

Papai chega antes de mim à porta e aperta a mão de Bennett, olhando para mim com ar de censura. Sei que ele já está ansioso pela minha volta para poder me repreender por não ter sido apresentado como deveria. Papai recita para Bennett o sermão sobre dirigir com cuidado e me trazer para casa dentro do horário estipulado, e quando estamos saindo ele olha para mim e move os lábios para formar a palavra *jantar*. Assinto e fecho a porta depois de sair.

— Esse é seu carro?

Bennett abre a porta do reluzente e novo Grand Cherokee e espera eu entrar. Faz sentido. Como todo mundo que conheço, ele dirige um carro bom demais para um aluno do ensino médio.

– É de Maggie. – O interior é impecável e tem aquele cheiro característico de carro novo. Ele fecha a porta do meu lado, contorna o veículo, senta-se ao volante e gira a chave na ignição. O motor começa a funcionar com um ruído suave.

– Pronta? – pergunta ele antes de pôr o carro em movimento. Com o corpo inclinado para trás, a cabeça virada para o lado, ele me observa estudá-lo procurando pistas.

– É claro que sim. Aonde vamos?

– Viajar de carro. – Bennett prende o cinto de segurança e sorri para mim.

– Vamos viajar? Até onde?

– Um pouco mais de três horas para ir e três para voltar. – Ele olha para trás e dá marcha à ré.

– Para ir... aonde, exatamente?

Ele ergue as sobrancelhas e olha para mim de um jeito enigmático.

– Ainda é surpresa.

– Preciso levar alguma coisa?

Ele me examina da cabeça aos pés. Vesti minha calça de corrida, jaqueta com zíper e tênis. Tudo de acordo com as instruções.

– Não. Você está perfeita.

– Tudo bem. Mas por que dirigir tanto se podemos só, você sabe... – Faço um gesto estranho, como se conhecesse o sinal universal para viajar no tempo.

– Ah, veja quem está ficando mal-acostumada! – Ele percorre as ruas da vizinhança em direção à interestadual no sentido norte. — Primeiro, dirigir nos dá muito tempo para conversar. Segundo, não saí de Evanston desde que cheguei aqui. E terceiro, bem, eu queria fazer alguma coisa normal por você.

— Normal.

— Você sabe. Isso não tem nada a ver com meu talento esquisito.

Eu me acomodo no assento e tento não parecer desapontada.

Conversamos e ouvimos música. Três horas e vinte minutos mais tarde entramos no Parque Estadual Devil's Lake. Sei onde estamos porque li as placas, não porque Bennett me deu alguma informação no caminho. Ele para o carro no estacionamento, nós descemos e vamos até a parte de trás do automóvel. Bennett abre o porta-malas e pega duas mochilas vermelhas muito cheias; dou um passo para trás quando vejo o neoprene, o velcro e as peças de metal brilhante penduradas em ganchos externos.

— O que é aquilo? — Aponto para uma das mochilas.

— Aquilo, Anna, é uma mochila.

— Sim, isso eu sei, obrigada. Para quê?

— Para você carregar.

— O que tem *dentro* dela?

— Bem, você vai levar o almoço. E os sapatos. E os arneses. Eu levo o restante do equipamento.

— Equipamento.

— Cordas, mosquetões...

— Você me trouxe tão longe para me matar e me enterrar aqui?

— Não, você vai adorar. Acredite em mim.

— Adorar o quê, exatamente?

— Escalada.

Não tenho coragem para dizer a ele que, embora me considere ousada e disposta a enfrentar a maioria dos desafios, prefiro evitar esportes que me façam tirar os pés da terra firme. Como paraquedismo. E *bungee jumping*. E escalada.

Ele me dá um tapa nas costas como se eu fosse um velho amigo.

— Você é atlética. Vai adorar. — Bennett me segura pelos ombros, me vira e põe a mochila em minhas costas. Depois pendura a outra mochila nos próprios ombros, ajusta as alças e fecha o porta-malas. Ele está animado demais quando segura minha mão e me leva para a trilha, e novamente tento não demonstrar minha decepção por não estar bebendo *café au lait* às margens do Sena.

Caminhamos em silêncio por uma trilha tranquila, e quase um quilômetro depois chegamos a um ponto que Bennett diz ser "perfeito". Para mim, o lugar se parece bastante com uma rocha muito, muito alta. E, se não me engano, estamos prestes a escalá-la.

— Fique aqui — instrui ele ao abrir as duas mochilas para organizar o equipamento. Eu o vejo trocar os sapatos, prender um arnês grosso em torno da cintura e jogar um rolo de corda sobre um ombro. — Volto já. — E se afasta, subindo a parede de pedra com o que parece ser um esforço mínimo. Bennett não demora muito para chegar ao topo, subir na pedra e desaparecer. Depois de alguns minutos, começo a me perguntar se ele me abandonou ali.

— Tudo bem aí? — grito.

O rosto dele aparece lá em cima.

— Tudo ótimo. Já vou descer. Afaste-se.

Sigo as instruções e dou alguns passos para trás, talvez um pouco mais do que ele pretendia, e duas cordas brancas e grossas aparecem no alto da rocha e aterrissam alguns metros à minha frente. Em seguida ele agarra as cordas e desce deslizando por elas, batendo os pés na parede rochosa. Quando chega ao chão, está todo feliz e radiante.

— Pronta?

— Não.

— Aqui, comece calçando os sapatos. — Ele abre minha mochila e pega um par de sapatilhas vermelhas e engraçadas com solas finas de borracha e bicos pontudos.

— Chique. — Examino os calçados. Parecem novos. — Comprou isso para mim?

Ele sorri.

— Um presentinho.

— Como sabe o meu número? — Enfio o pé na sapatilha. Cabe perfeitamente.

Ele dá de ombros, enfia a mão na mochila novamente e pega outro arnês, menor que o primeiro, provavelmente para mim. Depois pega uma bolsinha, que prende a um gancho no cinto.

— Seu giz.

— Giz. — Eu me levanto. Os sapatos de elfo ficam estranhos nos meus pés.

— Para dar mais firmeza — explica Bennett, segurando o arnês para eu entrar nele. Depois o ajusta em minha cintura, pega uma ponta da corda, passa os braços em torno de meu corpo e começa a mexer em alguma coisa na parte de trás do cinto. Ele tem um cheiro bom.

Olho para cima, para a parede íngreme.

— Não existe giz que me ajude a escalar aquela coisa.

— É só me seguir. Medrosa. — Ele pega a outra ponta da corda, passa por dentro de uma peça de metal e a prende ao seu arnês. — Isto é um dispositivo de segurança. Vai manter você presa a mim. – Ainda não estou segura com relação à escalada, mas a última parte me faz sorrir. – Tudo que quero agora é que você aprenda a confiar no dispositivo. Quero que confie em mim e saiba que não vai cair. – Ele me leva a uma parte da rocha que tem muitos sulcos e fendas profundas. Bennett a chama de grande "rocha de principiante" e me mostra onde apoiar os pés e as mãos para os primeiros movimentos que espera que eu faça.

– Não tenho certeza sobre isso – confesso.

– Por que não? – Ele parece genuinamente desapontado com minha apreensão. – É seguro. O que pode acontecer?

– Bem, para começar, você pode desaparecer no ar enquanto estou na metade da escalada.

– Nunca acontece.

– Tudo bem, mas, diferente da maioria das pessoas, você pode desaparecer.

– Não vai acontecer. – Aquele sorriso dele não devia me deixar à vontade, mas deixa.

– Você é mau. – Rio e me aproximo da rocha, mergulhando os dedos no saco de giz.

– Então, a primeira coisa que deve fazer é se certificar de que está bem presa à corda. Você diz: "Pronta para escalar."

– Pronta para escalar?

– E eu digo: "Cordas prontas." E você diz: "Escalando."

– Escalando – repito irritada.

– Escalar. – Bennett está animado demais.

Levanto a perna direita e encaixo o pé na fenda como ele me mostrou, levantando os braços e erguendo o corpo. Sinto meu traseiro empinado em um ângulo estranho, por isso encontro um novo ponto de apoio e endireito o corpo.

– Eu sabia. Você nasceu para isso!

Procuro outra brecha na rocha e me seguro. É como um quebra-cabeça; tenho que procurar o apoio perfeito para as mãos e uma base forte para os pés, e os dois pontos precisam estar a uma distância correta.
— Tudo bem, pare um pouco.
Mas estou começando a pegar o jeito.
— Por quê?
— Solte o corpo completamente, como se estivesse caindo.
Mas não estou.
— Soltar... o corpo?
— Sim. Empurre a rocha e se solte.
Respiro fundo. Me afasto da rocha com um empurrão. Solto o corpo.
Inspiro o ar com intensidade quando caio para trás. Fico pendurada.
— Só quero que sinta isso. Estou segurando você. No momento sua distância do chão é de apenas três metros. Mas quando estiver mais no alto, vai sentir exatamente a mesma coisa se perder o apoio, ou se precisar descansar. Tudo bem?
— Tudo bem. — Sinto-me segura, apesar de ser uma sensação muito estranha.
— Então, balance o corpo e se aproxime novamente da rocha quando estiver pronta e diga "escalando".
Sigo as instruções.
— Escalar. — Escuto a resposta.
Continuo procurando os lugares certos para apoiar mãos e pés, traçando um caminho por esses pontos e me surpreendendo quando não caio. Não olho para baixo. Nem quero. Estou concentrada na resolução desse quebra-cabeça na rocha, tentando entender o código que vai me levar ao topo, e quando eu menos espero vejo a luz do sol. E o céu.

Ergo o corpo em cima da pedra e abro os braços no ar, bem ao estilo Rocky Balboa, e danço de um lado para o outro.

Descobri que descer é mais assustador.

Bennett grita instruções lá de baixo, dizendo como devo me conduzir pela superfície rochosa e onde plantar os pés.

– Não seguro a corda? – grito sem olhar para baixo.

– Não, só apoie os pés na parede e incline o corpo para trás. Sei que a sensação é estranha, mas estou segurando você. Relaxe os braços.

Não me sinto capaz de relaxar nada.

– E se eu cair?

– Não vai cair. Anna, solte a corda, ou vai ficar girando. – Faço um esforço e deixo os braços soltos ao lado do corpo. – Confie em mim – diz ele. Então fecho os olhos e espero ele me levar de volta ao chão.

Faço um esforço para manter os pés na frente do corpo, as pernas estendidas e paralelas ao solo lá embaixo, mas consigo pegar o ritmo e logo estou novamente em terra firme.

– Você foi incrível! – elogia Bennett ao me abraçar. – O que achou?

– Legal. – Estou eufórica, apesar do tremor nos braços. – Na verdade, isso foi muito legal.

– Sabia que ia adorar. – Ele afrouxa um pouco o abraço, e começo a me afastar, mas sinto as mãos dele deixarem meus ombros, deslizarem para baixo até o arnês, para ele soltar a corda. Estamos tão próximos que consigo sentir os movimentos de sua respiração, e tenho que me esforçar para ficar parada enquanto seus dedos trabalham para desfazer o nó em minhas costas. Um minuto depois, as cordas caem no chão, e as mãos dele soltam o cinto, repousando sobre a base da minha coluna. Ele me puxa para perto e me beija, e sinto uma descarga ainda mais forte de adrenalina. Bennett sorri e diz:

— Minha vez.

De algum jeito, consigo responder:

— O quê?

— Preparada para aprender a ser o apoio?

— Sério? Confia em mim para isso?

— Sem dúvida. — Ele recua, e sinto falta de suas mãos no instante em que elas me deixam. Bennett abre o mosquetão de metal, solta o gancho do arnês em seu corpo e o prende ao meu equipamento.

Em seguida se posiciona diante da rocha.

— Escalando — diz Bennett.

E eu respondo:

— Escalar.

18

Quando chego ao topo da pedra pela nona vez, meus braços estão tremendo. Respiro fundo, puxo meu peso para cima da rocha e levanto uma perna para subir. Fico em pé e olho em volta, vejo as copas das árvores que se estendem por quilômetros, um tapete verde interrompido apenas pelo azul brilhante do lago no meio dele. Sorrio para Bennett lá embaixo, fascinada e vitoriosa.

– Fique aí! – grita ele do chão, pendurando a mochila nas costas e escalando sozinho a parede rochosa, concluindo a escalada na metade do tempo que levei para percorrer a mesma distância com o apoio da corda. Quando chega ao topo, ele bate nas roupas, limpando a poeira.

– Está com fome? – Bennett se senta no chão, abre a mochila e tira dela várias sacolas plásticas e quatro garrafas de Gatorade. – Não sabia o que ia preferir. Peru e queijo suíço ou rosbife e cheddar?

– Gatorade. – Morta de sede e feliz por ver as garrafas amarelas, pego uma e remomo a tampa, bebendo com avidez. Pelo canto do olho, vejo Bennett fazer a mesma coisa. Quando termina, ele se reclina contra uma pedra alta e fecha os olhos.

O sol agora está alto, e embora ainda faça frio ao ar livre, a superfície da pedra é morna. É um dia perfeito para o que estamos fazendo. Eu me sento ao lado dele e pego um sanduíche de peru e queijo suíço. De repente estou faminta, e acho que ele também deve estar, porque apesar de trocarmos alguns sorrisos, nenhum de nós fala enquanto devoramos os sanduíches.

– Então – digo afinal. – Escalada.
– Gostou do programa?
– Inesperado.
– Está decepcionada?

Olho em volta mais uma vez, estudando o cenário que parece uma pintura.

– De jeito nenhum. – Uma viagem a Wisconsin pode não servir para aumentar muito o grupo de alfinetes espetados no meu mapa, mas, pelo menos, ao olhar para a floresta e para o sol que ilumina os galhos e as formações rochosas que parecem querer furar o céu, percebo que, diferente de Ko Tao, sempre vou poder voltar aqui quando ele for embora. Quando sentir saudade dele, como já sei que vou sentir.

Passei a noite toda pensando nisso, agora que sei de tudo. Ele é de um tempo dezessete anos à frente do meu. Pode viajar para qualquer lugar no mundo apenas com a força do pensamento. Perdeu a irmã e, quando a encontrar, vai ter que deixar 1995 e voltar para 2012. Pelo visto, tudo isso significa alguma coisa importante para mim, e não consigo descobrir o que é. Mas ele está aqui agora e quer estar comigo. E embora a primeira parte me cause certo enjoo, a segunda me faz sorrir sozinha. Olho para ele.

Bennett bate na superfície da pedra diante de si, eu mudo de lugar, me acomodo ali e apoio os cotovelos em seus joelhos, deixando a cabeça cair para a frente. Um gemido escapa de minha boca quando ele massageia meus ombros. Sinto os músculos ridiculamente doloridos.

— Então, como começou a praticar escalada? — Tenho um milhão de perguntas para fazer, mas essa é a mais fácil de formular.

Ele pressiona os polegares na base de minha nuca, e eu inspiro durante o tempo que dura a pressão até sentir os músculos relaxarem.

— Há uma pequena cidade litorânea no sul da Tailândia, um lugar chamado Krabi. — Não consigo ver seu rosto, mas ouço o sorriso na voz dele. — A praia de Railay é conhecida por suas formações rochosas, mas eu não sabia até encontrar alguns mochileiros que me falaram sobre isso. Eles me levaram na minha primeira escalada, e fiquei viciado desde então.

As mãos dele se movem num ritmo lento, coordenado, e sobem por minhas costas até chegarem novamente aos ombros. Abro os olhos bem a tempo de vê-lo se inclinar para a frente, pegar uma mecha do meu cabelo e torcê-la em torno do dedo. Depois ele a solta, puxa com delicadeza e solta de novo, e sinto o cacho voltar ao formato original.

— Como seu cabelo faz isso?

— O quê? Parecer uma confusão de molas em miniatura? — Ele está tão perto que sinto sua respiração na minha nuca, e faço uma careta quando penso que meu cabelo agora deve ter mais cheiro de suor do que de xampu de baunilha.

— Passei o último mês sentado atrás de você na aula de espanhol e sempre quis fazer isto. — Ele pega mais alguns cachos e ri quando, ao soltá-los, todos voltam à posição inicial. – E você? Como começou a correr?

Viro a cabeça para poder ver seu rosto, e ele solta meus cachos.

– Ah, não, de jeito nenhum.

– O quê?

– Pensei que hoje eu faria todas as perguntas. Você me disse para continuar perguntando. – Apoio as costas em seu peito e descanso a cabeça em seu ombro. Minha cabeça sobe e desce acompanhando o ritmo suave de sua respiração, e quando ele afasta os cabelos da minha testa, deixo escapar um suspiro e me solto um pouco mais. – Além disso, você é muito mais interessante que eu.

– Não é verdade. – Sinto que ele volta a brincar com meu cabelo.

– Tudo bem – respondo –, um de cada vez. Uma pergunta para cada. Mas aposto dez pratas como suas perguntas vão acabar primeiro. – Estendo a mão, e ele a aperta.

– Combinado – diz.

– Eu começo. – Sorrio para ele. – Do que sente mais falta das coisas de casa?

Ele não hesita.

– Meu celular.

– Para, estou falando sério. – Espero ele rir, mas Bennett não faz isso. – É verdade? Sente saudade de um telefone?

– O que esperava que eu dissesse?

– Não sei. Acho que esperava você dizer que sente falta de sua família.

– Famílias são todas muito parecidas. E você não viu um telefone celular do século XXI.

– O que tem de tão especial no seu telefone?

— Muitas coisas. Mas não posso falar sobre elas.

— Ah, isso não tem graça — reclamo, mas dou uma risadinha. — Para que você serve, se não pode me falar sobre o futuro?

— Sirvo para muitas coisas — diz ele, soltando meu cabelo e deixando o dedo repousar por um instante atrás de minha orelha, antes de escorregar até a clavícula. Fecho os olhos e tento ajustar o ritmo da minha respiração ao da dele enquanto o dedo desliza. — Além do mais, tenho que deixar algumas surpresas para você. Gosta de surpresas, não é?

— É bom que eu goste. Você é cheio delas, com certeza. — Respiro fundo e tento me concentrar nas perguntas. — Então, o que você estava dizendo, que nunca vou ver o futuro? Não vou conhecer o lugar onde você realmente vive?

Ele imita a campainha de um game show.

— Essa é outra pergunta. Minha vez.

— Ah, por favor...

— Ei, foi você quem propôs o acordo. Uma para cada um — insiste ele. Deixo escapar um suspiro irritado. — Onde estava quando ouviu a notícia do suicídio de Kurt Cobain?

— Hummm. Uau. — Já faz tempo, mas me lembro bem daquele dia. — Foi há quase um ano. Eu tinha ido à casa da Emma depois do colégio. A gente estava no quarto dela ouvindo o rádio, e o DJ anunciou que Cobain tinha se matado com um tiro. Então pegamos todos os CDs do Nirvana que Emma tinha em casa e ouvimos sem parar.

Os dedos dele descansam sobre meu ombro por um momento, depois escorregam por meu braço.

— Aquela semana foi estranha — continuo. — As pessoas choravam, como... choravam de verdade, como se o conhecessem pessoalmente. Eu não fiquei tão abalada. Mas, enfim, aquilo tudo foi muito triste. — Ele desliza o polegar sobre o dorso da minha mão e, quando olho para baixo, percebo que estou fazendo o mesmo com a mão dele. – Onde você estava?

Sinto que ele dá de ombros.

– Isso aconteceu em 1994.

Por um momento não entendo a resposta. Depois entendo.

– Uau. – Paro de acariciar a mão dele. – Tudo bem, isso é meio sinistro.

– Desculpe.

– E não acredito que desperdicei uma pergunta.

Ele afasta meu cabelo para o lado e beija minha nuca.

– Tudo bem, vou deixar você fazer outra pergunta – diz, respirando bem perto da minha orelha. Sinto um arrepio.

– Pare com isso. Está me fazendo esquecer as perguntas.

– Ótimo. Quero aquelas dez pratas. – Bennett beija meu pescoço outra vez, e perco completamente a linha de raciocínio. – Você queria saber se eu a levaria para ver seu futuro.

– Hummmmm.

– Não posso. Bem, tecnicamente, acho que posso, mas nunca fiz nada parecido com isso antes e nem imagino o que aconteceria, se eu fizesse.

– Por quê? Tem medo de que eu não exista em 2012, ou alguma coisa assim?

– Não, não é isso que me preocupa, de forma alguma. Mas só posso viajar para o passado e o futuro dentro do período de tempo em que já vivi, e você ainda não viveu além deste momento. Posso levar você a qualquer lugar do mundo, aonde quiser ir, mas nunca antes ou depois desta data.

– É mesmo?

Ele apoia o queixo entre meu ombro e meu pescoço e assente. Acho que consigo viver com isso. Nunca senti necessidade de deixar este tempo, só este lugar.

— Além do mais, você não pode saber o que acontece no seu futuro. Isso tiraria toda a graça de viver. — E ele beija meu ombro. — Agora me fale sobre Emma.

— Emma?

— Sim. Como vocês se tornaram amigas?

Sinto um sorriso distender meus lábios com a lembrança.

— Conheci Emma no meu primeiro dia em Westlake. — Olho para Bennett, e ele levanta uma sobrancelha, esperando que eu conte mais. Dou uma risadinha. — Mamãe queria que eu causasse uma boa impressão, então me fez usar a jardineira. — Faço uma careta e estremeço ao lembrar do uniforme. — Tinha um vestido xadrez horrível que era uma das opções aprovadas de uniforme, mas ninguém *nunca* usava. Ela também me fez usar *meia-calça* e uma fita de renda na cabeça. A temperatura devia beirar os quarenta graus, e passei o dia todo querendo trocar o uniforme por short e camiseta. Estava com calor, me coçando inteira, e meu cabelo estava até aqui. — Uso as mãos para mostrar o volume em torno de minha cabeça, e Bennett ri. — Mas então uma garota apareceu do meu lado logo depois da sexta aula, uma explosão de maçãs do rosto salientes e aparelho nos dentes, e perguntou se eu queria sair com ela depois do colégio. E apesar da vontade de ir para casa e trocar de roupa, aceitei o convite. E foi mais ou menos isso. Desde então, Emma é minha melhor amiga.

Quando olho para Bennett, não consigo deixar de pensar no lugar onde estarei amanhã, sentada na cafeteria e contando a Emma todos os detalhes deste dia. Não tenho dúvida de que vou ganhar o prêmio de melhor encontro.

— Fale sobre sua família — peço, oficialmente dirigindo para ele o foco da conversa.

Bennett dá um suspiro profundo.

— Não tenho muito para contar. Minha mãe é um pouco... difícil de conversar. Se pergunto a ela sobre alguma coisa anunciada nos jornais, a conversa sempre acaba em médicos. Se pergunto sobre a previsão do tempo, a conversa acaba em médicos. Nunca falo com ela sobre os avanços da ciência, porque isso leva imediatamente a médicos. Ela acha que tenho um defeito. E só quer um filho normal.

Puxo os braços dele em torno de minha cintura e começo a deslizar a ponta do dedo pela palma de sua mão. A mão dele está ressecada depois da escalada, e as linhas estão preenchidas por pó de giz e terra.

— Meu pai acha que sou uma espécie de criatura mágica. Depois que descobriu o que sou capaz de fazer, não me deixa em paz. No primeiro ano, passou o tempo todo pesquisando catástrofes que aconteceram entre 1995 e o tempo atual, e criou um enorme documento que relacionava cada evento e cada pequena ocorrência que levava a cada evento importante, para que eu pudesse voltar no tempo e impedir o desastre.

— E você fez isso?

— Não. Quero dizer, não acho que devo mudar as coisas que acontecem só porque *posso*. Já ouviu falar no efeito borboleta, não é? Uma pequena mudança pode ter um impacto poderoso em outra coisa. Acho que nem conseguiria causar uma transformação tão grande. — Bennett fica quieto por um tempo, e descanso contra seu peito ouvindo o silêncio. — Depois de um tempo ele encontrou um jeito de usar meu dom para outro tipo de bem. O bem *dele*.

Continuo deslizando o dedo pela mão de Bennett, porque isso parece mantê-lo falando.

— Não tínhamos muito dinheiro quando Brooke e eu éramos pequenos. Quero dizer, a gente tinha um apartamento decente e tudo, mas minha mãe era um pouco mimada, eu acho, e tinha crescido naquela casa imensa de Maggie. Meu pai odiava o emprego que tinha em um banco no centro da cidade; não sei nem o que ele fazia, mas estava sempre de mau humor, e os dois brigavam muito. Então, meu pai teve a grande ideia. Retomou a pesquisa, mas desta vez se concentrou em empresas e na trajetória positiva de suas ações.

— O quê? — Paro de afagar a mão dele e me viro para encará-lo. — Você não fez isso.

— Fiz. Voltava no tempo a cada data que ele relacionava, uma semana antes de algum evento empresarial importante; quando chegava, mandava para meu pai uma carta com uma dica do mercado de ações. Ele comprava. As ações disparavam. Eu voltava e mandava outra mensagem dizendo a ele quando vendê-las. E papai tinha um novo emprego.

— Isso não é ilegal?

— Tecnicamente, não. As leis que regem as negociações com base em informações privilegiadas proíbem a compra ou venda de ações a partir de dados que ainda não são de conhecimento público. As informações que usávamos eram sempre públicas.

Olho para ele, incrédula.

— Tudo bem, é questionável. Mas serviu para eles me deixarem em paz... até recentemente, pelo menos. Brooke e eu viajávamos e víamos todos os shows que queríamos ver. Mamãe tinha a vida de luxo que esperava ter, e meu pai sentia que dava a ela essa vida. Todo mundo estava feliz, ninguém era prejudicado.

— Imagino que seu pai tenha ganhado muito dinheiro.

— Bem, a economia teve seus altos e baixos, mas quem sabe exatamente onde investir...

— Pode ganhar muito? — deduzo.
— Sim. Milhões, até.
— Milhões?
— Bem, não era essa a nossa intenção.
— Ah, é claro — comento rindo. — Se não era essa a intenção... — Ele é um viajante acidental que se move no tempo *e também* um milionário acidental. — Então, como tem acesso a esse dinheiro?
— Essa é outra pergunta.
— Eu sei.
Ele balança a cabeça, mas sorri e cede.
— Dinheiro vivo. Para esta viagem em particular, muito dinheiro, notas impressas antes de 1995 e escondidas no meu quarto na casa de Maggie.
— E Brooke?
— Ela tem uma mochila lotada de dinheiro. — Bennett solta minha mão e toca meu queixo para me fazer encará-lo. Em seguida, beija meu nariz. — E chega, agora é minha vez.
Por mais que ame ficar reclinada no peito dele, estou cansada de virar a cabeça para poder ver seu rosto. Sento com as pernas cruzadas, giro no mesmo lugar, me aproximo e descanso os joelhos sobre suas pernas.
— Oi.
— Oi. — Ele sorri, mas vejo sua expressão passar do humor à seriedade. — Sabe, estava falando sério no outro dia, quando disse que minha presença aqui... — Ele para por um instante. — Ela causa um impacto maior na sua vida do que na minha.
Não gosto desse clima pesado, por isso imito o som de campainha de *game show* que ele já tinha usado no começo da conversa.
— Por favor, formule a frase no formato de pergunta.

— Entende o que tudo isso significa para você?

— Não. — E sei que devia me preocupar, mas não me importo, não agora. Não quero pensar sobre o que podemos fazer e onde podemos ir e quando podemos partir, porque, neste momento, estamos os dois no mesmo lugar e no mesmo tempo. Neste momento, só quero beijá-lo.

Ele descansa a mão em minha cintura.

— É como a lista de eventos do mundo que meu pai fez. Posso voltar e mudar vários detalhes que, provavelmente, mudariam o desfecho, e minha vida não seria *nada* diferente por causa disso. Mas a vida de outras pessoas mudaria. E talvez para melhor. Mas talvez piorasse. Minha presença aqui *neste momento* é uma mudança. Não para mim, para você. Você existe em 2012, como eu, e tem um futuro que não me inclui. Só o fato de me conhecer aqui em 1995, onde eu não deveria estar...

— Vai ser divertido — interrompo.

— Vai mudar sua vida inteira.

— Talvez para melhor.

— Talvez. Talvez não.

— Bem, já conheço você, Bennett. Quais são as opções?

— Lembre o que eu disse em sua casa naquele primeiro dia... que eu contaria tudo, mas deixaria você escolher.

Passo os braços em torno de seu pescoço e o beijo.

— Sim. Estou esperando minhas opções.

Ele respira fundo.

— Primeira opção: posso voltar a ser o aluno novo e esquisito e ficar longe de todo mundo até Brooke voltar e eu poder ir para casa. Você e eu podemos trocar um oi no corredor, talvez uns olhares de vez em quando, como pessoas que compartilham um segredo. Mas é isso. A partir desse momento, sua vida não vai ser muito diferente.

— De jeito nenhum — Eu o beijo outra vez. — Mais alguma alternativa?

Ele sorri.

— Segunda opção: passo o tempo que tenho aqui com você, vamos sair por aí como pessoas normais e viajar pelo mundo como pessoas anormais. Quando Brooke voltar, vou para casa, mas virei sempre aqui. E acho que vou continuar voltando até você decidir que se cansou de mim. — Ele recua para estudar minha expressão.

Tudo parecia muito fácil até esse momento, mas agora que ele me obriga a de fato pensar no assunto, percebo o quanto é enorme essa decisão. Dois futuros: a vida segura, mas corriqueira que conheço tão bem, ou uma vida cheia de aventura, mas com uma constante incerteza. Bennett vai me levar para conhecer o mundo, mas vai embora. Estaremos juntos em alguns momentos e separados em outros — não só pelos quilômetros, mas por quase duas décadas. Cada parte racional de mim diz que devo escolher a rota segura, por mais que ela pareça sem graça. Mas olho nos olhos dele e me sinto segura para decidir. Mesmo assim, ainda tem uma coisa que preciso entender.

— Não entendo. Por que sairia do conforto da sua vida só para estar comigo?

— Porque você... — Ele para. Respira fundo. Começa de novo. — Gostei do seu jeito aventureiro. Achei que seria divertido levá-la para conhecer um lugar que, de outra forma, nunca teria conhecido. Mas agora é mais do que isso. Agora só quero conhecer você. — As palavras dele fizeram meu coração bater mais depressa; eu fecho os olhos e respiro fundo. Quando os abro, ele ainda está olhando para mim.

– Você não disse alguma coisa sobre essa ser uma péssima ideia?

Ele ri.

– Sim. Acho que disse.

– Estava certo, sabe?

– Eu falei.

– Mesmo assim, escolho a segunda opção.

– Tem certeza?

– Sim.

O rosto de Bennett é iluminado por um sorriso largo, seus braços me envolvem quando ele me beija, um beijo quente, doce, demorado e lento que parecia não ter fim, e sei que é isso que quero.

E agora preciso convidá-lo para jantar, porque não tenho mais dúvida. Isso é sério.

Continuamos trocando perguntas em todo o caminho de volta para casa, e quando paramos na entrada, sinto que consegui o impossível: eu realmente conheço Bennett Cooper. Quando ele desliga o motor do utilitário, olho para minha casa e sinto um aperto no peito. Passei quase onze horas com ele, e ainda não me sinto pronta para deixá-lo ir embora.

Bennett desliga o carro e se inclina para me beijar, mas levanto a mão e toco seus lábios com um dedo.

– Espere. Tenho mais uma pergunta. – Ele para e espera. – Por que estava me observando na pista da Northwestern no seu primeiro dia na Westlake?

– De novo isso? – E volta ao seu lado do banco.

– Bem, você ainda não me respondeu.

— Respondi. Não sabia sobre o que você estava falando no dia em que Emma me atacou no refeitório, e ainda não sei.

— Não era você? De verdade?

— Olha, você sabe tudo que há para saber sobre mim. E estou dizendo, eu não estava lá naquele dia. Ainda não estive na Northwestern. Não às seis e meia da manhã, com certeza, com uma temperatura abaixo de zero. Essa loucura é sua, não minha. — Ele ri despreocupado, e quero acreditar nisso. Tudo no que ele diz e na expressão de seu rosto sugere que devo acreditar. Afinal, ele está certo, não há motivo para mentir para mim, agora que sei de tudo.

— Como já respondi essa antes, várias vezes, na verdade, você pode fazer mais uma pergunta.

Estou pronta para voltar à nossa confortável sessão de perguntas e respostas, então sorrio e penso em outra:

— Qual é seu lugar preferido no mundo?

Bennett sorri de orelha a orelha e seus olhos brilham quando ele começa a falar.

— Essa é fácil. Vernazza. É uma pequena vila de pescadores na costa noroeste da Itália, em Cinque Terre, e a viagem só pode ser feita de trem... Bem, para a maioria das pessoas. É um lugarzinho encantador. Ruas estreitas, calçadas com pedra. Barcos coloridos enfileirados no porto. Fileiras e mais fileiras de casinhas pintadas com cores vivas e construídas diretamente na encosta. É espetacular. — Os olhos dele encontram meus lábios, ele se aproxima, e dessa vez fecho os olhos para esperar o beijo. — Você vai adorar — conclui Bennett, e, enquanto nos beijamos, o pequeno vilarejo ganha vida: nós dois estamos nele.

— Cheguei! — grito em direção à sala de estar, e começo a subir a escada tomada por uma espécie de torpor exausto. Meus braços estão doloridos, o quadril dói e tenho bolhas nos pés deixadas pelos sapatos de elfo. Mal posso esperar para tomar um banho, ir para a cama e dormir sem pensar em nada que não seja Bennett.

— Annie, pode vir aqui? — Praticamente me arrasto para atender ao chamado do meu pai. Quando entro na cozinha, meus pais afastam a cadeira para longe da mesa, se levantam e se aproximam de mim.

Lá vem.

— O que foi? — pergunto, pronta para o sermão sobre ter passado o dia com um garoto que eles nem conhecem. Mas, quando se aproximam, noto que minha mãe esteve chorando.
— O que foi? — repito, olhando de um para o outro. — O que está acontecendo?

— É o Justin... — Mamãe me abraça, mas resisto e me afasto dela.

— Do que está falando? O que tem Justin?

Minha mãe começa a chorar outra vez, e meu pai fala por ela.

— Meu bem, houve um acidente de carro. Acho que aconteceu hoje, mais cedo, mas só ficamos sabendo há cerca de uma hora.

— Um acidente de carro? Tem certeza?

Minha mãe tenta se recompor, enxugando apressada as lágrimas que lavam seu rosto.

— Ainda não temos muita informação, querida. Acho que ele estava a caminho da cidade e alguém avançou o sinal vermelho. Os Reilly estão no hospital, e tenho certeza de que Justin ia gostar de vê-la... Só estávamos esperando você chegar para irmos todos juntos.

– Por que Justin estava dirigindo, indo para a cidade? Ele nem tem carro!

Então lembrei.

– Ai, meu Deus. Ele estava com a Emma.

19

Papai está dirigindo, mamãe sentou-se no assento do passageiro, e eu estou no banco de trás. Ninguém disse nada nos últimos vinte e cinco quilômetros.

Percorremos o mesmo caminho que Emma sempre faz para ir à cidade, por isso olho pela janela procurando marcas no chão. Ou fragmentos de vidro temperado. Ou pedaços de plástico vermelho das lanternas traseiras. Qualquer coisa para indicar onde eles estavam quando tudo aconteceu. Não vejo nada.

Chegando ao hospital, papai nos deixa na frente da entrada principal e vai procurar um lugar para estacionar. Mamãe e eu não demoramos a encontrar os pais de Justin. Quando entramos na sala de espera, eles se levantam, os dois com os olhos vermelhos e inchados, e nos agradecem por estarmos lá. A sra. Reilly explica o que aconteceu, e apesar de eu estar bem ao lado dela, suas palavras aparecem e desaparecem em minha cabeça, e eu processo apenas os detalhes pertinentes. O acidente aconteceu pouco depois das duas horas da tarde.

Eles só chegaram ali às 16h30. Os pais da menina chegaram logo depois da ocorrência, o que foi bom, porque ela está em condição muito pior. Os dois estão no sétimo andar, na UTI. Ela acaba de sair de uma cirurgia, mas seu estado ainda é considerado crítico. Justin vai ficar bem, mas terá que passar a noite no hospital em observação.

Acho que encontrei uma cadeira, porque de repente estou sentada. Vejo minha mãe, que parece se mover em câmera lenta, puxar a sra. Reilly para perto e sussurrar alguma coisa em seu ouvido.

A voz da sra. Reilly sobe uma oitava quando ela pergunta:

– Quem? Quem é Emma?! – Estranhos olham para ela, aliviados, imagino, por terem alguma coisa com que se distrair do que quer que os tenha levado à sala de espera de um pronto-socorro em um sábado à noite.

– A garota que estava com o Justin hoje. O nome dela é Emma e é a melhor amiga de Anna no colégio. – Justin. Emma. E Justin. Emma e Justin. Não consigo respirar. Isso não pode estar acontecendo.

Mamãe conversa com a sra. Reilly em voz baixa, adotando um tom abafado que, é evidente, espera que eu não ouça. Não faz diferença. Todo mundo soa tão distante, mesmo.

Depois de alguns minutos, minha mãe vem se sentar ao meu lado.

– Querida. – Ela afaga minhas costas desenhando pequenos círculos. A sensação é muito familiar, mesmo depois de tantos anos sem mamãe fazer aquele desenho imaginário que me fazia adormecer imediatamente. – Justin vai ficar bem, mas a colisão aconteceu do lado do motorista. Emma sofreu o maior impacto. Os Reilly estavam tentando descobrir com quem Justin estava, mas ninguém dizia nada a eles, e acho que os pais de Emma ficaram com ela na UTI a tarde toda. Se tivessem sido levados para o Northwestern Memorial, eu faria parte da equipe, mas aqui... – Identifico a frustração na voz dela. Minha mãe detesta não ter influência. – Fique aqui. Vou subir e tentar descobrir alguma coisa.

Não falei uma palavra sequer desde que saímos de casa, mas agora recupero a voz.

– Não. – Fico em pé. – Eu vou com você.

Emma parece pequena e frágil nos lençóis brancos. Seus olhos estão fechados, e a pele embaixo da roupa de cama – até as maçãs do seu rosto, sua marca registrada – está distendida, roxa e brilhante. Marcas vermelhas cobrem o lado esquerdo do rosto, de onde – como os pais dela explicaram quando me prepararam para vê-la – os médicos tiveram que remover fragmentos de vidro. Há um tubo de plástico transparente dentro do nariz dela, e mesmo considerando todos os outros ferimentos, acho que isso a incomodaria mais que tudo.

Por pior que ela pareça estar do lado de fora, tudo é relativamente fácil de resolver. A verdadeira mutilação é invisível. O baço de Emma se rompeu com o impacto e teve que ser removido, mas a equipe cirúrgica levou duas horas para encontrar a origem da hemorragia interna. Houve uma pequena fratura de crânio que, afirmam, vai se soldar sozinha, mas será preciso fazer um exame de ressonância magnética para determinar se houve algum dano cerebral permanente. Quando os ferimentos internos estiverem curados, ela terá que se submeter a uma reconstrução do ombro esquerdo. Emma teve três costelas fraturadas, mas, pelo menos, nenhuma perfurou o pulmão. Os médicos anunciaram a última parte como "a boa notícia".

O outro carro os atingiu a oitenta quilômetros por hora, quando Emma e Justin estavam no meio do cruzamento.

— Uma colisão em *T* — explicou a sra. Atkins. Emma provavelmente nem teve tempo para ver o que ia acontecer, supôs ela. Não, tenho certeza de que não viu, mesmo.

Sento ao lado de Emma na cama e seguro sua mão macia de unhas feitas. As minhas ainda estão cobertas de pó de giz, e percebo que há sujeira embaixo delas. O acidente aconteceu por volta das duas horas. Enquanto eu estava reclinada contra o peito de Bennett, rindo, namorando, beijando, minha melhor amiga era rasgada por metal e vidro, transportada por uma ambulância em alta velocidade, depois rasgada outra vez para poder ser reparada. Levei seis horas para descobrir. Mais uma hora para chegar ao hospital. E mais uma para estar ali, segurando a mão dela. Oito horas.

Os giros, as batidas e os apitos de todas as máquinas são impossíveis de ignorar no pequeno quarto. Quero desligar tudo, uma de cada vez, e dar à Emma o silêncio tranquilo que merece, mas lembro que ela poderia não estar aqui se não fossem as máquinas, e assim, em vez de ficar irritada, tento descobrir suas qualidades musicais. *Tump-bip. Tump-bip-vrrr. Tump-bip.*

Ficamos ali na cama, Emma em silêncio, porque ela não pode falar, e eu em silêncio, porque não consigo pensar em nada para dizer. Acho que devia falar com ela. Avisar que estou aqui. Mas, cada vez que abro a boca para dizer algo, não consigo pronunciar as palavras.

Ouço a porta deslizar e fico de queixo caído. Justin está ali parado vestindo a camisola do hospital, machucado e coberto de bandagens, sem conseguir mover a cabeça por causa do colar cervical de plástico azul que imobiliza o pescoço. O cabelo está colado à cabeça, salpicado por alguma coisa que parece ser sangue. O pulso está engessado.

— Justin. — Descanso a mão de Emma sobre o lençol e corro para ele. Paro antes de alcançá-lo, com medo de machucá-lo, e fico feliz quando ele estende os braços para me abraçar primeiro. Os arranhões no rosto e no corpo podem ser superficiais, mas dão a ele a aparência de uma boneca de porcelana que caiu no chão e foi colada. Tenho certeza de que a cola ainda não secou.

— Você está bem? — Seguro seu braço em um lugar que não parece estar machucado, mas Justin puxa o ar pelo nariz, e eu recuo como se ele estivesse quente demais para ser tocado. — Desculpe.

— Tudo bem — assegura ele. E me abraça meio hesitante. — Como ela está?

Balanço a cabeça, apenas.

Vejo sua expressão de tristeza quando cai a ficha, depois sigo a direção de seu olhar até a cama onde está Emma. Tenho certeza de que nós dois pensamos a mesma coisa. Ele está bem. Ela, não. Justin caminha até onde eu estava sentada e ocupa o mesmo lugar na cama, segura a mão dela e a afaga com o polegar.

— Sabe, você devia estar em casa agora escrevendo sobre mim no seu diário — diz. Percebo que ele sorri para Emma e observo o rosto dela para ver se há alguma reação, mas não há. Está muito longe dali. Mas isso não o impede de falar. — Eu tinha um monte de piadas legais preparadas. Li o jornal hoje de manhã para poder conversar com você sobre as coisas que estão acontecendo. Estou dizendo, eu sei que teria agra-

dado. Agora olhe para mim. – Justin olha para o próprio peito.
– Rasguei meu melhor suéter.

Ele continua sorrindo para Emma. Falando com ela como eu deveria ter feito, mas não consegui.

– Ela estava procurando um CD. – Seus olhos continuam fixos em Emma, mas sei que agora ele está falando comigo, então me sento no outro lado da cama e seguro a outra mão dela. Vejo o rosto de Justin se contorcer. – Estávamos falando sobre uma banda *indie* britânica de que gostamos, e ela me pediu para pegar o estojo de CDs no chão. – Vejo mentalmente o estojo de camurça rosa-shocking que dei a ela de presente no aniversário do ano passado, e meu estômago se comprime. Estou sempre guardando todos os CDs dela naquele estojo. Devia tê-los deixado soltos, empilhados dentro do porta-luvas e no chão, onde ela os guardava. Não devia nem ter dado o estojo a ela. – Emma começou a virar os compartimentos internos e... – Justin para de falar.

Afago a mão dela. Não há mais nada a dizer, porque nosso silêncio confirma o que eu já sabia. Ela não estava prestando atenção – o acidente foi culpa dela. E Emma bateu o carro segurando o presente que lhe dei, o que não devia me fazer responsável, mas é como me sinto.

Alguém bate à porta; ela desliza, se abrindo antes que possamos reagir. A enfermeira enfia a cabeça pela fresta.

– Lamento, crianças. Não posso permitir que fiquem por mais tempo. – A voz dela só é alta o suficiente para se fazer ouvir em meio ao ruído das máquinas. – Não devia nem ter deixado vocês entrarem – explica, como se fôssemos discutir com ela. – Só a família. – Sabemos disso. Ela repetiu a mesma coisa três vezes desde que minha mãe mexeu os pauzinhos para conseguir esses dez minutos tão breves para nós.

Afago a mão de Emma mais uma vez, me inclino para a frente e deslizo o dedo pelo lado de seu rosto que não teve que ser suturado.

— Eu volto amanhã — digo no ouvido dela. Depois caminho para a porta e espero por Justin.

Ele afasta os cabelos de Emma e a beija na testa.

— Também venho ver você amanhã. — Em pé, ele olha em volta, estudando o quarto vazio e estéril. — E vou trazer música. Talvez isso ajude.

No início, penso que ele está dizendo que a música vai ajudar a abafar os apitos incessantes. Mas quando o vejo olhar para ela, deduzo que Justin acredita que a música pode ajudar a trazê-la de volta do lugar onde Emma está agora, seja onde for.

No domingo, Emma não parece ter melhorado nada, mas o quarto está mais alegre. Enormes buquês de flores coloridas enfeitam todas as superfícies, cartões foram colados com fita adesiva em todas as paredes vazias, e uma coleção de balões com a inscrição *Melhoras* em caligrafia sofisticada decora o canto perto da pequena janela.

— Dez minutos — avisa a enfermeira da UTI em tom neutro. — Só para ela ter companhia até os pais voltarem do almoço. Vocês nem deviam estar aqui. — Ela olha para trás a fim de ter certeza de que ninguém está olhando, e então puxa a cortina e fecha a porta.

Justin ainda não foi para casa, mas a mãe dele trouxe o aparelho de som enorme e vários CDs, como ele lhe instruiu. Ele se aproxima da cama de Emma, liga o aparelho à tomada perto dos monitores e abre uma caixa de CD. É uma de suas coletâneas, mas percebo que nesta ele não pintou os rodamoinhos de aquarela. Justin aperta o play, e o som das máquinas é imediatamente mascarado; o padrão de *vrrr-tump-bip* desaparece ao fundo, como se acompanhasse a música. Sento na cama ao lado de Emma e a observo, desejando poder conversar com ela, como Justin fez ontem, mas, cada vez que abro a boca, eu me sinto estranha.

Ele me observa.

– Quer que eu saia um pouco? – Isso seria ainda pior. Então não teria motivos para *não* falar com ela, mas mesmo assim não conseguiria.

– Não – respondo.

Ele se aproxima do outro lado da cama e segura a mão dela, e ficamos ali sentados. Os dez minutos passam, depois vinte, mas a enfermeira não volta para nos mandar embora, então permanecemos. Fico em silêncio vendo o peito de Emma subir e descer. Justin também permanece calado, hipnotizado pelas luzes vermelhas do monitor. A música ajuda a fazer aquele quarto horrível parecer menos estéril, mas é só isso. Emma continua distante.

Os Atkin retornam, e eu olho para Justin. Ele teve alta do hospital há meia hora, e os pais dele o esperam lá embaixo, onde preenchem a papelada necessária. Ele parece exausto, incapaz de manter os olhos abertos.

– Quer sair e tomar um pouco de ar? – pergunto.

Depois de pensar um pouco, Justin faz que sim com a cabeça. Deixo todas as minhas coisas no quarto a fim de ter uma desculpa para voltar.

Quando chegamos ao corredor, Justin se apoia à parede.

– Isso é um porre. – Ele começa a esfregar a testa sem se lembrar dos pontos. – Ai! Droga.

Eu o levo até o elevador.

— Devia ir para casa, Justin. Descanse. Volte amanhã, quando se sentir melhor. — Gostaria de poder dizer que Emma não estará lá amanhã, mas nós dois sabemos que ela vai estar no mesmo lugar.

O elevador nos leva ao térreo e seguimos as placas para o pátio. Caminhamos por ali durante alguns minutos, mas está ventando, faz muito frio, e então logo decidimos que já tomamos todo o ar de que precisávamos. Voltamos para dentro do hospital e vamos procurar os pais de Justin. Encontramos a recepção sem nenhuma dificuldade, e os pais dele ainda estão lá sentados, esperando a funcionária terminar de cumprir a burocracia da alta. A sra. Reilly diz que ainda vai demorar um pouco, então vamos procurar a lanchonete.

Quando estamos sentados, bebendo o pior café que já tomei e dividindo uma rosquinha dura, digo:

— Então... você e Emma.

Justin olha para mim com um sorriso culpado.

— O que tem?

— Nada.

Ele pega um pedaço da rosquinha e olha pela janela.

— Sinto muito. Devia ter contado sobre nós. Não gosto de guardar segredos de você, Anna. Mas acho que a coisa toda parecia meio... estranha. Conheço você desde sempre, e... — Sua voz some, ele leva o copo térmico descartável à boca novamente, bebe um gole e me encara. — Devia ter contado a você.

— Sim. Devia. — Sorrio para ele entender que não estou brava. — De verdade. Está tudo bem. Emma me contou. Além do mais, você é meu amigo. Emma é minha amiga. Isso é legal.

— Não tem problema para você a gente estar saindo?

Decido não dizer a ele que ainda não consigo unir os nomes na minha cabeça sem ver um ponto de interrogação.

— É claro que não. Mesmo, sem problemas.

Nós dois olhamos para a mesa. Ele começa a traçar a estampa da fórmica com o dedo, e eu empurro as migalhas da rosquinha numa pequena pilha.

— Fale sobre o seu encontro. Estava indo tudo bem, é evidente, até... — Desejo imediatamente poder apagar essa última parte, mas Justin não parece incomodado.

Ele sorri com os olhos fixos na mesa.

— Foi um dia muito bom. A gente já tinha saído para jantar uma vez antes e tomamos café outro dia. As duas vezes foram boas, mas foi divertido ir à casa dela. Ver o quarto dela, suas coisas. E ficar junto, simplesmente.

Ele olha para a janela atrás de mim.

— Tivemos uma conversa incrível sobre... — Ele para de falar, mas a boca se encurva em um sorriso.

— Sobre?

Ele balança a cabeça e me encara de novo.

— Esquece. Enfim, ela é muito legal.

Apoio o queixo na mão e sorrio para ele.

— Gosta dela de verdade, não é? — pergunto.

Justin assente, se encosta à cadeira e cruza os braços.

— Sim. Confesso que não esperava, nem tinha certeza disso até ontem. Mas, sim, eu gosto. Ela me surpreendeu, acho. — Não sei se Emma sente a mesma coisa por ele, mas Justin parece estar encantado. Pelo que vejo, alguns caras realmente *fazem* CDs para garotas que são só amigas.

— Ela também me surpreendeu — digo, e me escuto repetir as palavras que disse a Bennett ontem na rocha, descrevendo as maçãs do rosto de Emma, o aparelho nos dentes e como ela foi legal com a aluna nova de cabelo armado. E sorrio quando me lembro dela agora. Ou melhor, de como ela era até ontem. O mesmo rosto, mas sem o aparelho. As pernas não são mais finas como varetas desajeitadas. Agora Emma é linda, divertida e encantadora, alguém que conquista todo mundo que conhece; até uma corredora nerd como eu e um cético como Justin. De repente percebo que nos olhamos com tristeza, como se nós dois nos perguntássemos o que estamos fazendo ali, falando dela desse jeito.

Justin quebra o silêncio desconfortável.

– Entãoooo... – diz ele, estendendo a palavra – agora um assunto melhor. Como foi o *seu* encontro?

A pergunta me faz pensar no dia anterior, e sinto que sorrio quando penso em Bennett e em mim, em como ficamos abraçados em cima de uma pedra, trocando perguntas, histórias, beijos e pó de giz. Mas logo a culpa me domina. Não posso sorrir enquanto Emma está inconsciente seis andares acima.

– Foi bom.

Controlo as emoções e conto a Justin sobre a escalada, sobre como me senti quando cheguei ao topo e vi a paisagem. Conto a ele que Bennett e eu conversamos e conversamos, que falamos sobre música e corrida, sobre viajar e nossas famílias. E de repente lembro. Devia estar na cafeteria agora trocando histórias com Emma, não em uma lanchonete de hospital conversando com Justin. Fico quieta e olho além dele, cravo os olhos na máquina de petiscos na parede oposta.

– Deve ter sido divertido – escuto Justin comentar, mas a voz dele soa baixa e distante. Olhamos em direções opostas, e nenhum de nós volta a falar por muito tempo.

– Que horas sua mãe vem buscar você? – pergunta ele afinal.
– Às seis. – Olho para o relógio. São só três.

– Eu devia ir procurar meus pais, mas posso ficar e pegar uma carona com você para voltar para casa, se quiser. Não quero deixá-la sozinha.

Ele parece sincero, mas exausto. É claro que o simples esforço de ficar acordado está consumindo toda sua energia.

– Estou bem. Vai ser bom ter um tempo só com ela.

Ele me encara.

– Tudo bem. Se tem certeza... – E estende as mãos sobre a mesa para segurar as minhas e afagá-las, oferecendo conforto.

Respondo com um sorriso fraco.

– Tenho certeza absoluta. – Minha voz soa firme, mas estou mentindo para ele. E por ele. Se Justin não parecesse tão cansado e abatido, eu diria o que realmente quero dizer: no momento, enquanto estamos ali sentados, ele parece ser exatamente a pessoa de sempre – um amigo que me conforta, me grava CDs e me faz rir, a única pessoa com quem posso falar sobre tudo. E tudo o que quero é que ele me abrace apertado e me diga que tudo vai ficar bem, pois, se ele disser, talvez eu consiga acreditar.

20

Depois que Justin vai embora, Danielle aparece, e nós duas somos pegas tentando entrar escondidas no quarto de Emma. A enfermeira está prestes a nos expulsar dali, mas a mãe de Emma aparece e a convence a nos deixar ficar. Danielle não consegue suportar por muito tempo; dez minutos mais tarde, ela ainda não é capaz de percorrer o caminho de volta ao quarto, e a sra. Atkins finalmente passa um braço sobre seus ombros e sugere que ela volte amanhã. Danielle diz que voltará de manhã, já que não tem nenhuma intenção de ir ao colégio.

A mãe de Emma e eu passamos as três horas seguintes conversando sobre coisas sem importância e olhando pela janela. Quando o relógio finalmente marca seis horas, não consigo evitar o sentimento de alívio. Planto um beijo exausto na testa de Emma e abraço a mãe dela para me despedir.

Estou me dirigindo à sala de espera para encontrar minha mãe quando escuto a campainha distante do elevador. Viro na esquina entre dois corredores e, literalmente, colido com alguém; nós dois recuamos resmungando um pedido de desculpas, até um perceber quem é o outro.

— Aí está você — diz ele.

No mesmo instante, eu pergunto:

— O que está fazendo aqui?

— Procurando você. — O rosto de Bennett é uma máscara de preocupação. — Por que não me contou sobre Emma?

Não tenho uma resposta. Devo ter pensado em telefonar para ele e contar, mas não liguei. Só consigo dar de ombros quando ele me puxa para perto e pergunta se estou bem. Digo que sim movendo a cabeça contra seu peito.

Acho que nesse momento eu devia chorar. Se já houve um bom momento, deve ser esse em que estou aninhada em seu peito, com a cabeça dele apoiada sobre a minha e sua mão nas minhas costas, mas não consigo. Em vez de chorar, conto sobre os tubos, as máquinas e os pontos, os médicos e a reabilitação a que ela vai precisar se submeter quando recobrar a consciência. Conto que ela está horrível, que parece alguém que não conheço. E que me sinto mal por falar assim.

O elevador faz aquele ruído de campainha de novo, e dessa vez minha mãe sai dele. Parece surpresa por me ver encolhida nos braços de um garoto que ela só viu uma vez e que nunca mencionei durante o jantar em família da terça-feira.

— Ah, oi.

— Oi, mãe — respondo nervosa. — Você se lembra do Bennett? Daquela noite... na livraria.

Ela assente e estende a mão.

— Sim. Oi, Bennett. — E continua apertando a mão dele e olhando para ele. Espero que ela o brinde com seu sorriso característico: o sorriso de enfermeira, aquele que faz todo mundo simpatizar com ela tão depressa, mas mamãe não sorri. Também não há nada de frio em sua expressão, mas, quando ela afinal solta a mão dele, Bennett parece um pouco aliviado. Mamãe olha para mim.

— Como vai Emma?

Dou de ombros.

— Do mesmo jeito. A mãe dela está lá agora.

— Vou dar uma olhada nela e ver se posso fazer alguma coisa para ajudar. Quer vir comigo?

Não consigo nem me imaginar entrando naquele quarto outra vez.

— Passei o dia todo lá, mãe... Você se importa se, talvez... Bennett me levar para casa?

Ela se vira para encará-lo novamente, e o estuda da cabeça aos pés com uma expressão preocupada.

— Você dirige bem?

— Sim. Sou muito cuidadoso. — Ela ainda parece preocupada, por isso Bennett acrescenta: — Serei *especialmente* cuidadoso.

— Está ventando muito.

— Eu vou devagar, sra. Greene.

— Tudo bem, então. — Mamãe me abraça e beija minha testa. — Vejo você em casa, Anna. — Mas, em vez de seguir para o quarto de Emma, ela continua onde está por mais um instante. — Sabe, Bennett, o pai de Anna me disse que ela devia trazer você para jantar um dia para nos conhecermos melhor. Ela já convidou você?

Bennett olha para mim, depois para ela.

— Ainda não, sra. Greene. Mas tenho certeza...

— Que tal terça-feira?

— Terça? — Ele olha para mim. Cubro o rosto com a mão. — Terça está ótimo. — Escuto a resposta.

— Excelente. Vemos você na terça. — Mamãe beija minha testa outra vez antes de se virar e desaparecer no fim do corredor.

No elevador, Bennett olha para mim.

— Jantar. — Ele move a cabeça para cima e para baixo. — Terça-feira.

— Desculpe por isso.

— Não. É bom. Gosto de jantares em família. — O elevador para e caminhamos de mãos dadas para o estacionamento. — Na verdade, não consigo lembrar a última vez que tive um jantar assim. Não faz parte dos nossos hábitos.

— Só temos a terça-feira. Fechamos a loja cedo, papai e eu vamos para casa, e mamãe nunca aceita plantão nesse dia. Ela insiste em manter livre uma noite por semana, e é sempre na terça.

Bennett abre a porta do carro, e eu entro. Estamos sozinhos outra vez, de novo no utilitário, como estávamos exatamente nesse mesmo horário na noite passada. Mas agora seguimos em direção oposta e não damos risada, nem nos batemos um no outro por cima do console. Não brincamos de perguntas e respostas.

— Você está bem? — Bennett repete em voz baixa, e eu continuo assentindo, mentindo.

As luzes da rua e dos semáforos passam num borrão em câmera lenta, como se Bennett dirigisse muito abaixo do limite de velocidade. Mamãe deve tê-lo assustado. Ou talvez seja eu — talvez tudo esteja se movendo em câmera lenta.

— Eles ficaram sozinhos — digo afinal para a janela do meu lado. — Justin ficou sozinho por quatro horas antes de os pais dele chegarem lá. Emma ficou sem companhia durante duas horas. — Deslizo os dedos pelo vidro e olho para a escuridão. — Não sei por que isso me incomoda tanto, mas fico imaginando os dois separados, em áreas diferentes do hospital, cercados por estranhos. Talvez aconteça desse jeito, sabe... Talvez os pais tenham que esperar do lado de fora. Mas como puderam deixar os dois sozinhos desse jeito?

— Eles sabiam que todo mundo estava a caminho.

— Sabiam? — pergunto, e Bennett segura minha mão por cima do console.

Ficamos em silêncio por alguns momentos, até eu enfim dizer o que estou pensando de verdade.

— Eu não estava lá.

Ele olha para mim.

— Levei *oito horas* para chegar.

— Tudo bem, Anna. Você chegou o mais depressa que pôde.

Ele aperta minha mão, e embora não possa dizer nada para me fazer sentir melhor, o contato físico me tranquiliza de alguma forma. Olho para nossos dedos entrelaçados, apoiados no console — as unhas dele ainda um pouco sujas da escalada de ontem — e lembro como tracei as linhas de sua palma enquanto descansava feliz em seu peito. A mão dele parece tão normal que, às vezes, é fácil esquecer como são extraordinárias.

— Ah, meu Deus. — Eu me afasto dele. — Pare o carro.

— Por quê? O que aconteceu?

— Pare. — Estou tremendo e me sentindo idiota, e é difícil acreditar que não pensei nisso antes.

Bennett entra em uma rua residencial e para o carro. Ele olha pelo para-brisa, e é nesse momento que percebo que posso não ter pensado nisso antes, mas ele com certeza pensou. Bennett sabe exatamente o que vou pedir, porque posso esquecer por breves períodos a habilidade que Bennett Cooper tem, mas ele nunca esquece.

— Desfaça. — Viro no assento para encará-lo. — Bennett. Por favor. Desfaça isso. Refaça o dia.

— Não posso. — Ele não olha para mim.

— Pode. Você pode arrumar tudo isso. Leve-nos para antes do acidente. Vamos impedir Emma de dirigir. Vamos consertar isso! Bennett?

Ele sai do carro e bate a porta, me deixando trêmula no banco do passageiro. Os faróis iluminam a fúria em seu rosto quando ele dá um soco no capô, e eu pulo. Ele anda de um lado para o outro, depois vira as costas para mim e se apoia à frente do automóvel. Vejo seus ombros subirem e descerem. Acho que devia me arrepender de ter pedido, mas não me arrependo.

Depois de um tempo ele volta ao carro, abre a porta e entra. Está mais calmo, mas ainda treme de raiva. Bennett segura o volante com tanta força que seus dedos ficam brancos.

— Por favor, não me peça isso de novo. Nunca.

— Escute, entendo todas as suas regras. — Enfatizo a palavra *suas* e espero que ele entenda o que quero dizer. — Compreendi essa sua coisa do efeito borboleta e sua superstição sobre interferir no futuro...

— Não é *minha* coisa do efeito borboleta. É *o* efeito borboleta, e esse é um conceito importante na teoria do caos que não tem *nada* a ver com superstição. Uma pequena mudança em parte de um sistema complexo pode ter grandes efeitos em outro lugar. Não fui eu que inventei isso, Anna.

— Tudo bem, entendi. Mas você pode fazer pequenas mudanças, não pode? Interferir em pequenos detalhes? Como isso é diferente do que você faz pelos seus pais? Do que fez na sexta-feira passada antes da aula de espanhol? Do que fez naquela noite na livraria, quando mudou o que poderia ser um futuro *horrível* para mim, o que poderia ter sido meu *fim*, mas não foi, porque você interferiu. E olhe... – Abro os braços e faço um gesto mostrando tudo em volta do carro. – Nada terrível aconteceu. Ainda estamos aqui. Não houve nenhum desastre relacionado a borboletas.

– Não é tão simples. Em algum momento, *alguma coisa* tem que dar errado. Eu simplesmente *não posso* desfazer o que aconteceu.

Olho para ele tentando atrair seu olhar e, por fim, Bennett me encara.

– Não pode ou não vai?

– Não vou.

– Por que não?

– Olhe, eu não devia ter alterado o passado nenhuma vez, Anna, mas as circunstâncias eram diferentes. Voltei cinco minutos, uma hora, não um *dia* inteiro. Não impedi o cara de apontar a faca para você ou tentar assaltar a loja. Só tirei você de lá e fiz a polícia chegar mais depressa. E aquele dia na escola, nós ainda assistimos à aula e foi como se aquela hora nunca tivesse acontecido. Foram mudanças pequenas. Mas impedir um acidente de carro? Isso é apagar uma ocorrência importante.

– Desculpe, não entendo a diferença.

– Não? Nem meu pai. – Ele morde o lábio com força e se vira para olhar pela janela. – Olhe, é uma ladeira escorregadia. Interfiro em uma coisa ruim que aconteceu com uma pessoa inocente e de repente tenho que impedir a decolagem de todos os aviões que já caíram e ser o sistema de alarme para todos os desastres naturais. Até alguma coisa ainda mais catastrófica acontecer *por causa* da minha interferência para impedir a última tragédia. Essa habilidade é *minha*, e não acho que é isso que devo fazer com ela. Tenho que observar, *não* mudar o futuro. Ponto. Já estou quebrando todas as regras pelo simples fato de estar aqui.

— Não são *as* regras, são *suas* regras. E como sabe que suas regras são corretas? Talvez você *tenha* de testá-las.

— Não tenho. — Ele olha para mim tentando me convencer. — E caso tenha esquecido, Anna, a última vez que testei as regras por uma garota, a história não acabou bem. Para *ela*.

Ele está certo. Mesmo assim, não vou desistir. Não posso. Não quando minha melhor amiga passou o último dia sendo cortada e reconstruída, perdendo partes do corpo, sendo costurada para não perder outras partes. Emma pode ser uma péssima motorista, mas merece um futuro.

— Bem, isso não tem nada a ver comigo. E também não devia ter a ver com você.

Ele olha para mim com ar triste, e entendo que Bennett quer ajudá-la. Ele quer me ajudar. Quer ser o herói, mesmo pensando que não deve ser.

— E não tem a ver comigo, Anna. Tem a ver... com todos os envolvidos. Não posso. Desculpe, mas é perigoso demais.

— Vai pensar no assunto, pelo menos? — Sorrio para ele e espero vê-lo sorrir de volta, mas Bennett continua sério. Ele engata a marcha e faz o retorno.

— Não. Não insista.

21

— Planos de viagem, por favor. — Viro para pegar a pilha de trabalhos que é passada para a frente. Um deles tem uma capa laminada. Outro foi encadernado com espiral. O meu, que eu planejava grampear, está escrito à mão em folhas de caderno, entre as páginas de um livro de viagem jogado dentro da minha mochila. Não vou entregar o trabalho hoje, mas parece que não fui a única a perder o prazo.

A carteira de Bennett está vazia. Quando ele parou o carro na frente da minha casa na noite passada, eu desci, bati a porta sem me despedir e entrei em casa sem olhar para trás. Lá dentro, espiei pela janela da cozinha por um minuto mais ou menos, tempo suficiente para vê-lo apoiar a cabeça no volante antes de esmurrá-lo e ir embora.

Argotta dá uma aula teórica hoje, mas não nos obriga a conversar, e quando o sinal toca anunciando o fim da aula, fico sentada e espero a sala esvaziar. Então me levanto, caminho até a mesa dele e espero o professor olhar para mim.

— O que vou achar de seu plano, *señorita* Greene? — pergunta ele, e bate na pilha de itinerários de viagem.

— Vai adorar meu trabalho, *señor*. Mas ele ainda não está pronto.

Espero o olhar desapontado, mas, em vez disso, ele sorri, compreensivo, se levanta e caminha até a frente da mesa. Conto a ele sobre o acidente de Emma no sábado (ele já sabia), lembro a tentativa de assalto na segunda-feira (o que provoca uma expressão triste) e enfatizo que não costumo dar desculpas, mas a semana foi estranha demais (ele concorda).

— Gostaria de anunciar logo o vencedor. Acha que consegue entregar seu trabalho na quinta-feira? — pergunta ele. Movo a cabeça dizendo que sim. — Se precisar de mais tempo, é só me avisar. Nesse caso, podemos anunciar o vencedor na semana que vem.

— *Gracias* — digo. Saio da sala caminhando devagar em direção à Rosquinha, deixo os livros no meu armário e sigo para o refeitório. Olho para nossa mesa vazia e decido que não estou com fome.

Mamãe me deixa no hospital. Carregando a mochila, entro no quarto de Emma, me acomodo em uma cadeira e começo a trabalhar no meu plano de viagem. Trinta minutos mais tarde, a enfermeira entra para verificar o prontuário de Emma. Ela olha para mim com um sorriso solidário e sai do quarto.

Olho para a cama. Emma está lá deitada, parecendo distante e isolada, então pego minha cópia do guia *Lonely Planet: Yucatán* e vou me sentar ao lado dela na cama. Abro o livro e começo a ler sobre "praias de areia fina e branca", "vida noturna escandalosa" e "porco cozido lentamente em folhas de bananeira". Depois passo para a seção de compras. Ah, isso ela ia adorar.

Começo a falar, mas no início é só um sussurro.

— Esse lugar deve ser incrível, Em. Escuta só isso: "Os consumidores apreciam o artesanato encontrado na península... delicados ornamentos de prata que refletem a técnica de filigrana introduzida pelos espanhóis, maravilhosas miniaturas de navios esculpidas em mogno, e chapéus panamá de trama tão fechada que conseguem conter a água." Não é incrível?

Olho para os traços imóveis de Emma e espero uma reação. Falo um pouco mais alto.

— Sabe, você fica linda de chapéu. Se eu ganhar o desafio do plano de viagem de Argotta, trarei um chapéu do México para você. — Consulto mais uma vez o guia de viagem. — Ah, escute isso, lá também fazem algumas das melhores redes do mundo. — Olho para ela. — Talvez eu traga uma rede para você. O que acha? Quer um chapéu ou uma rede? — Espero uma reação. Qualquer uma. Ela não se mexe. — Vou trazer os dois.

Volto à leitura, passando os olhos pelas páginas, procurando uma seção de que ela poderia gostar. Estou começando a falar sobre a "famosa gastronomia" quando percebo uma gota cair na página. E outra. E outra. Toco meu rosto e descubro que está molhado, e as lágrimas caem formando um fluxo constante e mais rápido do que posso conter — molham as páginas, os lençóis, a mão de Emma. Olho para o rosto dela, para todos os tubos, e sinto o peito apertado.

— Sinto muito, Emma — sussurro, me debruçando sobre seu braço direito, a única parte dela que sei que não foi suturada e não sofreu nenhuma lesão interna, então finalmente me permito chorar porque ela não devia estar ali. Emma cometeu um pequeno erro. Um pequeno movimento que mudou tudo. Estaríamos ali agora se apenas *uma* coisa no dia dela tivesse sido diferente? E se Emma e Justin tivessem decidido ir a outro lugar, ao cinema, talvez, ou ao shopping? E se tivessem saído dez minutos mais cedo? Ou dez minutos mais tarde? Ou se Emma tivesse escolhido um CD antes de sair de casa? E se ela tivesse parado completamente em todos os semáforos, reduzido a velocidade naquele cruzamento? E se o motorista do outro carro tivesse esquecido alguma coisa, voltado para casa e saído três minutos mais tarde? E se eu não tivesse insistido em arrumar todos os CDs dela naquele estojo estúpido? E, se, se, se, *se*! Se cada pequeno detalhe fosse diferente – só um detalhe –, Emma e eu teríamos ido ontem à cafeteria para beber *lattes* e falar sobre nossos encontros.

Ele só precisa mudar *uma* coisinha. Ele é o único que pode consertar tudo, mas tem medo demais para tentar.

Beijo o rosto de Emma.

– Tenho que ir agora, Em – sussurro em seu ouvido –, mas eu volto. Vou consertar e resolver tudo isso, e você não vai se lembrar de nada.

22

Minha mãe olha para mim com ar impressionado quando para na frente da casa de Bennett.

— Uau. Bela casa.

— É da avó dele — digo, mas tenho certeza de que a casa que o pai dele comprou graças à sua "sorte" no mercado de ações é igualmente impressionante. — Eu volto para casa mais tarde, está bem? Obrigada pela carona. E agradeça ao papai por ter ficado na loja no meu horário hoje. — Fecho a porta do carro e atravesso o canteiro de grama congelado, porque não jogaram sal na entrada e parece um pouco escorregadia. Bato à porta.

Bennett abre, e eu começo a falar imediatamente:

— Acabei de passar a tarde com Emma.

Ele olha nervoso para dentro da casa e fecha a porta, juntando-se a mim na varanda.

— Como ela está? — Pelo menos tem a decência de parecer preocupado.

— Do mesmo jeito. Estado crítico. Não melhorou desde ontem.

— Espere um pouco, Anna. Ela vai melhorar.

— Como sabe disso? Você a viu no futuro e sabe que ela vai ser feliz sem o baço?

— Tecnicamente, ninguém precisa do baço.

— Não foi isso que eu quis dizer.

— Eu sei que não.

— Como consegue viver sabendo que podia consertar tudo isso e nem se deu o trabalho de tentar?

Ele segura meu braço com força e me leva para longe da porta.

— Ai. Você está me machucando.

Bennett diminui a pressão.

— Como *eu* posso viver? — sussurra ele, olhando em volta para se certificar de que ninguém nos ouve. — Está brincando? Isso está me matando, Anna. Eu quero tentar, acredite em mim, eu quero, mas e se não conseguir mudar o que aconteceu? E se piorar a situação? E se o acidente acontecer do mesmo jeito, apesar da minha interferência? E se eu mudar o fato errado e acabar arruinando a vida dela inteira? Ou a minha? Ou a sua?

— Não sei! Ninguém sabe! Mas como consegue ter esse dom e não o usar para descobrir? Pode ser que você tente interferir e o acidente aconteça do mesmo jeito, e Emma vá parar no hospital e nada mude. Mas, pelo menos, vai saber que tentou...

— É isso que estou dizendo! Eu não *devo* tentar. Não estou dizendo que é justo, ou que é certo, mas e se isso tinha...

— Não se atreva a dizer alguma coisa idiota como "tinha que acontecer", porque isso *não* tinha que acontecer. Ela *não* devia estar lá.

— Como você sabe?

— O quê?

– Como você sabe que o acidente não deveria acontecer? – pergunta ele. Sinto meu rosto ficar vermelho de raiva. – Olhe, sei que ninguém queria que isso acontecesse, mas aconteceu. Talvez ela *tenha* que estar no hospital e acordar. Talvez *tenha* que sarar e fazer fisioterapia, lutar por alguma coisa importante pela primeira vez em sua vida de redoma cor-de-rosa. Talvez ela *tenha* que aprender a ser melhor e dirigir mais devagar.

Olho para ele por um instante. Começo a andar para a escada, mas ele segura meu braço outra vez.

– Anna, não estou dizendo que é certo. Nem que concordo com isso. Só estou dizendo que aconteceu. E se devia ou não ter acontecido não vem ao caso, não tenho o direito de mudar tudo isso só porque *posso*.

Ouvi as palavras antes, mas tem algo novo na voz dele.

– Espere. Foi isso que você viu? – Eu o encaro. – Você foi vê-la no futuro, Bennett? Ela melhora? É isso que acontece?

Ele balança a cabeça, e sinto a força da mão em meu braço diminuir, mas não consigo determinar se acertei ou não, porque ele olha para mim como se não soubesse o que dizer. E também não sei, porque, se a viu no futuro ou não, mesmo assim não posso deixar Emma deitada naquela cama estéril, com aquelas máquinas barulhentas, só porque isso pode ser parte de um plano maior para fazer dela uma motorista ou um ser humano melhor.

Tento uma abordagem diferente.

– Olhe, não precisa impedir o acidente. Só precisa nos levar de volta no tempo... – Paro de falar e faço um cálculo rápido. – Quarenta e seis horas. – Olho para o relógio. – Quarenta e sete, se vamos passar mais uma hora parados aqui no frio falando sobre isso.

– Ainda assim, seria brincar de ser Deus.

Cruzo os braços. Ficamos em silêncio, um esperando a reação do outro, como se estivéssemos num impasse, ou como se disputássemos um campeonato de encarar sem rir do terceiro ano.

– Tenho lição de casa. – Viro para a escada, e dessa vez ele me deixa ir. Estou quase no fim dos degraus quando ouço a voz dele.

– Anna.

Paro no degrau e olho para trás.

– O que é?

– Isso não é o bastante.

– O que quer dizer? O que não é o bastante?

– Quarenta e seis horas. Não é o suficiente.

Sinto o peito leve como se respirasse pela primeira vez depois de ter ficado submersa em água. Ele pensou no assunto. Não, não só pensou; fez as contas.

Bennett deixa escapar um gemido, e sei o que isso significa: ele está se preparando para fazer uma coisa que não quer. Minutos passam enquanto eu fico ali e espero ele fazer o próximo movimento; afinal, Bennett fala:

– Entre. Quero que veja uma coisa.

23

O quarto de Bennett está mais limpo do que na última vez que estive ali. A escrivaninha está arrumada, sem nada além de uma caneca cheia de canetas e um caderno aberto. Bennett pega um velho caderno vermelho e tira o elástico que o mantém fechado. Ele se senta na cama e, com um gesto, me convida a sentar também, abrindo o caderno em uma página perto do fim. Todos os espaços disponíveis estão cobertos de tinta. Baixo a cabeça para chegar mais perto e leio as datas, os horários e os símbolos matemáticos, as equações complexas que cobrem as duas páginas.

– Tenho que ser muito preciso. – Há quanto tempo ele está trabalhando nisso? A noite toda? O dia inteiro? – Tenho que determinar o momento perfeito para a nossa chegada. – Ele aponta para os cálculos. – Como disse, quarenta e seis horas não são suficientes, isso nos levaria para as duas horas do sábado, e estávamos em Wisconsin, a quase três horas de distância. – Ele aponta uma linha do tempo riscada na página. – Temos que estar juntos, e não pode ser no período em que estávamos no carro, porque não podemos estar em movimento. Portanto, temos que voltar para a manhã, mais ou menos na hora em que a peguei em casa.

— Tudo bem. Vamos. — Eu me sento e abro as mãos sobre as pernas, mas ele não as pega.

— Devagar, ligeirinha, ainda tem mais. — Ele vira a página. — Aqui está o principal: assim que nos aproximarmos de nossos outros eus, eles vão desaparecer. Então, precisamos voltar ao momento exato em que estávamos no carro, na entrada da sua casa, mas antes de eu dar a partida.

Penso naquela manhã. Por quanto tempo ficamos ali sentados? Devem ter sido segundos. Só o suficiente para colocarmos o cinto de segurança e eu perguntar aonde íamos. Em seguida partimos. Ele aponta a página e diz:

— Acho que temos que chegar sete minutos depois das oito horas.

— Tudo bem. — Dessa vez eu não o apresso.

— Mas não posso errar. — Ele senta mais perto de mim. — Quero fazer um teste primeiro. Vamos voltar cinco minutos e pousar no corredor do lado de fora do meu quarto. Quando eu abrir a porta, nós dois vamos desaparecer e nos substituir. — Ele caminha até a escrivaninha e volta com um pacote pequeno de bolachas salgadas, que deixa sobre a cama. — São para você caso precise quando voltarmos.

— Obrigada. — Eu me levanto e estendo as mãos para ele. Desta vez Bennett as segura.

— O fato de fazermos um teste não significa que vamos fazer alguma coisa para valer — diz ele. — Não tenho certeza se sou capaz.

— Tudo bem.

— Está preparada?

Movo a cabeça para cima e para baixo.

— Feche os olhos — diz ele.

Eu fecho. E quando abro novamente, estou no corredor, olhando para a foto da mãe dele na formatura do colégio. Olho para a esquerda e o vejo ali, procurando Maggie com um olhar nervoso.

— Tudo bem? — pergunta Bennett.

— Sim. — Meu estômago está queimando, mas, antes que eu pense muito nisso, Bennett segura minha mão e usa a outra para girar a maçaneta da porta do quarto dele. Ele espia pela fresta, depois empurra a porta e me puxa para dentro. O quarto está vazio.

Apertando o estômago, caminho diretamente para a cama, mas a embalagem não está lá.

— Onde estão as bolachas?

— Droga. Esqueci. — Bennett atravessa o quarto, abre a mochila e volta com a embalagem na mão. — Bem, pelo menos sabemos que funcionou.

Não entendi.

— Você sabe? Como?

— As bolachas não estão em cima da cama porque ainda não as coloquei lá.

— Tudo bem, uau. — Abro a embalagem e começo a morder uma bolacha lentamente, torcendo mais uma vez para não vomitar no quarto dele.

Bennett vai pegar as duas mochilas vermelhas no chão — as mesmas que ontem estavam cheias de cordas e mosquetões e levavam sapatos, sanduíches e garrafas de Gatorade. Hoje elas parecem muito mais leves.

— Fique aqui, está bem? Eu volto já. — Ele sai do quarto e volta alguns minutos depois com mochilas que parecem mais pesadas.

Outro pacote de bolachas.
Dois Frappuccinos do Starbucks.
Duas garrafas de água.

Bennett se aproxima da escrivaninha, pega alguma coisa na gaveta de cima e se dirige ao armário. Depois de remover tudo que tem lá dentro, faz uma pilha alta de álbuns de fotografia, cadernos de recortes, antigos anuários da Westlake e várias caixas de fotos soltas. Quando tira tudo do caminho, ele enfia a mão no armário e pega um maço de notas.

— Quanto dinheiro tem aí? — pergunto.

Ele está sério.

— Mil dólares para cada um, caso a gente se separe. Aqui. — O maço cai na minha mochila com um baque.

Enquanto Bennett guarda tudo de volta no armário, penso em Brooke e em sua mochila de dinheiro.

— Você e sua irmã já modificaram algum evento?

Ele balança a cabeça.

— Não. Não que ela não tenha tentado — responde Bennett enquanto devolve os livros e as fotos aos seus lugares. — Teve a vez em que ela foi mal no exame final de história e quase não se formou. E outra vez, quando meu pai a pegou fumando. Steve, o cara que a levou ao baile de formatura. Péssima escolha. — Ele fecha a porta e volta para perto da escrivaninha. — Agora que estou pensando, vocês duas têm muito em comum. Tenho muito medo do dia em que enfim se conhecerem.

Sinto meu rosto se iluminar com a ideia.

– Vou poder conhecê-la?

Bennett dá de ombros.

– Com certeza. Quando ela voltar para casa, eu trago Brooke aqui para conhecer você. Nós sempre voltamos para ver Maggie.

– Sério? Vocês vêm aqui para ver Maggie?

– Sim. O tempo todo. – Ele me cutuca com um ombro. – Não quero ser mal-educado, mas podemos deixar para falar sobre isso mais tarde? Depois que eu terminar de mudar o curso da história e tudo? – Ele sorri para mim de um jeito brincalhão.

– Sim. É claro.

– Obrigado. – E fica sério novamente. – Vamos chegar às 8h07 perto dos arbustos ao lado de sua casa. Espere meu sinal; depois, corra para o carro.

– Entendi.

Bennett me passa a mochila, que jogo sobre os ombros, e faz o mesmo com a dele.

– Ah, e não solte a minha mão, mesmo que seja difícil correr rápido desse jeito. Não importa o que aconteça, temos que fazer de tudo para continuar juntos. – A instrução me faz lembrar da nossa escalada, quando Bennett me apresentou o dispositivo de segurança e me disse que assim ficaríamos conectados um ao outro.

Ele segura minha mão. Olho dentro de seus olhos. Nunca o vi assustado antes.

– Bennett?

– Sim?

– Eu vou... me lembrar de tudo o que aconteceu no sábado?

– Não quero me esquecer de ter ficado ansiosa pela viagem de carro, o prazer de escalar, ou a vista do topo da rocha. Quero me lembrar do momento em que paramos o carro na entrada de casa e eu senti como se o conhecesse de verdade.

– Você vai se lembrar dos dois dias...

Eu o interrompo:

– Mas como? Não me lembro de nada na livraria antes de você sair e voltar pela segunda vez.

– Isso é porque você não estava comigo. Desta vez vai se lembrar das duas versões, como eu. Agora feche os olhos.

Mas não consigo. Agora estou ficando nervosa e sei que ele pode sentir minhas mãos tremendo.

– Tem certeza de que a gente tem que fazer desse jeito? – pergunto.

– Você está de brincadeira, né? – Bennett dá um suspiro contrariado e olha para mim com uma expressão confusa. – Não, não tenho *certeza*. Estou testando o destino. Estou brincando com o *tempo*.

Mordo os lábios, penso em Emma e sinto a convicção voltar.

– Obrigada – digo. Não é o suficiente, mas é minha única opção.

A força das mãos dele segurando as minhas é maior que de costume.

– Feche os olhos.

Quando os abro vejo a imagem conhecida do quintal ao lado de casa. Não costumo ir muito ao quintal, mas a pintura amarela e descascada confirma que chegamos ao lugar que Bennett queria. Do outro lado da janela acima de nós, papai deve ter acabado de se sentar para terminar o café e ler o *Sun-Times*.

– Pronta? – pergunta Bennett.

Concordo com a cabeça.

– Vai!

Corremos dos arbustos para a entrada da casa, puxando um ao outro como se estivéssemos em um estranho evento de Quatro de Julho, espremidos entre a corrida de três pernas e o arremesso de ovos.

O carro está vazio. Conseguimos. Ameaço uma risada aliviada, mas percebo que o automóvel está se movendo de ré pela entrada, ganhando velocidade. Bennett me puxa para o lado do motorista; juntos, conseguimos levantar a maçaneta da porta, mas nada mais acontece.

Ele xinga em voz baixa.

– Está trancada!

Olho pela janela da cozinha. Meu coração dispara quando penso que papai pode nos ver, mas, felizmente, não tem ninguém lá.

Bennett e eu corremos ao lado do carro até a calçada, o vemos atravessar a rua, encontrar um banco de neve e parar em uma árvore. As rodas giram no gelo.

Dessa vez, quando olho para a janela, vejo meu pai parado nos observando. Ele desaparece e aparece novamente quando a porta é aberta.

– Mas o quê...? – Papai corre pelo gramado e para perto de nós. Solto a mão de Bennett. – Que diabo? – pergunta ele.

– Oi, pai.

– Annie? – Ele olha para mim e para Bennett, e tenho que lembrar que esse momento é completamente diferente daquele que meu pai recorda. Do ponto de vista dele, nós três estávamos agora mesmo parados no hall. Ele acabou de apertar a mão de Bennett e me dizer para convidá-lo para jantar. E agora estamos no meio da rua.

– Pai, Bennett vem jantar com a gente na terça-feira, tudo bem? – digo, e em seguida começo a rir alto e com vontade, e não consigo parar. Papai olha para mim como se eu tivesse enlouquecido completamente.

Bennett tenta não olhar para mim.

– Por acaso tem um pé-de-cabra, sr. Greene?

Isso me faz rir ainda mais, e percebo que Bennett tenta se manter sério.

Papai une as mãos sobre o vidro e olha pela janela do motorista.

– Como conseguiu trancar a chave dentro de um carro que está em marcha à *ré*?

Não sei como Bennett vai responder, mas o mistério não deixa meu pai perceber que carregamos mochilas e vestimos roupas completamente diferentes. Começo a rir outra vez.

– Estava ligando o carro e... achei que o pneu estava furado, então eu... nós fomos olhar, e acho que o carro estava engatado, e quando as portas são fechadas elas... acho que travam automaticamente. – Ele se inclina para meu pai. – Acho que hoje estou um pouco nervoso, senhor.

Papai olha para Bennett, depois lança um olhar inquisitivo em minha direção.

Estou rindo tanto que tenho que ir para trás do carro a fim de não provocar um ataque de riso em Bennett também. Ele está se saindo muito melhor que eu. Apoio-me à traseira do utilitário e tento respirar, mas quando olho pelo vidro de trás, não contenho uma exclamação.

Quando Bennett abriu a porta traseira no estacionamento de Devil's Lake, vi duas mochilas vermelhas cheias de equipamento para escalada. Agora as mesmas mochilas estão em nossas costas, mas, quando olho pelo vidro, vejo pilhas de cordas e equipamento de metal colorido. Dois arneses. As sapatilhas novas que Bennett comprou para mim estão sobre outra pilha ao lado das embalagens plásticas com comida e quatro garrafas de Gatorade. Voltamos no tempo, mas todo o equipamento ficou onde estava há cinquenta e duas horas.

Algumas coisas podem continuar iguais, mas esse dia inteiro está, sem dúvida, prestes a mudar.

24

Fico feliz por não estarmos com pressa, porque o guincho demora quarenta e cinco minutos para chegar, dois minutos para abrir a porta, e Bennett passa vinte minutos assinando a papelada e tentando fazer o cara parar de debochar dele. Mas assim que entramos no carro e seguimos para a casa de Emma, acho que nós dois nos sentimos um pouco atordoados.

Ele acabou de fazer algo que nunca fez antes, e eu tenho que estar junto. Sei que Bennett ainda está esperando as mãos escuras do tempo nos agarrar e jogar de volta no lugar ao qual pertencemos, mas eu me deixo envolver pelo momento. Se meu estômago doeu, nem percebi.

— Ei, como está sua cabeça? — pergunto.

Bennett a massageia com a ponta dos dedos.

— Bem, na verdade. Nem pensei nela.

— Talvez *seja* a adrenalina, como você imaginou.

Paramos na frente da casa de Emma e vemos o Saab estacionado na entrada. Nenhum vidro quebrado. Nenhuma lanterna traseira quebrada. Nenhum amassado. Nada de sangue.

— Ela está em casa! Está bem! — Desço do carro e corro para a porta. Quando Emma abre, eu a abraço. Ela veste um roupão e chinelos, os cabelos estão presos em um rabo de cavalo, e ela não usa nenhuma maquiagem — o que é perfeito, porque assim posso ver sua pele lisa e sem marcas, livre de esfolados do cimento da rua e de hematomas. Ela guincha quando vê Bennett parado atrás de mim na varanda.

— Caramba! — Ela se afasta de mim e aperta a faixa do roupão. — O que está fazendo aqui?

Não sei como responder. Estava tão envolvida com a volta no tempo que não planejei o que faria quando chegasse aqui.

— Bem... — começo. Aponto para Bennett, que está olhando para baixo e brincando com um botão do casaco. — Temos um encontro hoje. E sei que você e Justin também, então pensamos que, bem, podíamos sair todos juntos.

— Sairmos juntos?

— Sim. Pensamos que seria divertido!

— Divertido?

Olho para Bennett.

— Pode nos dar um minuto a sós? — Ele assente e volta para o carro, o que me dá alguns segundos para improvisar. Olho para ela de novo. — Estou um pouco nervosa, Em. Não sei, sinto que tudo vai ser melhor se você estiver comigo. Você e Justin.

— Não precisa de mim para...

— Preciso! Por favor. Vamos sair juntos. Vai ser divertido — repito.

— Tudo bem. Justin vai passar aqui, vamos estar na cafeteria às onze horas. Encontrem a gente lá. — Emma começa a fechar a porta.

Olho para o Saab parado na entrada da casa e sei que, independente do que acontecer hoje, ele tem que continuar estacionado exatamente onde está.

Ponho o pé entre a porta e o batente para impedir que ela a feche.

— Bennett pode dirigir. O carro dele é legal e espaçoso. — Legal e espaçoso? Quando foi que minha mãe chegou aqui? Tiro o pé da soleira e começo a descer a escada. — Voltamos para buscar você em uma hora e meia — digo. — O Justin pode nos encontrar lá.

Praticamente pulo pela entrada da garagem, pensando em como ela parece saudável. Quando vejo Bennett me observando pelo para-brisa, vejo que ele está um pouco orgulhoso de si mesmo.

Emma entra na cafeteria para encontrar Justin enquanto Bennett e eu esperamos no carro. Quando ela aponta para nós pela janela, nós dois acenamos. Justin parece confuso com nossa presença, mas, como Emma, também está perfeitamente saudável e inteiro. Sem colar cervical. Sem cortes. E quando ele caminha para o carro, sua aparência é forte e muito diferente de alguém que se envolveu em um acidente grave.

— Fique calma — Bennett me lembra. E isso é o bastante para me impedir de sair do carro e correr para abraçar Justin.

— Então — fala Bennett quando todos estão acomodados —, não queremos mudar seus planos. O que iam fazer hoje?

Justin responde:

— A gente ia visitar uma loja de discos na cidade.

Emma acrescenta:

– Pensei em visitar o Instituto de Arte.

– Perfeito – diz Bennett. – Música e arte, então.

Viro para trás a fim de sorrir com entusiasmo para os dois, e os pego trocando olhares estranhos.

Quando viro para a frente de novo, Bennett está perto da estação elevada de trem.

– Tudo bem se a gente for de trem?

– Trem? – pergunta Emma.

– Sim. É melhor para o meio ambiente.

– Meio ambiente? – questiona Emma, cética, torcendo o nariz para os trilhos e para a escada de aparência sombria que leva a eles. – Não, vamos de carro. É muito mais fácil. Conheço todos os melhores estacionamentos.

– Assim vai ser mais divertido – opina Bennett, saindo do carro e fechando a porta antes que ela tenha a chance de dizer mais alguma coisa. Todos nós descemos, e eu seguro a mão dele e rio baixinho. Nunca vi Emma ser "Emmada" antes.

Começamos o dia na Reckless Records, que Justin chama de "a loja de discos mais incrível de todos os tempos". No início percorremos a loja em direções diferentes. Depois nos dividimos nos casais que somos. E até uma vez nos casais que não somos: Justin e eu olhando os títulos de ska, Bennett e Emma conversando sobre as bandas da seção de classic rock.

– Ei – sussurra Justin. Ele olha em volta para se certificar de que os outros não podem ouvi-lo. – Desculpe não ter contado sobre... – ele indica o outro lado da loja – nós. Não gosto de guardar segredos de você, Anna. Mas acho que a coisa toda foi meio... estranha. Conheço você desde sempre, e... Devia ter contado.

Sorrio, lembrando quando ele falou quase essas mesmas palavras na lanchonete do hospital.

— Tudo bem, Justin. Emma me contou. Isso é legal. Estou feliz por vocês.

Ele bate em mim com o ombro.

— Legal. Obrigado. Nesse caso, pode nos deixar sozinhos em algum momento? Seu garoto Bennett está me deixando nervoso, e acabo esquecendo tudo que ia dizer de melhor. Tenho algumas piadas boas preparadas. Ah, e o que acha deste suéter?

Fico na ponta dos pés e despenteio o cabelo dele.

— É perfeito.

Justin sorri, e vejo suas sardas desaparecerem embaixo do rubor.

Passamos o resto da tarde visitando lojas. Almoçamos em um restaurante cheio. Garantimos que às duas da tarde — hora do acidente — estamos no lugar mais seguro em que Bennett consegue pensar: o terceiro andar do Instituto de Arte. O tempo passa. Pegamos o trem de volta para a estação de Evanston e entramos no carro de Bennett. Como ninguém quer ir para casa ainda, vamos ao cinema mais próximo e decidimos assistir a qualquer filme da próxima sessão. O filme em cartaz é *Enquanto Você Dormia*, que não teria sido minha primeira opção, considerando que conta a história de um homem que cai nos trilhos e passa semanas em coma.

São dez horas da noite quando Bennett para na entrada da garagem de casa: duas horas mais tarde do que voltamos na última vez. Por um momento eu hesito, imaginando minha mãe e meu pai lá dentro, sentados à mesa da cozinha, esperando eu entrar para me dar a notícia sobre Justin.

— Quer entrar comigo? Só para ter certeza de que... você sabe... tudo é diferente.

Ele assente, e nós entramos em casa. Está tudo quieto. Posso dizer imediatamente que mamãe e papai não estão sentados à mesa, e suspiro aliviada. Bennett me segue pela cozinha escura e em direção ao som que vem da sala de estar. Meus pais estão juntos no sofá, vestindo moletons e assistindo a um filme. O fogo arde na lareira.

– Oi – dizem os dois ao mesmo tempo. Mamãe sorri para meu pai como se já esperasse o que está vendo ali.

– Vejo que já contou a ela sobre o carro – digo a meu pai. Sorrio e olho para Bennett. Ele esconde os olhos com a mão.

– Tem certeza de que consegue chegar para o jantar na terça, Bennett? – Mamãe olha para ele com aquele sorriso largo, o sorriso de enfermeira, e Bennett se derrete como todo mundo que a vê sorrir daquele jeito. – Porque, sabe, podemos ir buscá-lo, se for mais fácil. – Ela olha de novo para meu pai. – Sabemos como é complicado lidar com tantas chaves, marchas, fechaduras... – Ela ri, e não consigo deixar de rir também. Meu pai esconde o rosto no ombro dela e dá uma gargalhada.

– Não foi um dos meus melhores momentos. – Bennett continua escondido atrás da mão. Ele a desliza para baixo, revelando os olhos, e então ri também.

– Tudo bem. Gostamos dessas coisas, Bennett – fala meu pai. – Agora temos algo que nunca vamos deixar você esquecer.

Bennett olha para nós três e sorri.

– Maravilha.

E, pela primeira vez desde que começamos a segunda versão do dia do nosso encontro, Bennett parece começar a relaxar e aceitar o que eu já sabia às 8h08 desta manhã. Nossa reformulação foi um sucesso. Emma e Justin estão bem. Nada de ruim aconteceu. E Bennett pode fazer muito mais do que pensava ser capaz.

25

— Tive uma semana incrível! – o sr. Argotta anuncia depois que o sinal toca e nós nos sentamos.

Bennett e eu nos entreolhamos e sorrimos. Não sei bem o que fez a semana de Argotta ser tão incrível, mas tenho certeza de que a nossa foi muito mais.

— Tive a oportunidade única de viajar pelo México por vinte rotas diferentes. Foi emocionante! Todas foram simplesmente fantásticas! – Ele anda pela sala, e nós o acompanhamos com olhos muito atentos. – Mas três viagens – continua o professor –, três viagens se destacaram. Gostaria de compartilhá-las com vocês e pedir sua ajuda para decidir quem deve voltar para casa com isto. – Ele tira do bolso do paletó um papel dobrado. – Um voucher de viagem no valor de quinhentos dólares. – E o sacode algumas vezes antes de prendê-lo ao quadro branco com um ímã.

Viro e olho para Bennett mais uma vez. No início pensei que trabalhar com ele em nossos roteiros de viagem seria trapacear, mas um sorriso e um *latte* foram suficientes para me convencer do contrário. Em uma tarde de domingo, um dia depois de termos concluído nossa bem-sucedida reformulação, Bennett apareceu na livraria durante meu horário de trabalho e nos sentamos no lugar de sempre no chão, tiramos livros das prateleiras e lemos as descrições em voz alta. E quatro horas mais tarde tínhamos mapeado duas rotas, uma bem diferente da outra para não deixar o *señor* Argotta perceber que trabalhávamos juntos, com um único ponto em comum na pequena cidade litorânea de La Paz.

O *señor* Argotta apaga a luz e liga o projetor, e a tela se acende, mostrando um colorido mapa do México. A rota aparece destacada com marcador amarelo, e cada destino é assinalado com letras dentro de círculos que correspondem aos pontos nos itinerários descritos. Aquele mapa não é o meu. Nem o de Bennett.

– O primeiro plano é o de Courtney Breslin. – A rota percorre o perímetro do país, evitando completamente o interior. – Esse roteiro nos mostra que o inverno anormalmente longo afetou a *señorita* Breslin. Ela está interessada em passar um bom tempo na praia.

Todos riem.

– À primeira vista, temos a impressão de que a *señorita* Breslin está deixando de fora muita coisa. Mas escolhi esse roteiro porque, embora ela tenha optado por alguns destinos muito turísticos, também encontrou algumas praias escondidas e maravilhosas. – Ele bate no mapa projetado no quadro branco na frente da sala. – Vamos chamar este roteiro de *Hora de Playa*.

Quando o professor aperta o botão do controle remoto, meu mapa aparece na tela. Sinto a tensão em meus ombros.

– A *señorita* Greene tem um pouco dos dois, algumas praias, algumas ruínas, tudo bem distribuído. É comum as pessoas planejarem uma viagem tentando cobrir uma grande extensão territorial. Elas se esforçam tanto para não perder nada, que acabam planejando coisas demais. Em minha opinião, desse jeito deixamos de ver todas as partes boas de um país. Gosto das três viagens que escolhi porque elas não tentam abranger tudo. Todos esses roteiros reservam um tempo para surpresas. Decisões espontâneas. A viagem da *señorita* Greene é agressiva, mas ela deixa espaço para o mistério! Para a impulsividade! – Ele caminha para a frente da sala. – Chamei este roteiro de *La Aventura*!

Atrevida. Ele deixou de mencionar a parte da ousadia, por isso a acrescento em voz baixa: *La Aventura Atrevida.*

– Nosso último roteiro de viagem é o do *señor* Camarian. – Alex e eu nos olhamos no mesmo momento, e nós dois expressamos surpresa. – O *señor* Camarian está interessado em arqueologia e na cultura Maia. Ele evita completamente os pontos turísticos. Aterrissa em Cancún, mas sai de lá o mais depressa possível. Foi o único que encontrou um dos meus lugares favoritos, as ruínas Kohunlich, onde se vê mais da influência dos vizinhos do México em Belize. – Ele olha para Alex. – Visite o local ao entardecer, quando os bugios aparecem. É sinistro. E *fantastico*. – Mais uma vez, o professor se dirige à frente da sala e bate no mapa projetado na tela branca. – *El Camino Menos Viajado*. – A Rota Menos Percorrida.

Argotta caminha até o interruptor e acende a luz.

– Tenho que confessar que gostei da minha parte neste trabalho. Vocês encontraram lugares que sempre amei e outros dos quais nunca ouvi falar. Fiquei muito impressionado, e agora, meus amigos, estou com uma tremenda saudade de casa. – Ele suspira, sorri novamente e diz: – Então, querem saber quem venceu?

Eu já sei. É evidente que Alex é o ganhador. Não tenho macacos bugios ou de outro tipo.

Argotta anda de um lado para o outro na frente da sala, deixando aumentar a tensão.

– Todos fizeram excelentes roteiros, mas um deles tem o melhor ritmo, um planejamento mais bem-acabado. Se fosse visitar o país pela primeira vez, essa seria a viagem que eu faria. – Ele se aproxima da tela branca e faz um gesto dramático diante dos três mapas. – E o vencedor é... – diz, tirando meu mapa da parede e segurando-o no alto. – *La Aventura*.

A turma aplaude, e o sinal toca.

Eu me aproximo da mesa de Argotta para receber o prêmio. Bennett passa por mim e avisa que vai me esperar no corredor.

– *Muchas gracias, señor* Argotta – digo quando ele me entrega o voucher. Não consigo decidir quem de nós parece mais orgulhoso.

– Você merece. – Ele olha para mim com uma expressão sincera. Depois levanta um dedo e inclina a cabeça para a sala, como se quisesse indicar que tem mais a dizer, mas não pode falar até todos os outros alunos terem saído. Começo a ficar nervosa pensando em Bennett do outro lado da porta, esperando por mim. – *Señorita*, como deve saber, sou o coordenador do programa de intercâmbio de verão – fala Argotta quando ficamos sozinhos. Eu assinto. – Bem, este ano temos a participação de mais famílias do que é habitual, mas não recebemos tantas inscrições quanto costumamos receber. Sei que está em cima da hora, mas ainda há uma vaga. – Não respondo, e ele preenche o silêncio. – Se estiver interessada.

Eu ainda nem pensei em planos para o verão. Agora que penso nisso, desde que Bennett chegou não tenho considerado nada muito além do presente.

Argotta abre a gaveta da mesa, pega um envelope amarelo e o entrega a mim.

– É uma oportunidade fantástica. Você passaria dez semanas no México hospedada por uma família maravilhosa. Aqui, leve isto e converse com seus pais.

Eu pego o material. Há alguns meses teria considerado essa a maior oportunidade de minha vida, mas agora que posso ver qualquer lugar do mundo, um só não parece tão interessante.

– Obrigada. Fico muito honrada por ter pensado em mim.
– Abro minha mochila cheia e guardo o envelope lá dentro. – Vou pensar nisso.

– Ótimo. A família sabe que é possível que não recebam nenhum estudante, mas temos que dar a eles algum tempo para se prepararem, seja como for. Por isso peço que me entregue a documentação o mais depressa possível, no máximo até o fim de maio. Não espero receber mais nenhuma inscrição, então, se quiser, a vaga é sua.

– Certo. Obrigada mais uma vez. – Corro para a porta e, quando saio, Bennett passa um braço sobre meus ombros.

– Você conseguiu! – Ele sorri e me puxa para perto quando começamos a andar. Perco o equilíbrio no bom sentido. – Então, aonde vai com essa passagem?

– Ao México, é claro. Seria uma pena desperdiçar um roteiro perfeito, com um bom ritmo e tempo para surpresas. – Imito o sotaque de Argotta e olho para Bennett com um sorriso provocante. – Gosto de surpresas.

– Sim – responde Bennett –, ouvi dizer que sim.

maio

26

Encaixo o marcador de livros entre as páginas de *Rick Steves' Best of Italy 1995* (*O melhor da Itália por Rick Steve's, 1995*) e apago a luz pensando em museus, ruas com calçadas de pedra e *gelato*. Faz quase um mês que Bennett me levou à Tailândia, contou o primeiro de seus segredos e me deu um cartão-postal. Ele prometeu me levar à Itália depois daquilo, mas desde a mudança envolvendo o acidente com Emma tem relutado em usar seu talento, mesmo que seja só para fazer turismo. Não pedi nada, estou feliz só por tê-lo aqui e finjo que tudo nele é normal, mas estudo meu livro de frases só por precaução.

Fecho os olhos e penso nele, e quando estou começando a pegar no sono percebo que tem alguma coisa errada. É como se um peso me atraísse para a beirada da cama.

– Ei – fala uma voz em meu ouvido. – Sou eu. – Abro os olhos e um grito começa a escapar da minha boca. – *Shhhh* – diz a voz, e a mão cobre minha boca para abafar o som.

Meu coração dispara, meus olhos se arregalam cheios de terror, e pisco até afinal conseguir identificar sua silhueta no escuro.

— Sou eu. Está tudo bem — repete as palavras enquanto tento convencer meu coração a bater mais devagar. — Está tudo bem, Anna. Sou eu.

— *U qã stá fãcindu ãq?* — sussurro contra a mão que ainda aperta minha boca.

— O quê? — Ele ri baixinho e tira a mão de cima de meus lábios.

— O que está fazendo aqui? — repito, desta vez com mais clareza, e me sento para bater no braço dele. — Quase me matou de susto.

Ele ainda se esforça para não rir.

— Desculpe. Eu podia tocar a campainha, mas... — diz, e bate no relógio de pulso. — Sua mãe me ama, porém duvido que ela aprove uma visita às onze e meia da noite com aula no dia seguinte.

Sinto meu coração acalmar um pouco e ajeito as cobertas em torno da cintura.

— Está tudo bem?

— Sim, tudo bem. Desculpe. Não queria assustar você. Estava deitado na cama e, de repente, não consegui esperar até amanhã para ver você. Então levantei, vesti um moletom, pensei no seu quarto e *puf*, aqui estou.

— Puf?

— *Puf.* Você não estava dormindo, né?

— Quase. — Descanso a cabeça no travesseiro de novo e suspiro. Não sei bem o que sinto sobre ele ter, *puf*, aparecido no meu quarto sem ter sido convidado.

Bennett me cobre até o queixo. Meu quarto está escuro, toda a luminosidade se resume à lua cheia lá fora, mas ele deve ver a expressão em meu rosto.

– Ei... ficou brava?
Balanço a cabeça.
– Não, não muito.
– Mas um pouco?
Torço o nariz.
– Sim, talvez.
– Desculpe. Não queria aparecer desse jeito. Vou embora.
Agora me sinto mal. Ele fica tão fofo todo constrangido desse jeito! Quando vejo Bennett começar a se levantar, seguro seu braço.
– Não vá – digo.
– Não, tudo bem. A gente se vê amanhã – cochicha ele ao beijar minha testa, e isso é suficiente para fazer meu coração disparar de novo, mas desta vez não é de medo. Há cinco minutos eu sentia saudade dele, e agora ele está aqui no meu quarto, sentado em minha cama e iluminado pelo luar.
– É sério, não estou brava. – Sem pensar, eu o puxo para a cama, e ele acaba espalhado ao meu lado, um pouco surpreso. Giro sobre seu peito e sorrio. Ele parece adorável deitado em meu travesseiro. – Não vá.
Bennett olha para mim por um momento, depois toca minha nuca e me beija, um beijo mais forte que de costume. E apesar do edredom grosso entre nós, consigo sentir o calor que o corpo dele irradia, a intensidade de cada um de seus beijos, independente do lugar onde ele beija. Os lábios. O pescoço. O peito. E por uns bons cinco minutos me perco completamente nele, beijando-o, deslizo os dedos por baixo da camiseta para poder sentir os músculos de suas costas mais tensos cada vez que ele me abraça com mais força. Mas em seguida me encontro novamente, lembro onde estou e me afasto parar olhar a porta do meu quarto.

— Está tudo bem. — Bennett cochicha no meu ouvido, mas sinto o hálito morno em minha nuca. — Não se preocupe com isso.

Eu me afasto um pouco mais.

— Meus pais...

— Não se preocupe com isso — repete ele. E por alguns minutos eu sigo o conselho de Bennett e me perco outra vez em seus beijos. Mas não consigo ignorar a porta por muito tempo. Espio de novo naquela direção, e ele percebe.

Bennett para e, arfante, sorri para mim. Meu cabelo está esparramado em todas as direções, e ele o reúne e segura de lado para poder ver meu rosto. Uma das mãos toca minha face.

— Sou eu, lembra? — diz ele. — Se seus pais entrarem, só preciso... desaparecer e voltar cinco minutos no tempo. — O sorriso agora é mais travesso. — Eles nunca vão saber. Nem *você* vai saber. Depois vai poder me puxar para a cama como acabou de fazer, e podemos fazer tudo — ele sorri — de novo.

Desvio os olhos da porta e me aproximo para beijá-lo outra vez. Mas, de repente, surge um pensamento. Não sei de onde ele vem, por que apareceu agora, ou por que nunca pensei em perguntar antes, mas ele está ali, surge com força total. Eu me afasto e olho para Bennett.

— Você nunca fez isso comigo antes, né? — Estou sorrindo, mas meu rosto está cheio de linhas. — Reformulou alguma coisa... e eu nunca soube.

O sorriso dele desaparece depressa demais.

— Bennett?

Ele não diz nada. Sua cabeça cai para trás e afunda no meu travesseiro.

— Uma vez. — As palavras flutuam no suspiro pesado.

Sinto o nó se formando, crescendo em meu estômago enquanto o encaro esperando ouvir mais. Bennett não diz nada. Fica ali deitado esperando que eu faça o próximo movimento.

– Quando? – Sento na cama, seguro o edredom contra o corpo e espero.

Ele me observa.

– Lembra aquela primeira noite... quando você foi à casa de Maggie e eu fui muito grosseiro?

Movo a cabeça dizendo que sim.

– Fui à livraria pedir desculpas, e nós fomos tomar café.

Repito o movimento.

– E eu levei você para casa.

Continuo assentindo, porque, sim, me lembro de tudo isso. Quero saber sobre a parte que *não* lembro.

– Eu beijei você.

– Você me beijou? – Eu teria lembrado.

Agora é ele quem assente. E só consigo encará-lo. Porque isso é impossível. Tudo o que eu queria naquela noite era que ele me beijasse, mas Bennett ficou falando uma bobagem qualquer sobre o que tinha acontecido na última vez não acontecer de novo. Não sabia o que ele queria dizer com isso, mas agora sei. Ele tinha me beijado. Foi isso que aconteceu.

– Foi mais do que eu deveria ter feito. Fiquei com medo do que tinha significado para você e... – Ele faz uma careta. – Eu beijei você. Depois fui para casa e percebi o que tinha feito. Então voltei no tempo e fiz tudo de novo como pretendia que fosse. Levei você para casa. E me despedi.

Enquanto eu ficava na calçada tremendo e confusa, vendo-o ir embora e pensando que tinha feito alguma coisa errada.

Enquanto eu passava as vinte e quatro horas seguintes me perguntando por que sentia alguma coisa por essa pessoa que não parecia ter nenhum interesse por mim.

Não consigo mais olhar para ele, por isso me encosto à cabeceira da cama, fecho os olhos e massageio as têmporas. Quando os abro outra vez, ele está me olhando com ar sincero e arrependido. Fecho os olhos de novo, dessa vez com mais força.

– Quando fez isso? – pergunto. – Quero saber o momento exato em que voltou no tempo. – Bennett não pode ter corrido o risco de encontrar a si mesmo, e naquela noite não nos separamos em nenhum momento. Agora me lembro de tudo. Eu tinha feito uma piada idiota sobre perder pessoas, e ele foi ao banheiro. Lembro como pensei que ele estava completamente diferente ao sair de lá. Na verdade, era outra pessoa, mesmo. – No banheiro – deduzo.

Bennett assente.

Bufo irritada.

– Não ia me contar nunca, não é?

– Não tinha motivos para isso, mas agora contei – responde ele, e o encaro furiosa. – Olha, não queria magoar você. Foi antes de...

– Então mentiu para mim? Para proteger meus *sentimentos*? Ele faz um *shh* para mim.

– Não menti para você. Só não contei. Não é a mesma coisa.

– Para mim, é.

– Fale baixo, Anna. Não vai querer que seus pais venham aqui.

– Meus pais? Por que se preocupa com eles? Pode desaparecer, simplesmente, e vou ficar aqui pensando em um jeito de explicar por que estou gritando. Sozinha. Em meu quarto.

— Mesmo assim, baixo o tom de voz e continuo sussurrando. — Ou, melhor ainda, por que não volta no tempo e apaga tudo? Assim não vai precisar ter *essa* conversa novamente.

— Eu não faria isso. — As quatro palavras saem uma a uma, uma maneira de demonstrar que ele é sincero sobre cada uma delas.

— Por que não? É perfeito! Só precisa sair, voltar dez minutos no tempo e fazer tudo de novo. Vou puxar você e dar uns amassos como fiz desta vez. E nem vou *saber* que houve um "desta vez".

Sinto as lágrimas se formando e resisto com todas as minhas forças para mantê-las represadas, escondidas atrás de um muro onde não possam causar nenhum estrago permanente. Se eu chorar agora, ele vai pensar que estou triste. Mas não estou. Estou furiosa. As lágrimas quentes e grossas são provocadas por um tipo de raiva que faz algumas pessoas socarem paredes.

— Anna — diz ele com voz calma. — Já fiz isso uma vez. Não vou fazer de novo. Não depois de ter decidido contar tudo. Não depois de ter decidido ficar com você.

Concordo com a cabeça.

— Ah. Entendo. Depois de *você* ter decidido. — Penso naquelas semanas, quase um mês, quando eu entrava na aula de espanhol todos os dias tentando entender por que ele tinha parado de olhar para mim após aquela noite. Pensando por que eu sentia uma conexão tão forte com alguém que parecia me odiar. — Bem, naquela noite que você *desfez*, antes mesmo de ter *desfeito*, eu decidi que queria ficar com você. Mas acho que isso não significa nada, não é?

O quarto está silencioso. Olho para ele. Bennett baixa os olhos para o edredom da cama.

— Eu errei — diz finalmente. — Fiz isso uma vez. Não vou fazer de novo. Não vou fazer *nunca* mais. — Sinto meu rosto suavizar, por isso comprimo os lábios para não desmoronar. E para manter aquelas malditas lágrimas no lugar delas.

— Acho que você precisa ir embora.

— O quê?

— Vá embora. Agora. Por favor. — Intencionalmente, uso as mesmas palavras e o mesmo tom de voz que ele usou para me expulsar da casa da avó há dois meses.

— Por favor... Anna.

— Você é um hipócrita. — Fecho os olhos e, por um momento, não há nenhum movimento ali além do meu tremor. Nenhuma palavra além das que já foram ditas, e que ainda ocupam todo o espaço do quarto. Abro os olhos, o encaro com expressão severa e digo: — Vá. *Puf.*

Sinto o colchão voltar à forma original quando ele se levanta da cama. Fecho os olhos e os abro novamente esperando descobrir que ele foi embora, mas, em vez disso, o vejo ali parado. Bennett parece triste quando fecha os olhos, mas não me movo nem digo nada. Apenas vejo o mapa preso à parede ficar mais nítido quando sua forma transparente desaparece da frente dele.

27

As manhãs de maio ainda são frias, mas agora posso correr com roupas mais leves, sem as luvas, as meias de lã e a touca. Quase não reconheço o homem de rabo de cavalo grisalho usando short e camiseta leve, e quando ele acena para mim com simpatia, correspondo com um sorriso fraco. O dia ensolarado e a paisagem verde e bonita não são suficientes para compensar minha disposição sombria, furiosa. Por isso meus pés batem no chão com mais força do que deveriam, e antes mesmo de chegar à pista sinto a dor queimando minhas canelas por causa do excesso de esforço. Mais tarde vou pagar caro por deixar meus pés darem o grito que eu não consigo dar.

Ao chegar à aula de espanhol, vejo Bennett sentado na carteira, exatamente onde tem que estar, e seus olhos mergulham nos meus quando percorro o corredor caminhando na direção dele. Sento em minha cadeira com uma expressão gelada.

Alguns minutos mais tarde, sinto um tapinha no ombro. Argotta está de costas para a sala, escrevendo uma série de conjugações no quadro, por isso me viro para trás, pego o papel dobrado e o abro.

Precisamos conversar.

Amasso o papel e jogo a bolinha no chão perto de Bennett.

Argotta vira de frente para a classe, e passamos os dez minutos seguintes falando sobre cada uma das conjugações. Quando ele vira de costas para escrever no quadro outro conjunto de verbos no infinitivo, sinto de novo o tapinha no ombro.

Bennett empurra o papel amassado para mim outra vez.

Desculpe. Não vai acontecer NUNCA mais.

Guardo o bilhete no bolso e me levanto, vou até a frente da sala e pego o passe para ir ao banheiro. Corro pela segurança da Rosquinha e, no banheiro, lavo o rosto com água fria. Agora que o vi, não sei como continuar zangada. Minha atração por Bennett é muito forte, e me sinto encantada demais com tudo que aprendi sobre ele para continuar zangada. Quero entender por que ele fez o que fez e quero lhe dizer por que isso me magoou tanto e quero acreditar que ele se arrependeu, porque, então, não vou mais precisar ficar brava.

Olho para o espelho por um bom tempo, vejo meu reflexo até ele perder o foco e se transformar, deixar de se parecer com alguém que conheço, respiro e recupero a força. Enquanto volto à sala de aula, ensaio o que quero dizer.

Mas quando a aula termina, não tenho tempo de pará-lo e dizer o que tenho em mente. Assim que chegamos ao corredor, Bennett me leva em sentido contrário ao da maioria, desafiando as leis da Rosquinha, movendo-se contra a corrente de corpos famintos que se dirigem ao refeitório. Ele empurra a porta dupla que se abre para a quadra e para. O dia ensolarado atraiu quase todo mundo para fora, e não conseguimos ver nenhum lugar tranquilo.

Sem dizer nada, voltamos ao corredor procurando um canto sossegado.

– Venha comigo – diz ele, como se eu tivesse escolha, e me puxa por entre os grupos remanescentes até chegarmos perto dos vestiários do outro lado da escola. Bennett para no armário número 422, que, percebo pela primeira vez, é dele. Depois de girar o segredo seguindo a combinação, ele levanta a trava de metal com um clique. Diferente do meu armário, decorado com fotos e horários e cheio de livros e pacotes de goma de mascar, o dele é vazio e completamente destituído de personalidade. Como o quarto dele na casa de Maggie: é funcional, mas temporário.

Bennett guarda nossas mochilas lá dentro e bate a porta.

– Podemos sair daqui? – Ele segura minha mão e olha para o corredor vazio, certificando-se de que estamos sozinhos. Antes que eu possa compreender o que está acontecendo, tenho aquela sensação ainda nova de que meu intestino foi retorcido e espremido. Fico de olhos fechados, inspiro, e um momento mais tarde sei pelo cheiro à minha volta, pelo som dos pássaros cantando, que não estamos na Rosquinha.

Abro os olhos.

É de manhã cedo, mas já faz calor no pequeno porto, e giro para olhar em volta. Tudo que me cerca é amarelo, azul ou vermelho, um mar de cores primárias cercado em três lados por colinas, com o mar aberto no quarto lado. Vejo uma igreja com uma cruz verde e brilhante no topo. Uma encosta coberta de casas de cores vivas, divididas em seções por escadas sinuosas construídas na própria encosta íngreme. Com exceção de alguns poucos pescadores no porto, estamos sozinhos naquela pequena e bela cidade, cujos habitantes ainda dormem antes do café da manhã.

Sorrio de cabeça baixa para ele não ver – Bennett não merece esse prazer. Por mais incrível que seja este momento, ele não está jogando limpo.

– Tudo bem – digo, e injeto na voz uma boa dose de veneno. – Desisto. Não tenho ideia de onde estamos.

– Em um lugar tranquilo.

Ele me leva além do porto cheio de coloridos barcos de pesca para as pedras que invadem o mar como um píer. Quando chegamos à praia, Bennett sobe nas pedras lisas, e eu o sigo, passando de uma para a outra. Por fim, ele se senta entre duas rochas enormes, sobre uma pedra mais baixa que é como um banco estreito com espaço suficiente apenas para nós dois nos espremermos. Ele me olha de lado, o rosto perto do meu, e sorri para mim esperançoso.

– Ainda zangada?

Não consigo decidir se quero abraçá-lo ou empurrá-lo da pedra.

– Sim, Bennett, *ainda* estou zangada. Vai me levar para uma ilha cada vez que pisar na bola? Você nem pediu permissão.

– Só estava procurando um lugar sossegado para conversar. E não estamos em uma ilha. É uma vila de pescadores. – Ele parece mais infeliz do que acho que devia parecer. – É Vernazza.

Fecho os olhos e escuto o barulho das ondas batendo nas pedras, em vez de escutar o som do meu coração batendo dentro do peito. Vernazza. Itália.

– Desculpe. – Perdi as contas de quantas vezes ele disse isso. Bennett segura meu queixo e me força a encará-lo, mas desvio o olhar. – Eu devia ter contado.

– O problema não é você não ter me contado antes. – Olho para as pedras e organizo meus pensamentos. Sou capaz de perdoá-lo por não ter me contado. Quase posso entender por que não contou. O que não consigo superar é ele ter feito o que fez; Bennett me roubou o livre-arbítrio.

— O que é, então?

— Você tem o poder de mudar a vida das pessoas, Bennett. E não estou falando de um jeito romântico, cafona. Você pode alterar minha vida *literalmente*. Naquela noite, você a mudou sem me dar escolha, mas não pode fazer isso.

— Você não deixou Emma escolher. Não deu escolha a Justin — responde ele. — Mudamos a vida deles, e não me lembro de termos pedido permissão.

— É completamente diferente.

— Não, não é — explica ele. — Não sabemos o que aconteceu entre a hora em que cada um deles acordou naquele dia até o momento em que foram atingidos por um carro em alta velocidade. Talvez um deles tenha feito ou falado alguma coisa especialmente importante, uma coisa que nós apagamos. Mudamos. Mas agimos assim porque pensamos que estávamos fazendo o que era certo; queríamos protegê-los do sofrimento. Meu raciocínio não foi diferente.

— Eu tive que *implorar* para você considerar a possibilidade daquela reformulação. O que aconteceu com a regra de não mudar as coisas? O quê? As regras só valem quando são convenientes para você?

— Eu estava protegendo você.

— Não pode me proteger. Não o tempo todo.

— É esse o ponto. Eu posso. E vou. Mesmo que para isso eu precise mentir para você.

Não consigo olhar para ele. Em vez de encará-lo, olho para as pequenas ondas e as vejo cobrirem as pedras e recuarem novamente.

– Não quero que me proteja, Bennett, não *desse* jeito. Só porque você é *especial*, isso não significa que pode escolher minhas experiências. Não pode decidir o que sei e o que não sei. O que sinto ou não sinto. Não é assim que funciona.

– Escute, Anna, quando mudei o que aconteceu naquela noite, as coisas eram diferentes. Eu estava tentando ficar o mais longe possível de todo mundo. Não queria isso.

Olho diretamente para ele.

– Agora eu quero – acrescenta ele, esclarecendo a situação. Ficamos em silêncio por um tempo. – Não voltei a fazer aquilo – declara Bennett por fim. – E não vou fazer nunca mais.

Ele olha para mim, e posso perceber que cada palavra é verdadeira – também vejo o quanto ele quer acabar com isso –, mas ainda acho que ele não entende quão magoada estou por ele ter ultrapassado um limite que nunca pensei que precisasse definir, especialmente para ele.

– Lembra quando me pediu para escolher se eu queria ou não ficar com você? – pergunto. – Contou todos os seus segredos, e me deixou decidir se eu queria ou não.

Bennett olha para a água e assente.

– Aquilo foi muito importante para mim, o fato de *me* deixar escolher. E é isso que torna tão difícil entender como pôde fazer uma escolha *por* mim.

– Eu errei.

– E... – começo, mas as palavras ficam presas na garganta. – Perdemos três semanas. Podíamos estar juntos há mais tempo, mais três semanas.

Ele deixa escapar um suspiro, e seu rosto é a imagem do desânimo quando tudo se encaixa; ele tirou algo de mim, mas também tirou algo de *nós*. Quando Bennett se desculpa de novo, por fim ouço o remorso que estava esperando, e quando ele me puxa contra seu corpo, sinto a raiva começar a desaparecer.

– Não vai acontecer de novo.

– Eu sei – respondo enquanto assinto com tristeza, e me afasto para que ele possa ver meus olhos quando digo as palavras seguintes. – Bennett, de certa forma não me incomodo por você poder mudar os eventos da minha vida, por mais que isso seja bizarro. – Olho para ele com um sorriso amarelo, o primeiro sorriso genuíno que ele vê desde que descobri o que ele fez. – Mas é minha vida. Só eu decido o que acontece nela. – Estendo a mão. – Combinado?

– Combinado – responde ele, e a aperta.

– Então, vai me mostrar este lugar, ou não?

Vernazza é exatamente como ele a descreveu. Nós nos afastamos do porto e seguimos em direção ao que parece ser a parte principal da cidade, caminhando por ruas estreitas pavimentadas com grandes paralelepípedos e repletas de lojinhas que ainda não estão abertas. Bennett caminha até uma porta sobre a qual tremula uma bandeira italiana acima de um toldo listrado, abre-a para mim e eu entro. Os sinos sobre a porta tilintam, e por um momento penso que estou entrando na livraria de meu pai. Isto é, até sentir o cheiro de pão doce e quente que domina cada cantinho da padaria.

A mulher atrás do balcão se aproxima, acomoda um prato com uma montanha de pães torcidos atrás do vidro e olha para nós.

– *Buon giorno.*

– *Buon giorno* – responde Bennett. – *Cappuccini, per favore.*
– Ele levanta dois dedos, e a mulher se posiciona diante da grande máquina de café *espresso*.

Uma grade de cartões-postais perto da janela atrai meu olhar e me aproximo dela, girando o pedestal para ver todas as fotos coloridas de Vernazza e das cidades em torno. Sinto Bennett olhando para mim. Viro bem a tempo de vê-lo apontar para um pote de vidro sobre o balcão. A mulher pega dois *biscotti* mergulhados em chocolate e os coloca em pratos azuis brilhantes. Bennett aponta para mim, embaixo da placa que anuncia *6/£1.000* em uma caligrafia floreada que imagino ser dela.

– Pode acrescentar seis cartões-postais à conta, *per favore?*

– Seis mil liras, querido – anuncia ela.

– Pode me emprestar isso? – escuto Bennett perguntar, mas não consigo ver do que está falando. Ele equilibra os *biscotti* sobre as xícaras de café e empurra a porta com o quadril, me deixando lá dentro. – Pegue os seis que preferir. Vou esperar na mesa lá fora. – Os sinos tocam com o fechar da porta depois que ele sai.

Quando chego na mesa, Bennett está reclinado em uma cadeira sob um guarda-sol amarelo-vivo, bebendo o café. Eu me sento na cadeira ao lado dele e o vejo apontar a pilha de cartões. – O que escolheu?

Espalho os postais sobre a mesa de tampo de vidro.

– Escolha um.

– Qualquer um?

– Qualquer um – diz Bennett. – Escolha um e me dê.

Escolho a foto do porto com os barquinhos de pesca, a primeira coisa que vi quando chegamos aqui, e a entrego para

Bennett. Ele pega duas canetas embaixo da beirada de um dos pratinhos azuis e me oferece uma.

– Agora escolha um para você. Vou escrever um cartão para você, escreva um para mim. – Ele se debruça sobre o postal para escondê-lo e começa a escrever. Olho para os barquinhos no meu cartão, e pela primeira vez em algum tempo eu lembro: *ele não fica*. Um dia em breve podemos não estar juntos como estamos agora, e esses cartões serão o que teremos quando mais sentirmos saudade um do outro. Sinto a pressão de corresponder a um padrão altamente romântico e componho meus pensamentos antes de registrá-los no papel. Então escrevo:

Querido Bennett:
Desde que consigo lembrar, sonho ver o que existe fora do único mundo que conheço – além de minha vida segura, normal. E agora estou aqui, em um vilarejo de pescadores tão longe de casa – tão longe do "normal" – quanto é possível. E por mais incrível que isso seja, de uma coisa tenho certeza: nada teria importância se você não estivesse sentado aqui ao meu lado. Pode me levar a qualquer lugar. Ou a nenhum lugar. Mas, onde quer que você esteja, é lá que eu quero estar.

Paro e hesito, olhando para Bennett antes de escrever as próximas palavras. Talvez a palavra *amor* seja demais, mas eu a sinto pressionando meu peito, querendo abrir caminho até o papel. Então, me permito escrever:

Com amor,
Anna

Antes de perder a coragem, empurro o cartão na direção dele. Vejo Bennett terminar de escrever, virar o cartão com a foto para cima e empurrá-lo para mim por cima da mesa. Cada um de nós pega seu cartão e lemos a mensagem ao mesmo tempo.

Anna,
Desculpe por não ter te contado, mas prometo que isso nunca mais vai acontecer. De agora em diante, você sempre vai poder decidir seu futuro.
Com amor,
Bennett

Pelo menos ele também usou a palavra *amor*. Devolvo o cartão à mesa com a mensagem voltada para baixo, para o vidro, e forço um sorriso.

— Obrigada.

Ele me olha confuso, percebe que errou o alvo, mas não sabe exatamente como. Sinto que Bennett me observa enquanto pego o *biscotti* e dou uma mordida.

— O que é? — pergunta ele.

— Nada.

— Não, você está decepcionada.

Dou de ombros e engulo o *biscotti*.

— É que... o cartão foi meio fraco. — Olho para ele querendo mostrar que o perdoo. — Além do mais, não precisa ficar se desculpando. — Pensei que ele já me conhecesse melhor: quando tomo uma decisão, não olho para trás. — Era isso mesmo que queria dizer?

— Não — admite ele. — Sei exatamente o que quero dizer. Mas não preciso de um postal para isso.

– Muito bem, estou ouvindo.

– Então, lá vai. – Bennett respira fundo, como se estivesse se preparando para algo épico. – Eu... Você... Você é incrível, Anna. Adoro sua paixão por viajar pelo mundo, mas tenho que confessar que não a entendo completamente. Quando olho para essa vida "normal" que você tanto quer abandonar, não vejo nada de *tedioso* ou *previsível*, vejo amigos que a amam e uma família que faria qualquer sacrifício por sua felicidade. Vejo o tipo de segurança que nunca tive e sempre quis. Posso ter aberto a porta para você descobrir o mundo que eu conheço melhor, mas você e sua família me deram um mundo que não existe no mapa. Quando estou aqui, nós dois temos a vida que queremos. Você tem sua aventura ousada, e eu tenho meu *nada* perfeitamente aceitável. E, mais importante, temos um ao outro.

– Ah, esse é o seu cartão-postal. Espero que escreva tudo isso. – Empurro outro postal para ele e sorrio, mas nem tudo do que eu disse é brincadeira.

Ele prossegue como se eu não o tivesse interrompido.

– Não acredito que vou conseguir voltar para uma vida sem você.

– O que está dizendo?

– Estou dizendo... que estou completamente apaixonado por você. E acho que estou pensando... e se eu não for embora, no fim das contas?

As palavras que minutos antes comprimiam meu peito agora saem da boca de Bennett, e apesar de querer muito vê-las no papel, acho que não estava preparada para ouvi-las. Ele me ama. Quer ficar comigo. Não consigo processar completamente nenhuma dessas ideias, mas me sinto meio tonta com toda a esperança que corre em minhas veias. E acho que ainda estou olhando para ele.

— Você concorda com isso?

— Com o quê?

Ele sorri.

— Bem... com as duas coisas, acho.

— Sim. — Estou ali sentada assentindo, sem saber como responder, mas certa de que quero fazer isso. E em vez de dizer a ele o que sinto, escolho o caminho mais fácil.

— Quanto tempo vai ficar?

— Até a formatura?

Penso de novo no que ele disse na livraria na noite em que me beijou pela primeira vez — *eu nunca fico* — e tenho certeza de que agora ele pode ver a incredulidade em meus olhos.

— Pensei que não pudesse.

Ele dá de ombros.

— Não pensei que pudesse, mas, bem... estou aqui há todo esse tempo.

— E Brooke?

— Quando ela afinal voltar para casa e eu não tiver mais uma desculpa para ficar aqui, vou dizer a todo mundo que Maggie precisa de mim e que quero ficar com ela. E vou contar sobre você...

— Acha mesmo que eles vão aceitar? Não vão ficar furiosos?

Bennett balança a cabeça numa negativa, mas diz:

— Com toda certeza. — E abre um grande sorriso.

Sinto meu rosto se iluminar conforme as palavras dele ecoam em minha cabeça. *Estou completamente apaixonado por você. E se eu não for embora?* Ele quer ficar comigo.

— Você vai ter que participar de muitos jantares de terça-feira — digo. — Acha que consegue aguentar?

– Você vai viajar muito – responde Bennett. – Acha que *você* consegue aguentar? – E se debruça sobre os postais, empurra meu cappuccino para o lado e segura meu rosto com as mãos. No fundo de seu beijo existe um novo tipo de promessa para o nosso futuro, mas, na superfície, tudo o que sinto despertando e provocando cada terminação nervosa é a intensidade do que temos no presente.

Passamos o resto do dia em Cinque Terre.
   E passamos a noite lá.

28

Enfio um alfinete na pequena cidade de Vernazza e me afasto, apreciando como o mais novo marcador criou uma ponte entre o Sudeste da Ásia e o estado de Illinois.

Graças ao talento de Bennett, cheguei em casa sem meus pais perceberem que eu tinha passado a noite fora, e embora eu não tenha certeza sobre o que aconteceu aqui, tenho uma ideia plausível: não voltei para a escola. E não apareci na livraria para trabalhar. E não jantei em casa. Em algum momento, meus pais podem ter enlouquecido de preocupação. Talvez tenham chamado a polícia. Vizinhos podem ter percorrido as ruas com lanternas. Talvez até cartazes tenham sido impressos e grampeados em postes de telefone. Mas, vinte e duas horas mais tarde, quando Bennett me devolveu ao lugar na frente de seu armário – o lugar onde fizemos um breve intervalo em nossa briga para dar as mãos, fechar os olhos e deixar o corredor no dia anterior –, menos de um minuto havia passado, e ninguém estava preocupado, porque ninguém tinha sentido minha falta.

Apesar de saber como o dia deve ter sido horrível para as pessoas que amo, não consigo me arrepender. Naquelas vinte e duas horas, Bennett e eu subimos a escada da montanha para a trilha que vai de Vernazza a Monterosso, a mais íngreme das trilhas que conecta os cinco vilarejos. Ela nos leva por bosques de oliveiras e vinhedos, nos desafia com subidas difíceis e caminhos estreitos, mas nos recompensa no final com a mais incrível vista dos dois vilarejos e do Mediterrâneo.

Passamos a tarde em Monterosso, mas, quando nos cansamos dos turistas e sentimos saudade da tranquila Vernazza, fretamos um barquinho que nos levou de volta ao ponto de partida. Enquanto ele cortava a água azul pulando e balançando sobre as ondas, eu me reclinava preguiçosa contra o peito de Bennett e sorria para as nuvens. Pouco antes de chegarmos ao píer, ele me abraçou, se inclinou para a frente e sussurrou em meu ouvido:

– Passe a noite comigo.

Agora que penso nisso, lembro que nem questionei minha resposta. E com certeza não pensei em telefonemas apavorados, cartazes, polícia e busca na vizinhança, embora devesse ter pensado. Em vez disso, tomei a decisão egoísta de ficar nos braços de Bennett, e vi de uma pequena *pensione* aninhada na encosta o sol da Toscana nascer sobre a baía.

29

Um alarme estridente invade o quarto, e antes que eu possa processar mentalmente o gesto, minha mão cai com força sobre o relógio digital no criado-mudo para me dar mais dez minutos. Só quando a culpa sobe na cama e se aninha ao meu lado embaixo das cobertas macias eu por fim me conformo, jogo os dois pés para o chão com um baque audível e, com a mente controlando o corpo, começo a me mover pela escuridão, os braços estendidos por medida de segurança a caminho do armário.

Dez minutos mais tarde, a música pulsa em meus ouvidos enquanto cumpro as voltas de costume, passo pelo homem de rabo de cavalo grisalho e chego à superfície esponjosa da pista. Corro perdida em pensamentos, cantando o refrão da música, quando um movimento na arquibancada atrai meu olhar. Olho para cima e vejo Bennett sentado no banco de metal – como naquele primeiro dia, vestindo a mesma parca preta e exibindo o mesmo sorrisinho –, mas dessa vez não hesito. Viro e corro para o centro do campo de grama verdejante, acenando para ele ao me aproximar. Subo os degraus de cimento de dois em dois.

— Viu? Está me vigiando — falo ofegante quando sei que ele pode me ouvir. — Eu sabia.

Ele se levanta, olha em volta e desce alguns degraus para me encontrar.

— Oi. Eu beijaria você, mas estou toda suada. — Paro ao lado dele e levanto a barra da camiseta para enxugar minha testa. — O que está fazendo aqui? E por que essa jaqueta? A temperatura aqui fora já deve estar beirando os vinte graus.

— Ah, meu Deus. Você me conhece. Anna, você me conhece?

— Sim. Hummm... por que não conheceria?

Ele comprime os lábios e pressiona as têmporas com a ponta dos dedos, e começo a perceber que alguma coisa está errada.

— Estava tentando voltar. — Sua voz é aguda, os olhos estão muito abertos e cheios de pânico. — Não conseguia voltar. Que dia é hoje?

— Terça-feira. Maio... — Penso um pouco. — Dia dezesseis, acho. — Acrescento o que seria óbvio para a maioria das pessoas, mas pode não ser para ele. — Estamos em 1995. Bennett, você está me assustando. Qual é o problema?

— Ah, meu Deus — geme ele baixinho. — Ainda estou aqui. — E, diretamente para mim: — Ainda estou aqui.

Na verdade, ele está em pé na minha frente, por isso movo a cabeça numa resposta afirmativa. Dou um passo para trás e observo seu rosto enquanto ele processa a informação.

— Anna, me desculpe. Estou tentando voltar para você desde...

Começo a entender.

— O quê? Desde quando?

— Anna, escute. Isso é importante. Brooke voltou para casa. Diga a ele... quero dizer, a *mim*... que Brooke voltou. E me diga para mostrar a você... — Mas, antes que possa dizer mais alguma coisa, ele desaparece.

— O quê? — pergunto. — Mostrar o quê? — Mas estou falando com o vazio, imaginando de onde e quando ele veio e o que tem que me mostrar. Olho para a arquibancada, procuro como se ele ainda pudesse estar ali, mas sei que não está. Quando Bennett desaparece, ele vai mesmo embora.

Desço correndo os degraus, atravesso o campus e volto para a rua. *Brooke voltou para casa.* As árvores passam como borrões e só paro nos semáforos, tentando não pensar na imagem de Bennett desaparecendo contra sua vontade. Meu coração bate tão depressa que é como se fosse explodir quando chego à varanda de Maggie e bato na porta com força. Dobro o corpo para a frente tentando recuperar o fôlego enquanto espero Bennett me atender.

— Anna. — Maggie se surpreende ao me ver suada e vermelha, e o tom da voz dela ao me dizer bom dia demonstra que ela não acha que eu deveria estar ali tão cedo.

— Bom dia, Maggie — arfo. — Sinto muito. Sei que é cedo. Bennett está em casa?

Ela puxa a porta e me convida a entrar.

— Acho que ele ainda não foi para a faculdade. Pode subir.

— Obrigada — digo, já passando por ela e correndo para a escada, depois pelo corredor até o quarto de Bennett. Bato, tento ouvir algum movimento e começo a entrar em pânico com o silêncio. Ele disse que estava tentando voltar. *E se ele já foi?* Mas Bennett abre a porta usando apenas uma calça de moletom, o cabelo molhado e um sorriso. Respiro profundamente. Ele ainda está aqui.

Jogo os braços em torno de seu pescoço, aliviada por sentir o cheiro do xampu e o calor da pele ainda úmida.

— Ei, o que aconteceu? — pergunta ele animado, mas parece perceber pelo abraço aflito e apertado que estou ali por uma razão. — Tudo bem?

Eu me afasto um pouco.

— Tem alguma coisa errada.

Bennett me puxa para dentro e fecha a porta. Não entro nesse quarto desde que nos sentamos naquela cama e eu implorei para ele reformular um dia. Faz só um mês, mas parece que se passaram anos.

— Vi você na pista de corrida, como daquela vez em março.

— De novo isso? Já falei que eu nunca...

— Bennett. Acabei de ver... outro... *você*. — Eu planejava dar a notícia com um pouco mais de delicadeza, mas agora tenho sua total atenção, pelo menos. — Você estava na pista de novo, mas desta vez consegui falar com você, e você me reconheceu. E ficou chocado porque o reconheci.

— Tem certeza? — pergunta ele, e eu confirmo de olhos arregalados e totalmente segura. — O que foi que eu disse? Exatamente? Quais foram as palavras exatas que usei?

— Você me perguntou a data, e ficou surpreso quando eu falei em que dia estamos. E quando percebeu que... — Apoio a mão em seu peito. — Que ainda estava aqui. — Ele me encara com a testa franzida e um ar confuso. — Me disse para avisar que Brooke voltou para casa.

— O quê?

Assinto.

— Foi isso que você falou.

Ele olha para o relógio como se a hora pudesse ajudá-lo a resolver esse enigma.

— Ela está em casa? — pergunta a ninguém em particular.
Faço que sim com a cabeça.

— E tem mais. — Ele olha para mim. — Você contou que estava tentando voltar para cá "desde que". E me disse para pedir a você que me mostrasse alguma coisa, mas não falou o que era. Você estava no meio da frase quando desapareceu, como se não pudesse evitar que isso acontecesse. — *Como se não tivesse controle*, quero dizer, mas fico quieta.

Ele olha em volta, para a janela, para todos os lugares, menos para mim.

— Bennett, o que está acontecendo? — Cerro os punhos sobre as coxas e espero ele dizer alguma coisa, qualquer coisa que me faça sentir melhor.

— Não sei.

30

Papai está nos levando para casa depois das regionais de atletismo, nas quais marquei o melhor tempo nos três mil e duzentos metros e garanti uma vaga nas finais do estadual, quando Bennett pede do banco de trás:

– Pode me deixar em casa no caminho, sr. Greene? – A voz dele é robótica, como tem sido desde que ele sofreu o choque de me ouvir falar que tinha conversado com o outro Bennett.

Não sei o que está acontecendo. Sei que Brooke voltou para casa e ele ainda está aqui, mas há alguma coisa que ele deve me mostrar. Sei que durante a semana inteira ele respondeu às minhas perguntas com monossílabos e sorrisos forçados, antes de mergulhar novamente nos próprios pensamentos. Ele já me deixou sozinha duas vezes esta semana para ficar sentado pensando, e agora nem sei mais se ainda vamos ao cinema com Emma e Justin esta noite.

– Pego você às sete – diz ele sem olhar para mim. Eu o vejo descer do carro e desaparecer dentro da casa de Maggie.

Pelo menos agora sei alguma coisa.

O telefone começa a tocar no segundo em que entro em casa, e ainda nem acabei de dizer alô quando escuto a voz de Emma do outro lado.

– Vamos fazer compras na cidade. Passo para pegar você em meia hora.

Olho para os meus sapatos e para o número ainda preso em meu peito.

– Hoje não, Em. Acabei de chegar em casa. – Além do mais, quero acrescentar, já tenho planos para hoje. Vou passar a tarde tentando encontrar um jeito de fazer as coisas voltarem ao que eram com Bennett.

Como se não bastasse, ouvi-la falar as palavras *cidade* e *passo para pegar você* me faz ter visões horríveis de Emma deitada em um quarto estéril, com cortes espalhados pelo rosto, tubos e agulhas enfiados no corpo como apêndices estranhos. Posso praticamente ouvir o muxoxo do outro lado da linha, mas a imagem mental só fortalece minha decisão.

– Não vou fazer compras, Emma.

– Anna. Greene. A festa do leilão é no próximo fim de semana. O que vai vestir?

– Pego alguma coisa emprestada no seu armário. Como faço todos os anos.

Ela estala a língua como se não conseguisse entender por que ainda sou sua melhor amiga.

– Bem, então me ajude a escolher o que *eu* vou vestir. Preciso de alguma coisa nova, brilhante e linda.

– Mas eu não estou...

– Por favor – choraminga. – Preciso dos seus conselhos.

Ela não precisa, mas olho para o relógio e suspiro.

– Obrigada! – exclama Emma. – Você tem quarenta e cinco minutos para se arrumar! – E desliga sem esperar por uma resposta.

– Pelo que entendi, vai fazer compras com Emma – comenta meu pai, e eu me viro. Não tinha notado que ele estava ali.

– Parece que sim.

– Bem – ele tira a carteira do bolso e me oferece o cartão de crédito –, aqui está. Agora não precisa pegar um vestido emprestado.

⁂

Vamos de carro à cidade – Emma falando sem parar, eu em silêncio e tensa, agarrada à maçaneta da porta – e passamos o sábado ensolarado fazendo compras na avenida Michigan. Emma escolhe para a festa um vestido gracioso num tom escuro de laranja, e a cor fica perfeita sobre sua pele morena. Eu prefiro um modelo preto muito mais simples, mais parecido *comigo* do que qualquer roupa do armário de Emma. Quando me examino diante do espelho, imagino Bennett me conduzindo entre os alunos e seus acompanhantes, os funcionários e seus maridos ou esposas, mães e pais, conforme contornamos o observatório do nonagésimo nono andar do Sears Tower, e meu peito se comprime quando penso no que não quero pensar: e se ele não estiver aqui no próximo sábado?

Compreendo que ele vai ter que ir para casa em algum momento, mas vai voltar e ficar para a formatura. *Não vai?* Quero acreditar nas palavras que ele disse em Vernazza há duas semanas – *E se eu não for embora, no fim das contas?* –, mas elas insistem em brigar com as outras que ouvi na pista há cinco dias – *Estou tentando voltar para você desde...*

Mais duas sacolas e quatro horas depois, Emma decide que precisamos voltar para casa imediatamente, antes que ela gaste mais um centavo. Quando estamos a caminho do carro, ela tem uma ideia.

– Ah, Anna! – Dou um pulo quando o grito ecoa pelo estacionamento. – Vamos para minha casa, e ajudo você a se arrumar para o encontro desta noite! Eu escolho uma roupa, arrumo seu cabelo e faço a maquiagem! Vamos! Vai ser divertido!

Divertido? Já fui seu projeto antes, e não escolheria essa palavra para descrever a experiência.

Depois de guardar as sacolas no porta-malas, nos acomodarmos no Saab e escolhermos uma música, Emma olha para mim e anuncia:

– Já pensei na roupa perfeita!

―――⌒―――

Emma e eu passamos o resto da tarde nos arrumando. Ela me veste e me despe, me cutuca e aperta, puxa e escova meu cabelo. E, enfim, levanta os braços para o ar e declara seu trabalho concluído, segurando meus ombros e me fazendo virar de frente para o espelho do quarto dela.

– Tá dá! – grita. E eu olho para o reflexo. Tudo bem, tenho que admitir que estou ótima. Ela prendeu meus cachos escuros com uma fivela e deixou algumas mechas soltas nas laterais, criando uma moldura para o rosto. Sinto a maquiagem pesar no meu rosto, mas ela fez um ótimo trabalho com as cores, e não pareço uma palhaça. Olho para meus pés – estou praticamente na ponta deles, graças aos saltos grossos – e subo pela meia-calça preta até a saia curta e justa. A camiseta justa de algodão tem um decote maior do que costumo usar, então cruzo os braços como se precisasse cobrir alguma coisa.

– Pare com isso. – Ela puxa meus braços e os segura em paralelo ao meu corpo. – Você está deslumbrante.

Suspiro, mas relaxo os braços.

– Tem certeza?

– Absoluta. – Emma se aproxima da janela e olha para fora. – Onde estão aqueles dois? Já estão vinte minutos atrasados.

Enquanto olho para o meu reflexo no espelho, sinto o coração disparar. E se ele não vier? E se já foi embora?

– Deslumbrante! – Emma elogia minha aparência outra vez. – Ooohh. E adivinhe quem está prestes a dizer a mesma coisa? – Corro para perto de Emma na frente da janela, pressiono o rosto contra o vidro e vejo Bennett e Justin descerem do carro e se aproximarem da porta da frente da casa. Solto o ar que nem percebi que estava prendendo. – Ah, olhe só para eles. Nossos garotos estão fofos demais! – Emma joga um beijo na direção de Justin, segura minha mão e me puxa para a escada. – Vamos.

Ela corre para a porta como se fosse explodir de entusiasmo e, quando a abre para receber os garotos, seu sotaque é ainda mais forte que de costume. Não consigo deixar de sorrir para ela. Ou talvez eu sorria porque os meninos estão realmente fofos. Ou talvez porque, embora esteja usando salto alto, uma saia mais curta do que minha mãe jamais aprovaria e mais delineador que o Marilyn Mason, tem algo neste momento que é mais normal do que qualquer coisa em toda esta semana.

Bennett também deve ter sentido, porque, quando me vê, faz vários elogios e me dá um abraço apertado que sinaliza que ele está aqui – *realmente* aqui. Então, pela primeira vez desde que descobrimos que Brooke voltou para casa, tenho a sensação de que sou tudo o que importa para ele, que não há um lugar mais importante onde ele devesse estar.

Quando chegamos ao cinema, caminhamos lado a lado, Bennett com um braço sobre meus ombros, Justin e Emma de mãos dadas. Na fila para comprar pipoca, Justin me diz de um jeito meio fraternal que estou muito bonita esta noite. Emma fala para eu parar de tentar roubar seu namorado, e Bennett brinca enganchando o braço no dela, dizendo que vai ser seu parceiro esta noite, e a leva para dentro da sala carregando o enorme pacote de pipoca.

E é assim pelo resto da noite. Nós quatro somos só nós quatro, e Bennett e eu somos só nós dois, e tudo é muito normal, não uma encenação – tudo é normal, mas de um jeito real e confortável que me faz pensar que ele encontrou um jeito de resolver tudo. Que essa ainda é a vida que ele quer de verdade – segura, sem graça e completamente normal.

Deito a cabeça em seu ombro, pego um grande punhado de pipoca e olho para a tela, feliz por agir como se não tivesse encontrado *outro* ele e descoberto um *desde que* sobre o qual nenhum de nós tem controle. Como se sair num encontro duplo, comer pipoca com manteiga e Twizzlers fosse a coisa mais importante do mundo para nós, como se nossa aventura ousada ainda estivesse a todo vapor, como se não houvesse relógios à vista por quilômetros.

Bennett deixa Justin e Emma em suas respectivas casas e, no caminho para a minha, meu coração fica apertado. Não quero que minha noite normal chegue ao fim. Não quero pensar em quando Bennett pode ir embora ou quando vai voltar, e certamente não quero que ele acorde amanhã de novo tão absorto nos próprios pensamentos que esqueça que esta noite foi divertida.

– Tudo bem?

Toco seu braço.

– Não muito. Quero que você converse comigo.

Ele dirige por mais alguns quarteirões, depois para no estacionamento de um prédio comercial e desliga o motor. Os faróis se apagam, e nós dois ficamos ali, em silêncio, olhando pelo para-brisa para nada em especial.

Por fim, ele muda de posição no assento e olha para mim.

– Eu estava falando sério em Vernazza. – Sua voz é baixa e firme, os olhos estão tristes e distantes.

Espero ouvir o *mas*. Ele não vem, e eu preencho as lacunas por Bennett.

– Mas não acredita que vai poder ficar?

Ele suspira.

– Não sei, Anna. Esse território é totalmente desconhecido. Nada disso aconteceu antes. – E olha pela janela atrás de mim, para a escuridão.

– O que você tem que me mostrar, Bennett?

Ele balança a cabeça.

– Estou tentando descobrir, mas a única coisa que consigo pensar é que ele, *eu*, estava falando sobre uma coisa que não posso mostrar.

– Por que não?

— Porque... está no meu quarto. No meu quarto *de verdade*, em São Francisco. Em 2012. Acho que não é uma boa ideia trazer isso para cá, e *sei* que é uma má ideia levar você para o futuro.

— Mas na pista *você* me falou sobre isso. Disse que eu precisava *ver* alguma coisa, o que quer que fosse. Acho que você *deve* me mostrar, Bennett.

Ele comprime os lábios.

— Prefiro simplesmente falar sobre isso.

— Você tem que *mostrar*. Foi o que disse. — Seguro as mãos dele. — E quero ver seu quarto.

— De jeito nenhum. — Ele solta minhas mãos e agarra o volante. Depois me encara. — Já disse, Anna, levo você a qualquer lugar do mundo aonde queira ir, mas nunca antes ou depois desta data. Não pode ver seu futuro.

— Mas eu não... Estou vendo o *seu* presente. Estou observando, exatamente como você.

— Não devo levá-la ao futuro.

— Quem disse?

— Eu.

— E se você estiver errado?

— E se não estiver?

— Também achava que não devia desfazer um acidente de carro, mas, no fim, tudo acabou bem. Escute — continuo —, você tem que me mostrar alguma coisa. Além do mais, se realmente for embora, se por alguma razão não puder... — As palavras ficam presas na minha garganta. Não consigo pronunciá-las. — Só preciso saber onde você vai estar.

Bennett olha para mim por um longo instante. Não sei em que está pensando.

— Por favor – peço. — Só alguns minutos. Você me mostra o que preciso ver e me traz de volta.

Bennett fecha os olhos, e o carro fica em completo silêncio enquanto olho para ele. Minutos passam, e afinal ele tira a chave da ignição e guarda no bolso da calça. Estendo as mãos para ele.

Fecho os olhos e o escuto dizer:

– Cinco minutos.

31

— Chegamos.

Abro os olhos. O quarto está escuro, mas estamos em pé diante do centro de uma parede encurvada com janelas que se abrem para a cidade lá embaixo, e tudo o que vejo são luzes piscando no horizonte até a linha escura da água.

— Uau. Este é seu quarto?

Odeio ter de abandonar a vista, mas me viro para olhar tudo à minha volta.

Este quarto não parece muito mais habitado que o da casa de Maggie; é muito limpo e sem personalidade, mas vejo ao menos uma obra de arte emoldurada em uma das paredes. A cama está arrumada com perfeição, e sobre a grande mesa de vidro e metal em um canto há um monitor preto e prata e um relógio digital marcando 11h06.

— Que dia é hoje?

— Vinte e sete de maio de 2012. — Estou dezessete anos à frente de meu tempo, no verdadeiro quarto de Bennett. Eu me aproximo da mesa e vejo uma foto de Bennett com um braço sobre os ombros de Maggie. Os dois estão sorrindo. O fato de ele parecer mais novo me confunde por um momento, mas é a imagem dessa Maggie completamente diferente que me espanta de verdade. Ela parece muito velha e frágil, encurvada, diferente de como era em 1995. Bennett pega a foto de minha mão e a coloca virada para baixo sobre a mesa; a expressão no rosto dele me faz compreender que ela deve ter morrido pouco depois de a foto ter sido tirada.

Olho em volta outra vez. Imagino meu quarto – as paredes cobertas de números de corrida e fotos, as prateleiras cheias de CDs e troféus – e percebo que tem muito menos dele aqui. Mas então vejo um grande recipiente de vidro sobre a mesa de cabeceira e sei exatamente o que tem lá dentro. Alguma coisa que é só dele.

Sento-me sobre sua cama e começo a pegar os canhotos. U2 em Kansas City em 1997, Red Hot Chili Peppers, Lollapalooza, 1996. The Pixies no UC-Davis, 2004. Lenny Kravitz no Paramount em Nova York, 1998. Smashing Pumpkins em Osaka, 1996. Van Halen em L.A., 2004. Ramones no Palace em Hollywood, 1996. Eric Clapton, Cleveland, 2000. Vejo vários canhotos de ingressos com nomes de bandas de que nunca ouvi falar, então deduzo que elas começaram a tocar em algum momento depois de 1995. Há centenas de canhotos ali.

Levanto a cabeça e vejo Bennett perto da mesa, mexendo no fundo da gaveta maior. Ele tira de lá uma caixa de madeira com tampa. Depois se aproxima de mim segurando um pedaço de papel.

– O que é isso? – pergunto.

– Uma carta.

Devolvo os canhotos ao recipiente.

— Era uma carta que você tinha que me mostrar?

— Acho que sim. — Ele olha para mim e respira fundo, como se precisasse tomar coragem. — No ano passado, eu estava no parque com meus amigos quando uma mulher se aproximou de mim. — Bennett hesita, mas continuo olhando para ele, e de repente seu rosto relaxa e surge o sorriso que agora conheço tão bem. — Ela era bonita. Tinha grandes olhos castanhos e cabelos escuros e encaracolados. Ela me perguntou se podia conversar comigo em particular, e me entregou isto. — Ele alisa a folha de papel e a aproxima de mim.

— O que diz a carta?

— Você tem que ler.

— Não quero ler. — Empurro a carta de volta e desvio os olhos das palavras. Implorei para ele me levar até ali, me mostrar o que devia mostrar, mas, agora que estou aqui, sei que não é isso que quero. Quero voltar para Evanston. Quero voltar a fingir que tudo é normal.

Ele empurra a carta de volta para mim.

— Você tem que saber tudo agora. Preciso disso.

Sinto meu rosto se contorcer.

— Pensei que já soubesse de tudo. Bennett?

— Não sabe. Por favor.

Abaixo a cabeça e leio:

4 de outubro de 2011

Querido Bennett,
Estou com receio de falar demais e quebrar uma das regras que um dia você me ensinou. Espero ter escolhido as palavras com cuidado suficiente. Um dia, minha visita e esta carta vão fazer muito mais sentido. Por ora, você vai ter que confiar em mim.

Os últimos dezessete anos me deram uma vida boa, sólida. Não tem sido a aventura ousada que eu esperava que fosse, mas sou feliz. Mesmo assim, nunca esqueci que um dia você me deu a chance de escolher entre dois caminhos e, de alguma forma, contra minha vontade – e acho que contra a sua também – acabei presa na escolha errada. No caminho que não escolhi. Entregar esta carta a você é a coisa mais arriscada e assustadora que fiz em toda minha vida, mas preciso saber onde o caminho que escolhi teria me levado.

Um dia, em breve, vamos nos encontrar. E então você vai partir para sempre. Mas acho que posso consertar isso – só preciso tomar uma decisão diferente desta vez. Diga-me para viver minha vida por mim mesma, não por você. Diga-me para não esperar você voltar. Acho que isso vai mudar tudo.

Com amor,

Anna

Sempre assinei meu nome com um A maiúsculo que parece um grande *a* minúsculo – redondo, em vez de pontiagudo. Pelo que vejo, mantenho o hábito em 2011.

– Foi escrita... por mim?

Ele assente.

– Como? Uma eu no futuro? – Essas palavras soariam bizarras para qualquer um que não fosse Bennett Cooper, mas ele apenas balança a cabeça como se tudo fizesse sentido.

– Há quanto tempo tem isto? – pergunto, lembrando que preciso respirar.

Ele toca a data com o dedo.

– Desde outubro passado. – Pelo menos sua voz soa culpada quando diz isso.

— Então leu isto... antes de ir a Evanston.

— Muitas vezes. — Eu o vejo assentir e penso naquele primeiro dia no refeitório, quando falei meu nome e ele empalideceu. Bennett me conhecia. Já tinha me encontrado. Cinco meses antes. Dezesseis anos mais tarde.

Ele segura meus braços com as duas mãos, o que é bom, porque não me sinto muito segura.

— Você precisa entender, Anna. Fui a Evanston procurar Brooke. Sinceramente. Esperava encontrá-la e voltar para casa em alguns dias. Só fui a Westlake porque prometi que iria. Pode imaginar como me senti naquele dia no refeitório? Ouvir seu nome, ver seus cabelos e seus olhos e *saber* que era você? Que você era *Anna*. — Ele aponta para a carta. — *Essa* Anna. Você era a pessoa que eu tinha encontrado cinco meses antes em um dia qualquer, em um parque qualquer, em 2011. E estava ali, no refeitório de um colégio em 1995 em uma cidade na qual eu nem queria *estar*?

A voz dele treme. Bennett continua:

— No início tentei evitar você. Acho que devia ter evitado. Essas palavras ecoavam em minha cabeça naquelas primeiras semanas, e eu não sabia o que devia fazer. Não queria criar essa vida para você — diz ele, olhando para a carta. — Não queria magoá-la.

E de repente entendo. Não sei por que não percebi antes, mas agora está ali e é completamente inevitável. Ele não volta. Ele não fica. Nós nos perdemos por dezessete anos, ou mais; talvez para sempre.

Um dia, em breve, irei encontrá-lo. E então você vai partir para sempre. E ele sempre soube.

— Como pôde deixar de me contar?

Ele baixa os olhos.

— Não sei; achei que podia impedir — responde depois de um silêncio breve. — Quando era jogado para cá e voltava para Evanston, tinha a sensação de que estava me fortalecendo, ou algo assim. Como se estivesse aprendendo a ficar em algum lugar por bastante tempo. A carta não diz quanto tempo passei lá, só que *parti para sempre*. Imaginei que, se voltasse e ficasse, se não partisse... — A voz desaparece, e ao me encarar, seus olhos estão cheios de remorso. — Só quando você viu o *outro* eu na pista de corrida na semana passada eu percebi que não tinha consertado nada, afinal.

— Devia ter me contado. — Mal consigo pronunciar as palavras. Ele ainda confia muito na própria habilidade, ainda mente para mim pensando que *assim* vai me proteger da dor. Mas ele não pode me proteger. Não quando sou eu quem tem que tomar uma decisão diferente, quando sou eu que, supostamente, sei como consertar tudo isso. — O que devo fazer de diferente? — pergunto, e espero ele falar e me ensinar algum detalhe sobre a viagem no tempo, alguma coisa que deixei passar, alguma coisa que torne tudo isso lógico. Espero ele me dizer o que, exatamente, vai acontecer em seguida e garantir que tudo vai ficar bem.

Mas ele olha para o tapete outra vez e diz:

— Não sei.

Na última vez que Bennett me desapontou, tive que fazer um enorme esforço para não chorar na frente dele, mas agora não me importo. Não consigo me controlar, e deixo as lágrimas quentes e furiosas caírem sem nem sequer tentar contê-las.

Choro porque ele realmente perdeu o controle e porque está admitindo, porque Bennett carregou isso com ele desde o começo, guardando segredos que jurou que não guardaria, e tudo para me proteger. Mas, acima de tudo, choro por ela, por essa eu de trinta e um anos que passou quase duas décadas sentindo falta de um garoto descabelado com olhos azuis esfumaçados que mudou a vida dela em um dia cheio de neve em Evanston, Illinois.

Como ele teve coragem de não me contar sobre uma carta que esclarecia nosso destino e revelava que ele nunca poderia ficar? E que ele sempre soubera disso?

– Como pôde... – começo a perguntar, mas não consigo terminar a frase. Mas preciso, porque, se não, sei exatamente o que ele vai pensar. Que arruinou minha vida. Que não devia ter ficado comigo nunca. Que devia ter partido quando teve chance. Que devia reformular os últimos meses. E eu o amo demais para deixar que pense todas essas coisas.

Limpo as lágrimas, e antes que um de nós diga mais alguma coisa, os músculos de meu estômago se comprimem e eu me dobro ao meio, agarrando punhados do edredom. É como se minhas entranhas estivessem em chamas. Não consigo me mexer ou falar, mas ouço Bennett gritar meu nome e sinto que ele tenta se aproximar. Tudo parece distante e abafado. Seu rosto está nebuloso e distorcido, como se eu o visse pela lente desfocada de uma câmera. Meu estômago se contorce e se comprime com uma força que me faz dobrar ao meio novamente, e ouço meu grito. Alto.

Depois, tudo fica escuro e silencioso.

32

Meu rosto está molhado, e o único cheiro que sinto é de couro, e, quando estico as pernas e tento me equilibrar no assento, tudo que minhas mãos *encontram* é couro. Abro os olhos.

Estou no estacionamento escuro, de volta a Evanston, completamente sozinha no utilitário de Bennett.

– Não... – Não tenho outras palavras, então repito a única que consigo dizer. – Não. Não. Não! – Olho em volta e sinto o pânico percorrer meu corpo. Continuo olhando para o assento do motorista, esperando Bennett aparecer de forma mágica como sempre, mas ele não aparece, nem as chaves que deviam estar na ignição, mas não estão. Lembro-me de Bennett reclinado no assento, guardando-as no bolso do jeans.

O relógio digital no painel marca 23h11. Só estive fora por cinco minutos, afinal.

Agora sei o que Bennett sentia no parque naquela noite – ser jogado de volta contra vontade é muito diferente de viajar. Não consigo me sentar ereta nem respirar direito; tudo que faço é ofegar e tentar não entrar em pânico. Meu estômago se contorce novamente, dessa vez com violência ainda maior; olho para o carro limpo demais, mas não tem nada ali onde eu possa vomitar – nem mesmo um copo de café esquecido –, então, cubro a boca e me reclino no assento.

Respirar.
Segurar.
Respirar.
Segurar.
Preciso vomitar.
E preciso de um enorme copo de água.
Respirar.
Segurar.

Levo a mão à maçaneta, mas, quando começo a puxá-la, uma luz piscando no painel chama minha atenção. O alarme está ligado. Assim que abrir a porta, ele vai disparar. Mas sinto o gosto metálico na boca quando meu estômago se contrai em uma bola apertada. Abro a porta e o alarme berra ao fundo, cobrindo o ruído que faço ao vomitar no cimento lá fora.

Quando não há mais nada dentro de mim, limpo a boca com a manga da blusa e olho em volta, enquanto o alarme do carro continua me lembrando de que não tenho a chave. Vejo uma luz se acender na casa do outro lado da rua e sei que tenho que sair dali antes que alguém chame a polícia. Dou mais uma olhada no interior do automóvel e procuro as chaves que espero ver aparecerem por magia.

Não estou nem perto de casa, mas começo a correr em direção ao meu bairro o mais rápido que consigo com essa roupa. Se pudesse correr no ritmo habitual, estaria em casa em quinze minutos, mas é como se caminhasse durante trinta, graças à saia justa de Emma e aos saltos grossos. E porque paro toda hora para procurar o utilitário de Bennett. Uma pequena parte minha acredita que ele vai parar junto à calçada a qualquer momento; vamos ficar ali no escuro brigando por causa da carta e no final eu vou perdoá-lo, porque estou feliz demais por tê-lo de volta. Mas o carro nunca aparece.

Quando enfim chego em casa, subo com dificuldade a escada da frente e entro; tento passar despercebida pela cozinha, mas papai me vê.

— Como foi o cinema? — Ele espia pela janela procurando o carro. — Onde está Bennett? Por que ele não a trouxe para casa?

Não quero nem imaginar que aparência eu tenho agora. Com os olhos inchados e o rosto marcado pelas lágrimas, suada e esgotada.

— A gente estava na cafeteria — minto.

Papai olha para minha saia curta, para o cabelo desalinhado, depois me encara com um olhar duro que nunca vi antes. E estreita os olhos.

— Você está horrível. O que aconteceu, Anna? É melhor dizer a verdade.

A verdade. Eu estava no cinema. Depois fui a São Francisco. Estava olhando canhotos de ingresso de show, feliz por um momento, e de repente fiquei furiosa. Vomitei em um estacionamento e agora estou em casa. Digo a primeira coisa que surge em minha cabeça.

— Nós brigamos. Bennett não sabe onde estou. Sinto muito. — Sinto as lágrimas correndo por meu rosto outra vez. — Foi uma noite simplesmente horrível.

— Você está bem? — O rosto de meu pai suaviza, e tento dizer que não, mas não falo nada. Ele me abraça e aperta com força enquanto soluço em seu ombro. Depois de um tempo, as lágrimas secam. — Na próxima vez, vá até a livraria e telefone para eu ir buscá-la, está bem?

— Sim. Desculpe.

— Tudo bem. Aposto que tudo vai ficar melhor amanhã. — Ele bate em minhas costas, e eu me dirijo à escada. — Annie?

— Viro a fim de olhar para meu pai. — Se *não* melhorar, venha falar comigo. Certo?

Sorrio e subo a escada com passos pesados. Meu quarto parece o mesmo de quando saí. Eu devia ter lavado aquela pilha de roupas hoje, antes de sair para fazer compras. Meus livros e cadernos estão empilhados de qualquer jeito em cima da mesa. Minha cama continua desarrumada.

Não pode ser. Vou até a janela e olho para baixo, esperando ver o carro de Bennett parar na porta de casa. Imagino-o sentado em sua cama, segurando a carta, e a expressão impotente em seu rosto quando — pela primeira vez — ele vê alguém desaparecer diante de seus olhos.

A carta.

Naquele dia em que ouviu meu nome no refeitório, ele sabia exatamente quem eu era. Sabia que ficávamos juntos aqui. E sabia que iria embora e não voltaria. Ele sabia tudo, e eu não sabia nada.

E, de repente, tudo naquele primeiro mês de Bennett em Evanston faz sentido. Ele não queria conhecer ninguém porque não planejava ficar e não queria me conhecer porque sabia que, em algum momento, nós nos separaríamos. Mas ele me deixou escolher. Lembro exatamente o que ele disse naquele dia, quando nos sentamos sobre a rocha que tínhamos escalado. *Você existe em 2012, como eu, e tem um futuro que não me inclui. O fato de me conhecer... vai mudar sua vida inteira.* Ele não me deixou escolher apenas estar com ele enquanto ele estava aqui. Bennett me deixou escolher se eu queria ou não ser *aquela* Anna. A garota que ele deixou com o coração partido aos dezesseis anos, que cresceu e não o esqueceu.

Lembro as palavras dela. Minhas palavras.
Fiquei presa no caminho errado.
Você vai embora para sempre.
Só preciso tomar uma decisão diferente dessa vez.
Acho que isso vai mudar tudo.

Não faço ideia do que aquelas palavras significam. Que decisão diferente devo tomar? O que deve mudar?

A rua está quieta e escura, iluminada apenas pela lua cheia no céu limpo e cheio de estrelas. Atravesso o quarto, paro na frente do meu mapa e apoio um dedo sobre Evanston, Illinois. Deslizo o dedo para a esquerda até o ponto identificado como São Francisco, Califórnia. Se ao menos estivéssemos separados por essa distância. Mas não estamos. Estamos separados por essa distância mais dezessete anos.

Pego um alfinete na caixa e olho para ele. Giro-o entre a ponta dos dedos. Talvez, se eu imaginar, se quiser com a intensidade necessária, eu também possa ir para outro lugar. Levo a ponta de plástico vermelho aos lábios e fecho os olhos, como se *eu* tivesse o dom de Bennett, e me esforço para desaparecer desse quarto e reaparecer no dele. Imagino a vista da janela e o recipiente cheio de canhotos de ingresso, a mesa e a cama. Fecho os olhos com força, deixando a visão do espaço preencher minha cabeça enquanto repito:

– Vinte e sete de maio de 2012. Vinte e sete de maio de 2012 – sussurro muitas e muitas vezes.

Quando abro os olhos, ainda estou aqui, segurando meu patético alfinete e parada diante do mapa-múndi, com as lágrimas correndo por meu rosto.

Olho para o ponto de São Francisco. O alfinete faz um barulhinho triste ao perfurar a superfície.

33

Sento-me sobressaltada e pego o relógio em cima do criado-mudo. Dez e vinte e dois. Da *manhã*? Quando eu fui para a cama? Como posso ter adormecido? É então que tudo retorna: fui jogada de volta para cá, e Bennett desapareceu.

Visto as roupas de corrida, desço a escada apressada e saio pela porta num tiro, ignorando o sermão de minha mãe sobre dormir o dia inteiro, sua sugestão sobre me alimentar antes de praticar exercício físico e as perguntas dela sobre por que vou treinar em uma manhã de domingo. Mas não vou treinar; vou correr.

Quando chego à casa de Maggie, quatro quarteirões longe da minha, noto imediatamente que o carro de Bennett não está lá, e meu estômago se aperta tanto, com tanta força, que tenho medo de vomitar outra vez. Subo à varanda e toco a campainha.

Nenhuma resposta.

Toco de novo e espero.

Espio através das cortinas finas procurando algum sinal de atividade na sala de estar, mas não vejo nada. Nenhum movimento. Nenhum barulho. Onde ele está? Onde está Maggie? Apoio as costas à janela e enterro o rosto nas mãos. E agora?

Meus pensamentos não me dão boas ideias, por isso obedeço aos meus pés, que me dizem com toda clareza para voltar ao estacionamento – ao último lugar onde vi Bennett e onde ele devia estar. Ou melhor, *não* devia estar, mas eu queria que estivesse. Aqui. Em *minha* cidade.

A corrida é tensa e desajeitada com meus pés batendo no cimento, mas, conforme o cenário passa como um borrão, é o que meus olhos registram que está completamente errado. O sol projeta uma luminosidade dourada sobre cada casa por onde passo, acendendo os canteiros de roseiras e tulipas que funcionam como divisores coloridos entre caminhos de tijolos vermelhos e gramados tão verdes que quase cintilam. O ar que respiro é morno e úmido, diferente do frio que pinica o interior dos meus pulmões; esse ar faz parecer que eu inalei um travesseiro que me sufoca de dentro para fora.

Três quilômetros depois, finalmente chego ao prédio comercial e paro. O carro de Bennett desapareceu e, por um momento, me permito pensar que tudo pode ter sido só um sonho, afinal. Mas em seguida vejo a mancha amorfa de vômito mudando de cor ao sol, e essa é toda confirmação de que preciso para ter certeza de que foi real.

Sinto as lágrimas se formando em meus olhos, mas as contenho, e volto pelo mesmo caminho por onde vim. Não há mais nenhum lugar para ir, por isso corro de volta à casa de Maggie, única pessoa que pode saber onde ele está. Ou, pelo menos, onde está o carro.

Volto correndo pelo mesmo bairro, pelas mesmas casas e pelos mesmos carros pelos quais passei minutos antes. Quando vejo a placa da Greenwood adiante, acelero o ritmo, e é então que vejo o utilitário de Bennett vindo em minha direção. A seta para a direita começa a piscar, e o carro faz a curva, desaparecendo.

Corro até a esquina e consigo ver o carro entrar na casa de Maggie. Ele está em casa. Sinto meus pés ganharem um novo impulso, uma força que eu nem sabia que tinha. Eu sabia que ele voltaria.

— Bennett! — grito, e bato a mão aberta contra o vidro traseiro, correndo para a porta do motorista. — Bennett!

A porta se abre lentamente e vejo Maggie apoiar um pé no cimento e sair com cuidado.

— Receio que não. — A voz dela é suave, controlada. Impeço a passagem de Maggie quando me inclino para a frente, olhando para o lado do passageiro, para o banco de trás. Vazio.

— Onde ele está? Maggie, onde está Bennett?

Ela fecha a porta, bloqueando minha visão do interior. Seus cabelos prateados brilham ao sol, o rosto está abatido, e os olhos — os olhos de Bennett — parecem procurar nos meus alguma coisa que ela não consegue identificar.

— Não sabe mesmo onde ele está, não é? — pergunta ela.

Balanço a cabeça, embora não seja inteiramente verdade. Sei onde ele está. Poderia dizer, mas ela nunca acreditaria em mim.

Maggie passa um braço em torno dos meus ombros e me leva para a varanda.

— Entre, vamos conversar.

Com as pernas trêmulas, eu a deixo me guiar pela escada e a sigo para dentro da casa, onde a espero pendurar o casaco e a bolsa no armário. Depois a sigo para a cozinha e espero no silêncio confortável ela pegar duas xícaras de chá do armário e encher uma chaleira com água.

Maggie olha para trás e me vê apoiada ao batente, movendo os pés, nervosa.

– Relaxe. Sente-se. – Maggie aponta a mesa da cozinha e se concentra nos saquinhos de chá. Eu me sento.

Devia estar pensando no que vou dizer a ela, mas, em vez disso, olho em volta e examino os armários muito brancos, o balcão de granito escuro, o vaso de flores no parapeito da janela. Noto uma paisagem de montanha em um vitral preso à janela por uma ventosa e um gancho, e sigo o feixe de luz do sol que, ao passar pelo vitral, se divide em raios de luz alaranjada, azul e verde que se espalham pela cozinha e pousam sobre a mesa branca.

– Minha filha fez isso para mim quando estava no colégio – conta Maggie do outro lado do aposento. Ela não me dá tempo para responder, o que é bom, porque não sei o que dizer. – Adoro o jeito como a luz entra por aquela janela. As cores me deixam maravilhada.

Maggie põe a xícara de café na minha frente, e um raio de luz azul incide sobre a borda.

– Acabei de chegar da delegacia – conta ela ao se sentar. – Ontem à noite encontraram o carro de Bennett em um estacionamento vazio. O alarme disparou, e um morador telefonou para reclamar. – Ela leva a xícara à boca e bebe um gole.

– Ah, é mesmo?

Maggie me olha desconfiada por cima da borda da xícara.

– Vocês não estavam juntos ontem à noite?

Pego a xícara, mas minhas mãos tremem muito, por isso apenas puxo o pires para mais perto de mim.

– Sim, estávamos. Fomos ao cinema com alguns amigos. Paramos o carro naquele estacionamento. – Olho para ela. – Mas nós brigamos, eu fui para casa a pé e não o vi mais depois disso. – O discurso soa ensaiado até para mim mesma, mas espero estar revelando uma porção da verdade suficiente para não despertar a desconfiança de Maggie.

– E não sabe para onde ele foi?

Balanço a cabeça para dizer que não, mesmo que dessa vez seja mentira. Sei aonde ele foi, mas, de novo, ela nunca acreditaria em mim.

– Bem, não tenho motivo algum para perder tempo rastreando um aluno da Northwestern que alugava um quarto em minha casa. Por que eu teria todo esse trabalho por um estranho, não é? – Há uma nota de amargura e um toque de bravata em sua voz, confirmando o que eu já sabia: ela também se apegou a Bennett. Escondo as mãos embaixo da mesa e as seguro para diminuir o tremor. – O que achei mais interessante foi a polícia ter ligado para *mim* quando encontrou o carro. – As linhas em seu rosto se tornam mais profundas com a mistura de preocupação e confusão. – Sabe por que ligaram para mim?

Sinto meu rosto esquentar e respondo:

– Não.

– Primeiro, porque o carro está registrado no *meu* nome. E segundo, porque, de acordo com a Westlake Academy, onde, ao que tudo indica, ele frequenta o ensino médio, sou a avó dele. – Maggie bebe lentamente mais um gole do chá e apoia os antebraços sobre a mesa. – Deve saber que eu imaginava que ele fosse aluno da Northwestern. Também deve saber que eu, na verdade, *não* sou avó dele.

Tento levar a xícara aos lábios mais uma vez, mas, quando começo a beber, descubro que a bebida está escaldante. Devolvo a xícara ao pires.

Maggie bebe um grande gole sem se incomodar com a temperatura.

– Tem alguma ideia sobre por que ele mentiu para mim, Anna? – *Mantenha a calma. Respire. Beba um gole de chá escaldante.* – Por que disse que sou avó dele?

Tudo que quero dizer é "porque você é", e depois contar tudo o que aconteceu nos últimos três meses, começando pelo dia em que Bennett se mudou para a cidade. Mas não posso dizer a ela que o menino das fotos sobre o console de sua lareira e o garoto que alugava um quarto em sua casa são a mesma pessoa.

– Não sei, Maggie. – A expressão dela não muda. – Não sei. – Repito as palavras como se assim as tornasse verdadeiras.

Ela me olha com aqueles olhos, e meu estômago revira com a culpa. Maggie dá um suspiro profundo.

– Não sei o que fazer. A polícia quer que eu registre um boletim de ocorrência de desaparecimento caso ele não volte em vinte e quatro horas. Se você sabe de alguma coisa, Anna, precisa me dizer. Por favor.

Olho para a xícara e bebo um gole.

– Esse rapaz morou na minha casa e mentiu para mim o tempo todo. Eu gostava dele, mas agora descubro que nem sei quem ele é. Nunca soube. – Maggie olha no fundo dos meus olhos. – Mas alguma coisa me diz que você sabe.

Ela está certa, é claro. Eu sei. E nesse momento, só o que eu quero é contar tudo a ela, porque quero que saiba quem ele é, estou cansada de ser a única a saber e, principalmente, porque quero que Maggie volte a gostar dele. E ela voltaria a gostar se soubesse quem ele é e o que fez por ela.

Quero contar que daqui a quatro anos ela vai ser diagnosticada com Alzheimer. O declínio será gradual até o ano 2000, quando vai se tornar mais rápido e nunca mais vai diminuir. Em 2001 ela vai começar a esquecer mais do que pequenos detalhes e eventos menores. Vai se esquecer de pagar as contas, vai esquecer onde estão seus investimentos, vai se esquecer de dar as informações necessárias para alguém ajudá-la antes que seja tarde. Em 2002, ela não vai mais funcionar sozinha. Vai ter esquecido a família. A filha, mãe de Bennett, estará muito distante em muitos sentidos para trazer algum alívio. E então, quando Bennett tiver oito anos de idade, Maggie vai morrer.

Mas, cinco anos mais tarde, Bennett vai começar a voltar a 1995. A 1996. A 2000. A 2003. Com o tempo, ele vai começar a trazer Brooke. Os dois vão bater na porta da casa dela fingindo serem estudantes e pedindo doações, só para ouvir sua voz. Quando ela estiver realmente doente, vão aparecer no meio da noite para limpar a cozinha e pagar as contas. Quando ela sair para compromissos durante o dia, Bennett vai molhar o gramado, e Brooke vai plantar flores novas. Eles vão guardar dinheiro em esconderijos estranhos pela casa, porque, mesmo sabendo que isso a deixará confusa, também sabem que ela encontrará as notas. E, em algum momento, Bennett vai contar seu segredo a Maggie. Mesmo que ela não lembre por mais que um momento, vai morrer sabendo que os últimos anos de sua vida teriam sido muito diferentes, não fosse pelo dom de Bennett.

– Anna? – Maggie interrompe meus pensamentos.

– Não deixe a polícia procurá-lo. – Minha voz engasga na garganta, e apesar da vontade de falar muito mais, não posso.

Os olhos dela se abrem, cheios de interesse.

– Por que não? Por favor, precisa me contar. O que você sabe, Anna?

Olho para ela, prendo seu olhar com o meu. Por fim, dirijo meus olhos outra vez para a mesa coberta de luz colorida. O que eu *sei*? Bem, pelo menos essa é uma pergunta que posso responder. Mais ou menos. Deslizo o dedo por um raio verde.

– Juro que não sei como encontrá-lo. Mas sei que está bem – começo, e minha voz é um sussurro. – Sei que ele voltou a São Francisco. Sei que não queria ir embora, mas não teve escolha. Sei que ele não queria mentir para você. Nem a magoar.

– Quem é ele?

Durante os últimos dois meses, nunca me senti tentada a divulgar o segredo de Bennett – nem para minha família, nem para minha melhor amiga –, mas, sentada aqui, olhando para os olhos tristes de Maggie, só quero que ela o conheça como eu conheço. Mas lembro que não tenho esse direito.

– Não posso dizer, Maggie. Ele levou muito tempo para confiar em mim, e quando enfim me fez confidências, prometi que não contaria o segredo a ninguém. Está me matando não falar tudo para você agora, mas essa história é dele, não minha. Ele não é uma pessoa ruim. – Quero acrescentar *ele ama você*, mas paro antes de falar demais. – E vai ter que contar tudo pessoalmente quando voltar.

Ela se inclina para a frente.

– E quando isso vai acontecer?

Outra pergunta que não posso responder, mas dessa vez não é por causa de uma promessa que não posso quebrar. É porque não sei, realmente.

– Não faço ideia. Mas ele me disse uma vez que voltaria, e tenho que acreditar nele.

Fico ali sentada olhando para ela, esperando sua resposta. E me sinto enjoada.

– O que devo dizer à polícia?

Penso rápido.

— Houve uma emergência em casa. Alguém doente... na família dele. Um amigo o levou até o aeroporto, e ele deixou o carro no estacionamento. Mas agora ele telefonou, e está tudo bem. Ele... — Respiro fundo para conseguir terminar a frase sem desmoronar. — Ele está em São Francisco com a família.

— Devo mentir? Para a polícia?

— Não é mentira. Ele está lá. Pode contar essa versão, ou pode não falar nada, registrar um boletim de ocorrência de desaparecimento e deixá-los procurar. Mas a polícia não vai encontrá-lo.

— Se ele voltar...

— Quando — corrijo-a. — *Quando* ele voltar, serei a primeira a saber. E prometo que você vai ser a segunda. Garanto que farei ele contar tudo a você. Tudo bem?

Ela assente algumas vezes enquanto considera minha solução.

— O que devo fazer com todas as coisas dele? E com o carro?

O carro. Ele me disse que o utilitário era de Maggie, mas, agora que penso no contexto geral e em todo o resto, faz sentido.

— Acho que Bennett comprou o carro para você.

Ela franze a testa e olha para mim outra vez.

— Por que faria isso? Ele não me conhece o suficiente para me dar um carro novo.

Sorrio para ela e deixo brotar um suspiro.

— Não conhece. Mas conhece. E sei que isso não faz nenhum sentido... — Minha voz se perde enquanto essas últimas palavras ecoam em minha cabeça, e de repente me escuto repetindo as palavras que li ontem à noite em São Francisco. As palavras que escreverei em uma carta para Bennett daqui a dezessete anos. Funcionaram com ele. Talvez funcionem com a avó dele. — Um dia isso vai fazer sentido. Por ora, vai ter que confiar em mim.

34

Passei a última hora apoiada ao pé da minha cama, vestida com o enorme moletom que Bennett usou depois de nosso primeiro passeio a Ko Tao e olhando para o vestido preto de seda justo que comprei para a festa do leilão esta noite. Quando o levei para casa e pendurei o cabide na porta do armário, esse vestido parecia quase mágico, algo que aves e ratos de desenho animado teriam costurado para mim enquanto eu dormia.

Mas hoje faz uma semana que fui jogada de volta para o presente. Uma semana *desde que*. E agora o vestido é só mais uma peça de museu na companhia do meu mapa, de um saquinho de areia, seis cartões-postais e quatro alfinetes novos. Todas as coisas para as quais não consigo mais olhar sem pensar nele.

Ainda estou olhando para o vestido quando escuto as batidas na porta. Já esperava, mas não sei se foi meu pai ou minha mãe quem perdeu a disputa no cara ou coroa.

– Entre – resmungo.

Emma?

Olho para ela do chão. Emma está usando o vestido que a ajudei a escolher, o modelo longo e tomara que caia num tom escuro de laranja, que fica tão incrível nela agora quanto tinha ficado no provador da loja. Seus cabelos estão presos em um coque apertado na altura da nuca, com algumas mechas soltas para emoldurar o rosto.

– Uau. Você está linda.

– Obrigada. – Ela se senta no chão ao meu lado, se encosta ao pé da cama e estende as mãos para mim.

Olho para ela de lado.

– Vai ficar toda amassada.

– Tudo bem. – Emma me analisa da cabeça aos pés, desde os cabelos armados e olhos inchados até as leggings e, horrorizada, tenho certeza, por eu não ter feito as unhas dos pés.

– O que está fazendo aqui, Em?

Ela aperta de leve a minha mão.

– Desculpe. Sei que quer ficar sozinha, mas sua mãe me meteu nisso. – Viro a cabeça para o outro lado e reviro os olhos. Meus pais me atormentaram a semana toda por causa dessa festa idiota, e já deixei bem claro que não vou. De jeito nenhum. Mas mandar Emma como reforço? Isso é crueldade.

– E eu queria ter certeza de que está bem.

– Estou ótima.

Ela me olha incrédula, depois olha para o vestido.

– Seria uma pena se eu fosse a única pessoa a ver você naquele vestido. Ficou tão lindo!

Não consigo olhar para ele sem sentir enjoo.

– Obrigada.

Ficamos em silêncio por um tempo, minutos, pelo que parece, eu olhando para o tapete, Emma olhando para mim e para o vestido alternadamente.

– Não vou mudar de ideia – anuncio por fim.

– Eu sei. Mas temos que ficar aqui por uns quinze minutos, pelo menos, para sua mãe pensar que tentei. – Ela olha para mim, sorri e me empurra com o ombro. – Tudo bem?

Respondo com um sorriso triste.

– Obrigada. – Emma entende. Ela compreende imediatamente. No domingo passado eu saí da casa de Maggie, corri até a casa de Emma e desabei na varanda. Sentamos em seu quarto, e ela me deu lenços de papel, me deixou falar por horas e acreditou em cada palavra da história que inventei. Alguém na família dele ficou doente. Bennett teve que voltar para São Francisco às pressas quando saímos do cinema. Ele não sabia quando ou se voltaria e lamentava não ter tido tempo para se despedir. Ia sentir nossa falta.

No dia seguinte, contei a mesma história a mais algumas pessoas e esperei ela percorrer a Rosquinha. E foi isso. Em poucas horas, todos sabiam por que Bennett tinha ido para casa, e eu era a única que sabia que aquilo era uma mentira.

Agora olho para minha melhor amiga, toda arrumada, feliz e pronta para ir à festa que ela espera ansiosamente há seis meses, e sei que deveria ir com ela. Devia ir para ver o que Emma e Danielle ajudaram a planejar, para ver meus pais dançarem e ver Justin usando um smoking. Mas não consigo sair e fingir que estou feliz. Não sem Bennett. Ainda não.

– Está brava comigo? Por não ir esta noite?

Ela balança a cabeça.

– Não. Não estou brava. Eu só... – Olho para ela e espero que continue, mas Emma permanece calada. Olha para o chão e brinca com uma linha solta no tapete.

– O que é? – pergunto.

– Nada.

– O que é? – repito.

Ela respira fundo e solta o ar num longo suspiro.

– Sinto sua falta, só isso. Sei que sente saudade dele, todos nós sentimos, mas... eu sinto muita falta de *você*.

Forço uma risadinha.

– Ainda estou aqui.

– Não, não está.

Olho para ela e sei que está certa. Desde o dia em que vi o outro Bennett na pista de corrida e ele me contou que estava tentando voltar para cá, tenho feito exatamente o oposto: estou desaparecendo aos poucos.

Ela para de brincar com o tapete e me encara.

– Escute, Anna, você é minha melhor amiga, e adoro muitas coisas em você. Amo como me faz rir, o jeito como adora música e livros, sua vontade de viajar pelo mundo, a força do seu compromisso com a corrida... mas sabe o que mais amo em você? O que aprendi a amar desde o instante em que nos tornamos amigas?

Olho para ela e espero.

– Você é a pessoa mais forte que conheço. É independente, não se importa com o que os outros pensam, confia nos seus instintos e... é uma *guerreira*. Sempre invejei isso em você. Se Justin saísse da cidade, se me deixasse aqui, *eu* é que me tornaria um lixo e ficaria chorando. Mas...

As palavras pairam no ar como se ela não tivesse a intenção de pronunciá-las. *Mas o quê?* Ela esperava mais de mim? Não imaginava que eu pudesse fraquejar tanto?

– Onde está seu espírito de *luta*? – Ela me encara por um minuto, depois segura minha mão de novo. – Olhe, sei que faz só uma semana, mas é que... – Ela aproxima minha mão do rosto e a beija. – Quero minha amiga de volta.

Olho para ela e quero poder contar tudo. Quero voltar para ela e para minha vida comum – para mamãe e papai, para a corrida e para os livros de viagem –, mas simplesmente não sei se consigo encontrar forças com todos esses segredos me pressionando.

Emma não solta minha mão, e nós ficamos ali sentadas, esperando os quinze minutos passarem.

– Preciso ir. Tenho que receber os VIPs. – Emma se levanta e alisa o vestido. Depois examina o cabelo diante do espelho e bate nos olhos com a ponta do dedo.

– Desculpe, Emma.

Ela segura a maçaneta, para e joga um beijo para mim, depois sai e fecha a porta.

Não consigo ouvi-los, mas imagino Emma ao pé da escada, conversando em voz baixa com Justin e meus pais. Vou até a janela e vejo Emma e Justin caminhando até o carro. Quando está prestes a abrir a porta, Justin olha para cima, me vê ali e acena com tristeza. Em seguida entra no carro, e eles vão embora.

Pouco depois meus pais se despedem da escada, me perguntam se tenho certeza de que estou bem e também saem. Olho para a calçada, para o lugar onde Bennett me beijou pela primeira vez – mesmo que não me lembre disso. Olho para a árvore do outro lado da rua, onde o carro dele parou porque não calculou nossa volta no tempo exatamente como tínhamos planejado. Mesmo que cometesse alguns erros aqui e ali, ele sempre esteve no controle. Se pudesse voltar, teria voltado.

E é então que entendo. Ele já estaria aqui agora. Bennett estava errado e a carta estava certa. Ele não vai voltar. Está preso, retido contra sua vontade e, definitivamente, contra a minha também. A menos que eu tome uma decisão diferente. E não tenho ideia do que isso significa.

Deixo a janela aberta e volto para perto do mapa. Fico em pé estudando o desenho por um minuto, depois começo a traçar com a ponta do dedo linhas invisíveis entre os oito alfinetes vermelhos, indo e voltando, subindo e descendo, desenhando padrões que os conectam. E paro. Ponho o dedo sobre Evanston e faço um pequeno círculo em torno dos quatro com que comecei: Springfield. Minnesota. Michigan. Indiana. Em seguida descanso o dedo sobre São Francisco e faço um círculo maior passando por Ko Tao, Vernazza, Wisconsin e voltando a São Francisco.

Eu devia ter mais. Tenho que ter mais.

Pego um alfinete na caixinha. Olho para ele. Olho para o mapa. Espeto o alfinete em Paris. Pego outro. Estudo o mapa. Espeto o alfinete em Madri. Recuo um pouco e considero o mapa outra vez, apreciando a nova imagem, e pego mais um alfinete no recipiente empoeirado. Enfio o alfinete vermelho em Sydney. Então pego a caixinha e a viro de cabeça para baixo sobre minha mão, sentindo alguns alfinetes me espetarem.

Espeto alfinetes em Tóquio.

Tibet.

Auckland.

Dublin.

Costa Rica.

São Paulo.

Praga.

Los Angeles.

E continuo espalhando alfinetes, espetando-os no papel até o mapa estar coberto de lugares que nunca verei e a caixinha de plástico transparente estar tão vazia quanto eu.

junho

35

Na semana passada eu estava triste. Esta semana, estou apenas zangada. Estou brava com ele por não ter me contato sobre a carta e brava com meus amigos por agirem como se ele nunca tivesse existido, mas, acima de tudo, estou furiosa comigo mesma por ter baixado a guarda tão completamente – por ter aceitado toda essa história como se fosse normal.

Meus punhos estão cerrados com força quando o *señor* Argotta anuncia:

– *¡Practiquemos la conversación!*

Ele anda pelos corredores formando duplas e distribuindo cartões. Aponta para mim. Depois para Alex. Reviro os olhos e viro a carteira para ele.

– *¡Hola!* – cumprimenta Alex sorrindo. – Ei, onde estava no sábado? Sentimos sua falta.

Não sei por que ele esperou até quinta-feira para perguntar. Dou de ombros.

– Estou treinando para as finais do estadual.

– Em uma noite de sábado?

— Não, Alex. Todas as manhãs. Agora eu corro *todas* as manhãs. Inclusive aos domingos. — Antes de ter dito a última palavra já me sinto envergonhada pelo meu tom de voz, mas não peço desculpas. Em vez disso, continuo falando com ele e mantendo a mesma atitude, porque, na verdade, me sinto melhor vendo Alex desconfortável ao menos uma vez. — Então, o cartão está com você?

Ele resmunga alguma coisa, pega o cartão da mesa e lê em silêncio.

— Ah, esse é muito bom. — Então o lê em voz alta: — *Parceiro número um, você está em uma entrevista de emprego para a vaga de garçom/garçonete em um dos melhores restaurantes de Madri. Parceiro número dois, você é o dono do restaurante.*

Olho em volta procurando alguma coisa para esmurrar.

— Não é dos piores, né? — comenta Alex sem olhar para mim, e não nota que estou agarrando as laterais da mesa de madeira. — Quer ser a garçonete ou a dona?

— Nenhuma das duas. — Empurro a cadeira para trás e saio da sala correndo, deixando a mochila no chão e o livro na mesa. Deixo Alex e aquele estúpido cartão de conversação. Deixo o *señor* Argotta me chamando com seu forte sotaque: primeiro a voz cheia de preocupação, depois frustrada. Não paro. Nem olho para trás. Corro pela Rosquinha, passo pelos armários. E, literalmente, atropelo Danielle.

Ela bate nos armários e derruba o passe do banheiro, que desliza pelo chão.

— Mas que diab...!

Estou enxugando as lágrimas quando a ajudo a se equilibrar.

— Danielle, me desculpe.

Ela começa a dizer alguma coisa, mas percebe que eu estava chorando.

– Anna? Você está bem?

– Preciso sair daqui – digo.

– Anna! – chama ela, mas já estou me afastando, passando pela porta, correndo para a única coisa que acho que pode me fazer sentir melhor.

─────

Ele está aqui.

Não como eu gostaria, mas do único jeito que posso tê-lo agora, nas fotos de bebê emolduradas e expostas sobre um console e nos olhos de sua avó, que me serve chá e nem questiona minha presença em sua cozinha às 11h20 de um dia de semana.

Bebemos o chá. Tentamos pensar em coisas para dizer, mas não há muito. Ela tem muitas perguntas, e eu tenho muitas respostas, mas ela não pode expressar as dela, porque sabe que não vou compartilhar as minhas. Então, ficamos ali sentadas, presas em um silêncio denso, interrompido de vez em quando pelo som das xícaras de porcelana em contato com os respectivos pires.

Maggie afinal rompe o silêncio.

– Comecei a limpar o quarto dele na semana passada. Pensei em guardar tudo no sótão até... – A voz dela desaparece e eu dou um sorrisinho. Gosto de saber que ela pensa que Bennett vai voltar. – Você... – começa Maggie, olhando para mim como se minha expressão fosse determinar se vai continuar falando ou não. – Quer ficar com alguma coisa? Até ele voltar?

Faço que sim com a cabeça. E como não há mais nada sobre o que conversar, levamos as xícaras escada acima e pelo corredor, passamos pelas fotos da mãe de Bennett ainda criança, de Maggie jovem, e entramos no quarto revestido de mogno que um dia Bennett chamou de seu.

– Vou buscar mais chá para você – avisa Maggie, e pega minha xícara quase cheia antes de sair e fechar a porta, deixando-me sozinha no quarto.

Há algumas caixas empilhadas perto da parede embaixo das janelas, mas, exceto por isso, tudo parece estar como sempre. Abro as portas do armário e olho para dentro. O uniforme dele está lá, junto com algumas roupas que nunca o vi usar. O casaco de lã está pendurado em um cabide de fácil acesso, e apesar dos trinta e dois graus lá fora, eu o visto, levanto a gola até o nariz e inalo seu cheiro.

Fecho a porta do armário e me aproximo da escrivaninha. Não há nada em cima dela – nem mesmo uma caneta ou uma fotografia. Sento-me na cadeira de madeira e abro a primeira gaveta. E é lá que encontro o restante dele. Pego um objeto por vez e os coloco sobre a mesa. Sua carteirinha de estudante da Westlake. Um dos meus alfinetes vermelhos. Um cartão-postal em branco de Ko Tao. O cartão que escrevi para ele em Vernazza. Um lápis amarelo de ponta grossa. Um mosquetão. Uma chave.

Empurro tudo para o lado, pego a chave e me aproximo do armário. Trabalho depressa, empilhando álbuns de fotografias e antigos anuários até ver uma fechadura dourada no canto e no fundo. Giro a chave na fechadura e puxo uma portinha. Lá dentro, encontro vários maços de notas de dinheiro presas por elásticos, notas de cem e vinte dólares.

Em cima do dinheiro, vejo seu caderno e lembro como ele o usou para planejar a reformulação que salvou a vida de

Emma. Pego o caderno e viro as páginas. Cada uma delas está coberta de linhas do tempo e equações matemáticas, gráficos que documentam conversões de idade e eventos históricos, nomes de empresas com cifrões ao lado de cada uma. Enfim chego à página que um dia ele me mostrou – as conversões de tempo que calculou para nos levar à entrada de minha casa e impedir Emma de ir dirigindo até Chicago.

Volto às primeiras páginas do caderno e vejo outra coisa familiar. Minhas palavras, mas na caligrafia dele:

Um dia, em breve, vamos nos encontrar. E então você vai partir para sempre. Mas acho que posso consertar isso – só preciso tomar uma decisão diferente dessa vez. Diga-me para viver minha vida por mim mesma, não por você. Diga-me para não esperar você voltar. Acho que isso vai mudar tudo.

Ele contornou palavras-chave e expressões como *para sempre*, *consertar* e *mudar tudo*, acrescentando os próprios comentários e pontos de interrogação e exclamação como se estudasse o texto, tentando decifrá-lo. Mas não conseguiu. Mesmo depois de meses tentando. E agora é tarde demais – ele partiu para sempre. *Por que não me contou?* Era para ele ter me contado *tudo*.

Olho para a porta preocupada com Maggie. Depois guardo o caderno vermelho, tranco o armário e ponho os álbuns de fotos e recortes de volta em seus lugares. Quando tudo parece estar exatamente como ele deixou, volto à escrivaninha.

Abro a gaveta e guardo a chave lá dentro, depois examino os outros objetos. Pego cada um e giro entre as mãos, começando pelo cartão-postal de Ko Tao. Lembro o dia em que ele me deu o meu no gramado da escola. Fiquei impressionada por ele ter voltado só para isso.

– Trouxe um para mim também... para me lembrar do dia – dissera ele.

– Aqui – sussurra Maggie, e eu me sobressalto antes de virar a cabeça. Ela trocou nossas xícaras de chá por uma pequena sacola de compras, que agora me oferece.

– Obrigada.

Maggie olha para a pilha de objetos em cima da mesa de Bennett e toca meu ombro.

– Você está bem, querida?

Respondo que sim com tristeza.

– Ele era um menino muito doce. Espero que volte.

Seguro a sacola embaixo da beirada da mesa e empurro tudo para dentro. Depois me levanto, abraço Maggie e agradeço por ela me deixar guardar as coisas dele. Maggie me abraça com força.

– Devia ir à Califórnia fazer uma visita – digo quando me afasto do abraço. – Ver aquele seu neto. Aposto que sua filha ficaria muito feliz.

– Não sei... Minha filha e eu não somos muito próximas hoje em dia.

Olho nos olhos dela, e embora sejam exatamente iguais aos de Bennett, não o vejo ali. Vejo apenas Maggie.

– Devia ir mesmo assim.

– Talvez eu vá.

Olho para ela e sorrio. Não é preciso esperar Bennett crescer para começar a fazer pequenas mudanças que vão afetar seu futuro. Não se eu puder ajudá-la a fazer as coisas certas desde agora.

Beijo o rosto de Maggie e fecho a gaveta da mesa, deixando a chave lá dentro.

~~~

Volto ao campus meia hora depois do último sinal e caminho pela Rosquinha ouvindo meus passos ecoarem nos corredores vazios. Espero que a sala de aula não tenha sido trancada, que minha mochila esteja lá e que Argotta já tenha ido embora. A probabilidade de confirmar as três expectativas é muito baixa.

Quando chego à sala de aula, a primeira coisa que vejo é minha mochila apoiada à mesa de Argotta. E, levantando a cabeça, eu o vejo ali sentado, corrigindo trabalhos.

— *Señor* Argotta? — Ao ouvir minha voz ele para de escrever, mas mantém os olhos fixos no papel.

— *Señorita* Greene. Que bom que voltou.

— Eu... sinto muito. É que... — Ele agora olha para mim, primeiro curioso, depois horrorizado. Minha camiseta está encharcada de suor, meu rosto está todo vermelho, e a umidade encrespou e armou meus cabelos ainda mais que o habitual. Argotta pisca algumas vezes, mas não faz perguntas.

— Não precisa explicar. Seu amigo, o *señor* Camarian, me contou sobre o... impacto... causado pela partida do *señor* Cooper.

Não sei se Alex tem as informações necessárias para explicar esse "impacto", mas se a Rosquinha sabe tudo, como Danielle costuma dizer, ele provavelmente tem. E agora meu peito fica pesado com a culpa. Como pude ter sido tão cruel com ele mais cedo?

Argotta se inclina e estende a mão para minha mochila, parecendo pretender pegá-la para mim, mas, ao sentir o peso, ele a empurra em minha direção. Dou um passo à frente, pego a mochila e a penduro sobre um ombro.

– Obrigada. – Viro para sair.

Estou quase na porta quando escuto o professor pigarrear atrás de mim.

– Sabe que dia é hoje, *señorita* Greene?

Paro para pensar.

– Primeiro de junho, *señor*.

– *Exactamente.*

Reviro os olhos. Não estou com disposição para isso.

– O que faz de ontem o último dia de maio. Esperava sinceramente que considerasse aquela oferta para o intercâmbio no México, *señorita*. Talvez agora que os planos para o verão mudaram...

Lembro o dia em que ele me deu o envelope amarelo e me dou conta de que nem me dei o trabalho de abri-lo. Devia estar informada sobre todos os detalhes, mas não estou.

– Ah, é claro. Onde é mesmo?

– Creio que o lugar foi incluído em seu plano de viagem, não? Uma bela cidade chamada La Paz. Está se tornando muito conhecida. E essa é a época certa para vê-la.

– La Paz?

– *Sí.* – Ele me observa enquanto tento não parecer confusa. *La Paz?* – Você tem o voucher e tem uma excelente família para hospedá-la. A viagem é praticamente gratuita. Tenho certeza de que já planejou seu verão, mas essa é uma excelente oportunidade, e ainda posso mexer uns pauzinhos, se estiver interessada.

Argotta me observa ao esperar a resposta. E, finalmente, quando não falo nada, ele se recosta à cadeira e cruza os braços. Quero ir, mas acho que não posso. E se Bennett voltar?

Não posso viajar. Tenho que esperar aqui. Mas todo meu corpo começa a tremer quando lembro as palavras que li há pouco no caderno de Bennett — as palavras que vou escrever em uma carta para ele daqui a dezessete anos: *Diga-me para não esperar você voltar.*

— Está tudo bem, *señorita*?

Acho que isso vai mudar tudo.

Sinto que estou distante quando assinto e, ao falar, a voz que escuto não soa como a minha.

— Essa é uma boa oportunidade, não é? De sair daqui?

— *Exactamente!* — Ele levanta os braços, e eu me assusto. — Vá! Vá! Nada a impede! Vá ver o mundo, *señorita*!

Ele sorri para mim, e acho que sorrio de volta. Porque é isso. *Esse* é o momento.

Não sei como aconteceu antes. Talvez Argotta não tenha voltado a tocar no assunto. Talvez todas as vagas tenham sido preenchidas no início. Talvez tudo tenha sido exatamente igual, mas ela decidiu passar o verão todo aqui, deprimida e esperando Bennett voltar. Mas agora não tenho dúvida de que *Anna* ficou ali parada na frente de Argotta, agradeceu com educação e recusou a oferta. E não é isso que vou fazer.

— Ainda tem o formulário de inscrição? — pergunta ele, e eu faço que sim com a cabeça.

Não sei bem onde está, mas sei que vou encontrá-lo; e agora mal posso esperar para chegar em casa e procurá-lo em minha escrivaninha.

— Você tem até segunda-feira. Avise-me quando decidir o que quer fazer.

Meus pais podem precisar do prazo até segunda-feira, mas eu não. Corro para o *señor* Argotta e o abraço.

— Muito obrigada, *señor*! — Quando me afasto, ele parece um pouco chocado, mas percebe que o abraço foi minha forma de dizer sim, e não há nada além de prazer em sua expressão.

— Está fazendo uma boa escolha, *señorita*.

Espero que seja uma boa escolha. Não tenho certeza disso, mas sei que é uma escolha diferente.

E de repente compreendo. Estou bem no meio da reformulação dela.

36

Dependendo da estação, Schiller Woods pode ser lindo ou sinistro; o lugar perfeito para um casamento ou para um filme de terror. Quando papai passa pelo portão, vejo que o que um dia foi um cobertor de lama cinzenta é agora um prado verde e radiante. Saio do carro e respiro fundo; todo o parque tem cheiro de novo.

— Senti falta disso — digo ao fechar a porta, e me sinto contente de verdade pela primeira vez em semanas. Papai parece surpreso por me ver tão feliz, mas não consigo evitar; adoro esse evento. Os treinadores de *cross-country* da nossa categoria criaram a corrida amistosa, mas obrigatória, caso seis meses de corrida em uma pista de terreno esponjoso, em vez de lama pegajosa, e obstáculos de metal, em vez de árvores caídas, nos leve a questionar nossa verdadeira paixão. Disputei essa prova vezes suficientes para saber como o trajeto vai descer e fazer curvas nos próximos cinco quilômetros, onde estarão os trechos mais estreitos e onde os obstáculos serão provavelmente colocados.

Meus colegas de equipe e eu nos reunimos em torno de uma mesa de piquenique, alguns metros distante da linha de largada, alongando e olhando além do campo aberto, procurando nossos maiores concorrentes, enquanto papai vai buscar café. Alguns minutos mais tarde, ele volta com um copo descartável e um mapa dobrado.

– Como se sente? – pergunta meu pai, abrindo o mapa sobre a mesa e se debruçando sobre ele.

– Bem. – Papai levanta os olhos esperando que eu elabore, porém não falo mais nada. Mas me sinto bem. Tenho me sentido cada vez melhor desde que, há dois dias, tomei a decisão de ir a La Paz. Agora só preciso encontrar um jeito de contar a meus pais.

– Onde ela está? – pergunta papai em voz baixa.

Levanto um braço e o alongo enquanto aponto com o queixo.

– Ali. Número trinta e dois. Camiseta azul. – Alongo um pouco mais e dou a meu pai tempo para encontrá-la. Avaliá-la.

– Hummm. – Ele a observa, mas não sei dizer o que procura.

– Tudo bem, lembre-se de estabelecer o ritmo. Não esconda o jogo só para explodir e ultrapassá-la no final. Mantenha a pressão o tempo todo. Ultrapasse, fique na frente. Depois, não perca de vista aquela camiseta azul e aumente a pressão no último marcador. – Ele estuda a multidão outra vez. Não devia estar tão nervoso, já que, agora, não estou disputando uma bolsa de estudos.

– Entendi.

– Onde está seu marcador? – pergunta papai apontando para o mapa.

Toco o desenho com um dedo.

– Essa bomba de água parece estar a uns duzentos metros da chegada.

Ele estuda as outras alternativas e, por fim, assente.

– Sim. Muito bom. Acho que é sua melhor aposta. Tudo bem, vou para o meu lugar, junto com os outros pais preocupados. – Ele bate nas minhas costas. – Não quebre nada.

– Não vou quebrar. – Respiro fundo e dobro o corpo para a frente. Enquanto me alongo, olho para o número 54 de cabeça para baixo no papel preso em meu peito e escuto meus companheiros de equipe e os outros concorrentes se reunindo à minha volta. Chacoalho os membros e vou para o meu lugar.

Ficamos lado a lado na linha de largada. São só sete da manhã, mas ao alongarmos e visualizarmos o trajeto, pingamos de suor por causa do calor e da umidade. Quando o tiro autoriza a largada, corremos pela grama com velocidade controlada e vamos para o meio das árvores. Já sinto falta da lama. Subimos uma encosta coberta de galhos caídos e destroços, depois descemos para uma área mais fechada do bosque onde o terreno é ainda mais irregular.

Formamos um pelotão no primeiro quilômetro e meio, passando bem perto uns dos outros quando chegamos a um trecho de árvores pouco espaçadas. No fim dos primeiros mil e seiscentos metros, atravessamos um riacho raso e pulamos vários troncos de árvores. Eu me esforço, subo e salto, e sei que há pessoas à minha volta, mas elas parecem desaparecer conforme percorro os quilômetros e as ultrapasso, abrindo caminho para a frente do pelotão.

Assim é melhor. Não estou leve como de costume, mas enquanto corro cercada pela floresta e pelo céu, minha cabeça começa a clarear de novo. Aqui estou no controle, movendo-me com o grupo, mas não estou forçando e brigando como deveria fazer se quisesse ganhar essa coisa.

Corro sentindo o impacto dos pés na trilha e meu coração batendo depressa no peito, e olho para a frente, para as garotas diante de mim. Quando fazemos uma curva e começamos a descer por uma trilha estreita, vejo a bomba de água bem à frente da líder. Meu marcador. No início, aumento o ritmo lentamente para não parecer uma ameaça para as cinco meninas na minha frente. Passo depressa por uma delas. Depois por outra. Estou em terceiro lugar quando chego ao marco de quatrocentos metros, e é nesse momento que cravo os olhos na camiseta azul e a persigo com toda a força que me resta. Por um momento, sinto algo familiar retornando. Meus pés se movem mais depressa. *Onde está a guerreira?* Escuto a voz de Emma.

– Bem aqui – sussurro, sem me importar se alguém está ouvindo, e aumento o ritmo. Alguma coisa mudou. Alguma coisa está diferente hoje. Visualizo as palavras na carta – *acho que posso consertar isso* –, elas ecoam em meus ouvidos enquanto mantenho os olhos fixos nas corredoras à frente.

As duas primeiras pulam o último obstáculo, e depois é minha vez. Corro para a árvore caída, salto, meus pés deixam o chão. Mas sinto a ponta do tênis enroscar em algum lugar e quase caio, perco o equilíbrio mas continuo correndo com passos largos para tentar ficar em pé. As garotas que acabei de ultrapassar passam por mim novamente.

Recupero o equilíbrio, respiro fundo e sigo adiante. Subo a encosta com velocidade máxima, as pernas queimando, até ultrapassar as duas garotas outra vez. E ultrapasso mais uma. Mas a menina da camiseta azul está muito longe. Vejo a linha de chegada daqui – vejo que ela está mais perto do fim do que eu – e isso me faz adotar um ritmo completamente diferente. Fixo o olhar no rabo de cavalo balançando na minha frente. Exijo de mim um último esforço e corro para alcançá-la.

Mas ela é mais rápida. É ela quem rompe a fita, embora eu a siga de perto. Paro e dobro o corpo para a frente, inspiro grandes porções de ar, limpo o suor do rosto e sorrio para o chão.

– Boa corrida – escuto-a dizer, e giro para o lado a fim de ver a garota que venci por pouco nas finais do estadual na mesma posição que eu, respirando com a mesma dificuldade. Ela estende a mão para me cumprimentar. Não me importo por ter chegado em segundo lugar, e meu sorriso é autêntico.

– Obrigada – respondo arfante ao cumprimentá-la. – Você me fez lutar por ela. – Suas sobrancelhas se aproximam compondo uma expressão confusa, mas não acho que preciso explicar. Posso ter perdido o troféu do primeiro lugar, mas em algum lugar do percurso encontrei o que me fazia falta.

Em casa, subo a escada correndo, me jogo no chão e começo a revirar a mochila até encontrar o envelope amarelo que tirei de baixo das coisas da escrivaninha na última quinta-feira. Abro-o e leio novamente, pela centésima vez, a carta da família que oferece a hospedagem; olho para a foto 20x25 em que todos aparecem. Estão em pé e abraçados na frente da casa. Quatro filhos. Uma menina da minha idade. Um garoto que parece um pouco mais velho. Duas garotas pequenas de vestido, em pé na frente do grupo, aparentemente gêmeas.

E agora, quando olho para o mapa, de repente tudo que sinto é que quero torná-lo real outra vez. Removo o alfinete de Praga e escuto o ruído que ele faz ao cair dentro do recipiente de plástico. Tiro o alfinete de Paris. Cairo. Amsterdam. Berlim. Quebec. Alguns minutos mais tarde, removi todos os indicadores de viagens falsos da superfície do mapa, todos os destinos que nunca vi, mas estavam marcados como se tivesse visto, e os guardei de volta no lugar a que pertenciam.

Restavam apenas oito alfinetes.

Springfield, Illinois.

Ely, Minnesota.

Grand Rapids, Michigan.

South Bend, Indiana.

Ko Tao, Tailândia.

Parque Estadual Devil's Lake, Wisconsin.

Vernazza, Itália.

São Francisco, Califórnia.

Oito alfinetes não chegam nem perto de ser o suficiente, mas pelo menos correspondem à realidade. E o nono também será real.

37

Todos estão de bom humor durante o jantar, talvez porque afinal estou sorrindo, em vez de lançar meu encanto depressivo sobre a mesa. Mas sinto que essa disposição vai mudar.

– Quero conversar com vocês sobre o verão – anuncio.

Mamãe olha para mim ao mastigar; papai mantém os olhos no prato e corta um pedaço de frango.

– É claro. O que é? – pergunta ele.

Respiro fundo e falo:

– Estive conversando com meu professor de espanhol sobre um programa de intercâmbio no México. Ele organiza as viagens e seleciona pessoalmente os estudantes que participam. Ele me disse que uma família muito boa pode me hospedar durante o verão. Em La Paz.

Não esperava falar tudo tão depressa. E agora todas as palavras pairam sobre a mesa enquanto meus pais se entreolham, confusos.

– Sei que é tudo repentino – continuo –, mas tenho pensado muito nisso. Sempre quis viajar e, vocês sabem, preciso muito de um tempo longe... daqui. – Ninguém se mexe ou fala, por isso continuo: – Não vai custar nada. Ganhei a passagem de avião na aula do *señor* Argotta, e tenho um lugar para me hospedar na casa dessa incrível família. É praticamente de graça. – Escuto minha voz repetindo as palavras de Argotta e sinto como se ele estivesse aqui comigo, me incentivando.

– La Paz? – Mamãe não esconde a preocupação.

– Sim. Fica na península Baja. No Mar de Cortez, México – esclareço, caso ela tenha perdido essa parte.

– É muito longe.

Sorrio para ela e dou de ombros.

– É mais ou menos essa a intenção, mãe.

– De jeito nenhum. – Ela suspira e se agita na cadeira. – O que sabe sobre essa família?

Vou até o balcão onde mais cedo deixei o envelope com as informações e o levo de volta à mesa. Mostro as fotos e a carta e conto o que sei sobre eles. O pai é um homem de negócios. A mãe fotografa a natureza. Eles têm uma filha da minha idade. Tiro o formulário preenchido do envelope e o coloco ao lado das fotos.

– Só precisa da assinatura de vocês.

Mamãe pega o formulário, lê e o deixa novamente sobre a mesa.

– Quando você iria?

– Em duas semanas.

– Duas semanas!?

– É meio em cima da hora.

Meu pai está muito quieto. Não consigo determinar de que lado está, por isso olho para ele e suplico com os olhos por seu apoio firme.

– Quanto tempo você passaria fora? – pergunta ele.

Essa parte não vai cair muito bem.

— Dez semanas.

— Dez semanas? Isso é o verão todo! — Mamãe empurra a cadeira para longe da mesa e vai até a cozinha.

Papai olha para mim. e eu olho de volta com expressão suplicante.

— Por favor, pai — cochicho. Ouço o barulho de água corrente na cozinha.

— É muito tempo — responde meu pai em voz alta, o suficiente para mamãe ouvi-lo, e eu a imagino debruçada sobre a pia assentindo com veemência. — Mesmo assim — continua ele —, parece uma oportunidade muito boa. — Mamãe volta exibindo uma expressão apavorada que se transforma em fúria, como se ela não acreditasse que ele expressou essa opinião sem consultá-la antes. Mas papai se mantém firme. — Annie quer viajar desde pequena — diz à minha mãe. — Esse é um bom jeito de ver o mundo, conhecer uma cultura diferente.

Movo os lábios formando a palavra *obrigada* quando ela não está olhando.

Mamãe deixa o copo sobre a mesa com uma força um pouco excessiva. Ela se senta e olha para meu pai.

— Está mesmo considerando a ideia de deixar nossa filha de dezesseis anos ir morar por dois meses em um país estranho, com pessoas que nós nem conhecemos?

— Argotta diz que isso vai ajudar a melhorar muito minha pronúncia. Vai desenvolver meu ouvido para a língua espanhola. Provavelmente não vou ser fluente em apenas dois meses, mas vou chegar mais perto disso.

— Não sei. — Mamãe olha de mim para meu pai, e papai olha de mim para ela, e agora estamos em um impasse.

— É uma grande honra ser selecionada — explico. Ela não precisa saber que ninguém mais quis a vaga. É engraçado me ouvir argumentar com tanta paixão, considerando como desprezei a oferta quando Argotta a fez pela primeira vez, mas isso foi na época em que Bennett estava aqui, quando eu não precisava de autorização para fazer viagens internacionais. — Mãe. Isso é importante para *mim*. Eu preciso ir.

Ela não olha para nenhum de nós, e ficamos todos sentados em silêncio, empurrando a comida no prato, tentando ignorar as fotos da família feliz sobre a mesa.

⁓

— Pode me deixar aqui? — peço, apesar de ainda estarmos a dois quarteirões da livraria.

— Por que aqui? — Emma para o carro junto da calçada e segue a direção do meu dedo, que aponta para a Agência de Viagem Going Going Gone. — Ah. — Ela soa muito triste. — Espere, vou estacionar para ir com você.

Abro a boca a fim de protestar, mas penso que pode ser terapêutico para ela me ver comprar a passagem, constatar que a viagem vai mesmo acontecer, porque ela não parece ser capaz de processar por completo a informação de que vou passar o verão longe dela pela primeira vez em três anos.

Quando abrimos a porta de vidro, somos recebidas pelos mesmos sinos que temos na livraria. Emma e eu nos sentamos nas únicas cadeiras da agência quando uma mulher jovial, com óculos de lentes grossas e cabelo de vassoura com corte ultrapassado e cheio de pontas duplas, aparece de trás de uma divisória e se senta na nossa frente. Quase não consigo vê-la atrás do gigantesco monitor.

— Oi. Preciso comprar uma passagem de ida e volta para La Paz, México, por favor. — Pego da mochila a cópia agora castigada de *Let's Go Mexico*, abro na página de La Paz, marcada pelo canto dobrado, e pego o voucher que mantive guardado no livro. – E gostaria de usar isto aqui. – Empurro o voucher por cima da mesa e lembro a expressão satisfeita que vi no rosto de Argotta esta manhã, quando entreguei meu formulário preenchido e assinado por meus pais.

Ela pega o voucher, o vira e deixa sobre a mesa diante dela.

– Claro! Quando quer viajar? – A mulher é animada demais, e assim que ela olha para a tela do computador, Emma revira os olhos.

– Vinte de junho, por favor. É uma terça-feira. – Os dedos da agente de viagem começam a correr pelo teclado. De vez em quando ela para de digitar para consultar a tela, e logo os dedos voltam a se mover.

– Quero ver isso. – Emma pega minha cópia de *Let's Go Mexico* e começa a virar as páginas, parando de vez em quando a fim de me mostrar uma ou outra foto de uma praia ao pôr do sol, ou falar sobre os fantásticos mergulhos ou sobre a comida deliciosa.

– Olhe isso! – Emma se vira na cadeira e empurra o livro para mim. – Olhe esses mercados, toda essa cerâmica e comida. Isso não é justo, você nem gosta de fazer compras.

A agente de viagens pigarreia e lê as opções de horários de partida.

– Vou levar você ao aeroporto – avisa Emma. – Escolha esse voo do meio-dia.

– Tem certeza? – pergunto.

– Sim. Absoluta – responde ela, sem desviar os olhos do livro.

– Quero o voo de meio-dia e quinze – digo à agente, e ela volta a digitar.

Emma olha para a foto do mercado ao ar livre.

– Veja esses chapéus. Aqui diz que a trama é tão fechada que eles podem reter água. Por que eu ia querer segurar água dentro de um chapéu?

Ela olha para mim e dá de ombros.

— Não sei por quê, mas ultimamente tenho pensado que preciso de mais chapéus. O que você acha? Fico bem usando chapéu? — pergunta ela, e eu prendo a respiração. Embora esteja sentada ao meu lado sem nem uma cicatriz sequer, por um momento tudo que consigo ver é seu corpo inerte sobre o lençol branco, frágil e coberto de cortes e furos por onde passam tubos, enquanto conto a ela sobre meu plano de viagem para o México. Pulo quando a impressora ganha vida e começa a estalar, piscar e funcionar atrás da mesa.

— Chapéus? — pergunto.

— Sim. Chapéus. Aquelas coisas que as pessoas usam na cabeça para bloquear o sol e esconder o cabelo. — Ela me encara com os olhos bem abertos. — O que acha? Fico bem usando chapéu? Tem gente que não fica bem de chapéu, sabe, mas eu acho que isso não vai ser problema para mim.

Olho para ela por alguns instantes e enfim recupero a voz.

— Sim, você fica bem de chapéu. — Empalideço. *Você fica muito bem de chapéu*, lembro que disse isso naquele dia, sentada sobre a cama, segurando a mão dela e falando sobre a Península de Yucatán. Depois desabei. Disse a ela para aguentar firme porque eu consertaria tudo.

— Aqui está. — A agente sorri radiante e me entrega um envelope fino decorado com peixes coloridos. — Faça uma excelente viagem! E volte para nos visitar, srta. Greene!

Emma engancha o braço no meu e me leva para fora da agência.

— Agora que fizemos o que você queria, é minha vez. Vamos ver o Justin — anuncia ela, e me puxa pela rua para a loja de discos.

38

As aulas terminam em um dia quente, mormacento, e enquanto todos vão para o lago levando comida, música e toalhas de piquenique, eu passo a tarde com um monte de gente suada esperando na fila do posto de emissão de passaporte em Chicago. Quatro horas mais tarde e com o passaporte na mão, saio do trem na estação de Evanston e desço com passos pesados a escada de cimento a fim de ir para casa. No cruzamento, olho para um lado da rua e vejo a placa da loja de discos.

Faz mais de uma semana que Emma e eu fomos comprar minha passagem e entramos saltitantes e felizes naquela loja para contar a Justin tudo sobre o México. Depois que ela terminou de imitar a animada agente de viagens, Justin a abraçou e fez uma piada sobre ser obrigado a passar o verão inteiro sozinho com ela. Ele me disse para voltar na semana seguinte, quando teria preparado vários CDs para eu levar na viagem.

— Ah, aí está você! Pensei que tivesse esquecido! — Justin sorri para mim quando passo pela porta e entro na loja vazia. A música é alta, como sempre.

Dou de ombros.

– Como poderia esquecer música de graça?

Ele finge estar triste.

– E eu aqui pensando que você veio me ver.

– Você? – Olho para ele fingindo confusão. – Não. Nada a ver com você. Só vim pelas músicas. – E sorrio.

– Você é cruel. – Ele recua um passo e segura minhas mãos, como Bennett costumava fazer antes de fecharmos os olhos para abri-los em outro lugar. – Animada?

– Sim. Muito.

– Vamos sentir saudade de você.

– Também vou sentir saudade de vocês. – Olho em volta. – Mas vai ser bom fazer algo diferente, sabe?

– Eu sei. – Justin passou a última década me ouvindo falar em viajar pelo mundo, e sua expressão demonstra que ele está muito animado por me ver indo a algum lugar, afinal. – Bem, já que veio só pelas músicas, vamos fazer seu estoque. – Ele segura minha mão outra vez e me leva pela loja, pelos corredores estreitos entre gôndolas de madeira rústica lixada. Justin para no expositor de lançamentos. – Aqui, este é novinho. Foi lançado esta semana. – E me entrega o CD. Viro a embalagem para ler a relação de músicas. – Ela é boa. Uma garota canadense irritada. Excelente música de término de namoro.

– Nós não terminamos.

– É claro que não, mas você sabe...

Forço um olhar sério, e a loja fica em silêncio entre o fim de uma música e o começo de outra. Voltamos a andar, e as notas de um piano dão início a uma melodia suave. Justin para na seção de rock e pega um CD.

– Estava mesmo querendo falar com você sobre essa banda de Chicago; eles vão tocar na cafeteria na semana que vem –

diz ele, e tento ouvi-lo, mas toda minha atenção está focada na melodia que ecoa do teto. A canção soa familiar, e, quando a letra começa, apesar de saber que devo prestar atenção ao que Justin está falando sobre essa banda que tanto o entusiasma, me pego fazendo um esforço para ouvir a música.

> *Take me to another place, she said.*
> *Take me to another time...*

> Leve-me para outro lugar, disse ela.
> Leve-me para outro tempo...

Sinto o buraco no meu estômago voltar a crescer enquanto escuto.
— Aqui está — diz Justin, e quase faço um *shhh*. — O baterista é...

> *Take me where the whispering breezes...*
> *Can lift me up and spin around.*

> Leve-me aonde as brisas que sussurram...
> Podem me levantar e me girar no ar.

Não posso olhar para ele, porque tenho medo de tirar a mão da gôndola de madeira e não conseguir ficar em pé. Ele está brandindo o CD, sua expressão facial é animada e entusiasmada, por isso sei que continua falando. E acho que estou dizendo "aham", ou alguma coisa parecida, mas não ouço uma palavra de nenhum de nós dois. Tudo que posso fazer é prestar atenção à letra.

If I could I would, but I don't know how.

Se eu pudesse, levaria, mas não sei como.

— Anna? Tudo bem?
Agora que parei de olhar para o passado, para o que fiz de errado, e parei de sentir raiva de Bennett pelo que ele fez de errado — agora que enfim encontrei minha força e tomei a decisão que podia mudar tudo —, a tristeza e a raiva me invadem outra vez; e, antes que eu consiga me convencer a contê-las, as lágrimas começam a cair, aterrissando como pequenas gotas sobre as caixas de CD.

— Fique aqui. — Justin se afasta, e o vejo ir trancar a porta da loja com uma das mãos, usando a outra para virar a placa de Volto em dez minutos. Solto a gôndola de madeira e deixo meus joelhos dobrarem, sento no chão e apoio as costas à prateleira. Puxo os joelhos contra o peito e ouço a canção. A descarga de adrenalina que me faz cerrar os punhos retornou; abro os olhos e descubro que minhas unhas curtas deixaram marcas na palma das mãos.

I'm melting into nothing...

Derreto e me torno nada...

Primeiro sinto Justin parado perto de mim, depois o sinto no chão, olhando para mim e me puxando para um abraço. Assim que sinto o calor de seu corpo, mergulho nele. A proximidade — a posição em que estamos — parece ser íntima demais, e sei que devia me afastar, mas não consigo. Preciso dessa conexão. Então choro, respiro e aproveito a sensação da mão pesando em minhas costas. Antes éramos só dois amigos que se conheciam desde a infância. Agora ele é namorado da minha melhor amiga, e isso significa, provavelmente, que não devíamos estar sentados ali no chão, ouvindo música e envolvidos em um abraço apertado.

Estou me preparando para dizer isso a ele quando Justin se afasta e apoia o queixo em meus joelhos. Ao ficarmos frente a frente desse jeito, ele parece muito diferente. O sol bronzeou sua pele, uniu as sardas, e o sorriso muito... Justin, muito doce e generoso e pronto para me apoiar sempre. Alguma coisa deve ter mudado em minha expressão, porque de repente ele se inclina para a frente, fecha os olhos e se aproxima muito mais do que devia. Sei o que está prestes a acontecer, e sei que não quero que aconteça, mas não sei bem como impedir. Estou presa entre sua boca e a estante de CDs.

Viro a cabeça tão depressa que, quando nossos lábios se tocam, o movimento é desajeitado, quase acidental.

– Justin... – Meu tom de acusação o deprime. Para superar a tensão, caio sobre seu ombro, dou uma risada nervosa e soco seu braço. – O que está fazendo, seu idiota?

Se é possível, a risada dele soa ainda mais nervosa do que a minha.

– Uau! – exclama ele com os olhos fixos no chão. – Acho que interpretei mal a situação. Desculpe. – E nem consegue olhar para mim.

Agora me sinto muito mal por minha melhor amiga.

– Justin... eu nunca seria capaz de fazer isso com Emma. E pensei que você também não fosse.

– Não sou. Eu não... não sei, acho que perdi a cabeça por um instante.

Justin se afasta de mim, e sinto que preciso fazer alguma coisa para amenizar sua culpa.

– Não se preocupe, não aconteceu nada. Além do mais – rio outra vez de um jeito nervoso –, acho que é bom saber que eu não estava maluca. Até você começar a sair com Emma, sempre pensei que tivesse algum interesse por mim.

Justin me encara.

– É claro que tinha.

– Cale a boca. – Dou mais um soco em seu braço, principalmente porque não sei o que fazer com as mãos.

Ele balança a cabeça.

– Como é possível que você não soubesse? – pergunta ele, e me limito a olhá-lo, porque não tenho ideia do que dizer. – Lembra aquela vez no sexto ano, quando fui à sua casa? Nossos pais estavam jogando baralho, e você e eu passamos a noite no seu quarto. Você falou várias vezes que tinha uma surpresa para mim.

Sorrio para ele, mas, até agora, não me lembro de nada disso.

– Quando escureceu, você me disse para deitar no tapete, apagou a luz e se deitou ao meu lado. Passamos uma hora olhando para aquelas estrelas de plástico que brilham no escuro coladas no teto, inventando nossas próprias constelações e rindo até perder o ar. Você me contou como olhava para as estrelas à noite e fingia estar em outro lugar do mundo até adormecer. Depois me contou sobre seus planos de viagem, como queria ser fotógrafa ou jornalista, alguém que viajasse pelo mundo, e disse que planejava morar em Paris primeiro. Ia fazer um curso de francês naquele verão e se mudar para lá logo depois da formatura.

– Isso parece mesmo alguma coisa que eu teria dito. – Não acredito que ele se lembra disso. Tínhamos onze anos. Mesmo depois de Justin ter me contado toda essa história, os detalhes tão nítidos na cabeça dele são vagos e nebulosos na minha. — Como consegue lembrar tudo isso?

Ele ri.

— Foi naquela noite que deixei de pensar em você como minha melhor amiga... bem, *só* como minha melhor amiga. — Sinto meus olhos se estreitarem e inspiro bruscamente, observando-o, esperando ouvi-lo dizer que está brincando, mas ele apenas sorri e dá de ombros, como se não pudesse evitar.

— Por que nunca me contou?

— Não queria estragar nada. Decidi que, se tivesse que acontecer, em algum momento aconteceria. — Mais uma vez, Justin dá de ombros e olha para mim.

— O que você está falando? E Emma?

Ele sorri com autenticidade.

— Emma é inacreditável. Ela é linda, divertida e totalmente incrível. Mas não é você. Ela não é minha melhor amiga.

— Isso não é justo com ela. Você só conhece Emma há alguns meses, mas me conhece desde sempre. Dê uma chance a ela.

— Eu sei. Estou dando. Mas é que, na maior parte do tempo, não consigo nem acreditar que estamos juntos. Quando a convidei para sair pela primeira vez, não esperava que aceitasse. Acho que, em parte, só a convidei para ver se você sentiria ciúme. Mas ela me surpreendeu completamente quando aceitou o convite, e não sei... ela parecia gostar de mim de verdade.

— Ela gostava. *Gosta*. — E até este momento eu achava que Justin também gostava dela. Penso no dia em que nos sentamos na lanchonete do hospital e ele me contou sobre o encontro com Emma, como eles conversaram e conversaram, como ela o surpreendeu. Lembro como ele se debruçou sobre o corpo machucado de Emma e afagou seus cabelos, contou piadas no ouvido dela e parecia não ter olhos para mais ninguém. Como posso ter me enganado?

Então lembro que não houve nenhum hospital. Além de Bennett, só eu sei que houve duas versões daquele dia: a primeira terminou com um horrível acidente, mas a segunda terminou com nós quatro indo ao cinema, comendo pipoca, ele e Emma exibindo sorrisos, em vez de camisolas de hospital. A primeira versão acabou com Justin confortando Emma toda arrebentada, mas a segunda acabou com ele e Emma saindo comigo e com Bennett.

Alguma coisa importante aconteceu com eles naquele dia – em algum lugar entre a casa de Emma e a malfadada chegada ao cruzamento entre as ruas –, algo que os uniu. Ou talvez tenha sido o próprio acidente que fez toda a diferença. De qualquer maneira, nós apagamos aqueles eventos. Reformulamos aquele dia. E o modificamos.

Talvez Bennett estivesse certo – testar o destino, brincar com ele, pode não ter impactos óbvios no início, mas, em algum momento, algo vai dar errado.

39

São seis e meia da manhã, e a temperatura lá fora já chega aos vinte e seis graus. Visto um short leve, puxo o cabelo pela abertura na parte de trás do boné cor-de-rosa e ponho um par de óculos Oakley pretos que comprei para a viagem.

Quando passo correndo pelo homem de rabo de cavalo grisalho, aceno e digo o oi mais entusiasmado que ele já ouviu de mim. Esse homem me viu todas as segundas, quartas e sextas nos últimos três anos. Por um momento quero parar e dizer que vou sentir sua falta e que ele não precisa se preocupar com minha ausência, porque vou passar os próximos dois meses correndo na areia.

Quando termino o percurso de quase cinco quilômetros, paro na varanda, me alongo com a ajuda da grade e olho em volta. Fico pensando se este lugar vai estar diferente quando eu voltar. Talvez as árvores cresçam, ou vai aparecer alguma nova rachadura na calçada, ou meu pai terá pintado a casa.

Abro a porta e paro. Ali, apoiada ao corrimão, vejo a mala preta com a palavra TRAVELPRO estampada em letras prateadas e um enorme laço vermelho preso à alça retrátil.

Papai e mamãe surgem da cozinha. Ela ainda está de roupão, e meu pai a puxa pela mão como se ela pudesse fugir, se a soltasse.

– Uma mala – comento. Nunca tive uma. – Obrigada.

Mamãe sorri para mim com tristeza, se aproxima e praticamente me puxa para um abraço.

– Ai, pare. Estou toda suada.

– Não faz mal. – Ela me aperta com mais força, e sinto as lágrimas quentes em meu ombro. – Estou tão orgulhosa de você – sussurra mamãe em meu ouvido.

– Obrigada, mãe. – Afago suas costas e beijo seu rosto. – Não fique triste. Estarei de volta antes que você perceba.

– Eu sei – diz. Ela seca as lágrimas e olha nos meus olhos.

– Você é muito mais corajosa do que eu jamais fui.

Seguro seu rosto entre as mãos.

– Não é verdade. Veja como está sendo corajosa agora. – Sorrio para ela e a abraço com força.

– Annie, sua britânica chegou! – Meu pai grita lá de baixo.

Olho para o meu quarto pela última vez e fecho o último compartimento da mala. Não creio que vou precisar de muita coisa para um verão na praia, por isso viajo sem muita bagagem. Levo roupas e tênis para correr, meu discman, pilhas, uma coleção de CDs e alguns vestidos leves. Chinelos. Um pouco de maquiagem. Presilhas de cabelo.

Fecho a mala e a puxo até a porta; paro diante do meu mapa. Estudo os pequenos alfinetes vermelhos espetados nele, lembro a maciez da areia em Ko Tao, o cheiro das rochas em Devil's Lake e o vermelho intenso do pôr do sol em Vernazza. Em seguida olho para o alfinete mais recente, beijo a ponta de meu dedo e toco o alfinete em São Francisco. Fecho a porta e puxo a mala em direção à escada.

Quando chego à varanda, Emma está contando à minha mãe os planos que ela e Justin fizeram para o verão.

— Tem certeza de que não podemos levar você ao aeroporto? — Papai está parado na entrada da garagem exibindo um sorriso tenso.

— Emma quer me levar.

— Nós também queremos.

— Sim, mas Emma não precisa abrir uma livraria, nem fazer plantão no hospital.

— Tudo bem. — Ele me abraça com força, mas depressa, depois pega minha mala e a leva para o porta-malas aberto do Saab. A capota conversível está abaixada em comemoração ao dia quente de verão.

Abraço meus pais pela última vez, me despeço e prometo escrever. Depois abro a porta do passageiro e vejo uma caixinha embrulhada em papel colorido sobre o banco.

— O que é isso?

— Abra — pede Emma ao dar ré para voltar à rua, buzinando como uma doida. Seguro a caixinha com uma das mãos e aceno para meus pais com a outra. Quando nos afastamos da casa, rasgo o papel e encontro um estojo de couro. Levanto a tampa da embalagem.

— Em. — Pego a peça delicada, viro-a de um lado para o outro e torço a tira de couro. — Não preciso de um relógio. Já tenho um relógio.

— Você tem um relógio de corrida. Esse é um relógio social. É para o caso de você conhecer um garoto lindo, maravilhoso, e ele a convidar para jantar.

Fico surpresa quando percebo que sorrio pelo comentário.

— E eu tenho que saber a hora de voltar para casa antes de me transformar em abóbora? — Toco o vidro do mostrador com a ponta do dedo e olho para ela. — É lindo. Não precisava ter feito isso.

— Eu sei. Só queria que soubesse que vou ficar aqui contando os minutos até você voltar. Ha, ha, ha.

Rio com ela.

— É sério, Em. Obrigada. Adorei. — Ficamos em silêncio enquanto ponho o relógio com dificuldade no pulso.

— Não acredito que vai perder Pearl Jam em Soldier Field. Estamos esperando por isso há mais de um ano.

— Tudo bem. Você vai com Justin. — Sinto uma onda de tristeza quando digo o nome dele. Não mudaria o que Bennett e eu fizemos por ela, mas queria não me sentir tão responsável pela súbita mudança nos sentimentos de Justin. Olho para ela tentando imaginar o que vai acontecer com os dois nesse verão, torcendo para Justin dar uma chance a Emma, como prometeu que faria.

Ela suspira.

— O Justin acha o Eddie Vedder "medíocre". Essa foi a palavra que ele usou. "Medíocre". O homem é um gênio. — Emma liga o som. — Está aí o exemplo.

Ela aumenta o volume, e as notas da guitarra na abertura de "Corduroy" invadem o carro. Como sempre, nós cantamos. Alto. Desafinadas. As pessoas nos carros em volta olham para nós e balançam a cabeça. Mas de repente eu paro. Emma continua batucando no volante e cantando, mas eu presto atenção ao refrão.

Everything has chains...
Absolutely nothing's changed.

Tudo tem correntes...
Absolutamente nada mudou.

Alguma coisa mudou? Ele entrou e saiu de nossas vidas e, na superfície, talvez pareça que não deixou marcas, mas eu sei que elas existem: estão em mim. E por mais doloroso que seja estar nesta cidade sem ele, se eu pudesse viver de novo os últimos três meses, faria a mesma escolha – conhecer Bennett Cooper. Ainda que me sinta morrer por dentro quando a canção termina com as palavras *I'll end up alone like I began. Vou acabar sozinha como comecei.*

Emma entra no terminal de embarque internacional, breca diante da entrada do check-in, para o carro e olha para mim.

– Mande postais, amor.

Postais...

– Vou mandar. Prometo. – Eu a abraço apertado. – Espero que seu verão seja divertido. A gente se vê em agosto.

Eu a solto, mas seus braços continuam me apertando, e quando ela tenta dizer alguma coisa, ouço sua voz embargada e presa na garganta.

– Em... – Volto a abraçá-la. – Pare com isso. Vai me fazer chorar.

Ela me solta e se afasta.

– Tem razão. É um momento feliz. Nada de choro. – Ela limpa depressa as lágrimas do rosto e trocamos dois beijos encostando as faces. – Até agosto.

– Até agosto. – Abraço-a brevemente mais uma vez e saio do carro antes que as lágrimas me contagiem. Pego minha bagagem no porta-malas e entro no aeroporto, então paro e viro para acenar para Emma pela última vez.

O agente me entrega o cartão de embarque, e eu caminho com pernas trêmulas para a fila de pessoas que esperam para passar pela segurança. Nunca me senti mais sozinha, mas o lado positivo é que duvido que já tenha sido mais corajosa.

Me comporto como se soubesse embarcar em um avião. As pessoas andam depressa. E devagar. Meu coração dispara quando percorro o corredor entre os assentos, e parece que vai explodir no meu peito quando encontro o 14A. Minha bagagem de mão está cheia de revistas e livros de viagem e, é claro, tenho ali as oito coisas que não consegui deixar para trás.

Depois que me acomodo e afivelo o cinto de segurança, tiro da bolsa uma pequena pilha de cartões-postais, os quais olho um por um. A maioria está em branco, mas o que tem a caligrafia dele e os dois escritos com minha letra dizem a mesma coisa – fomos importantes um para o outro. Não queríamos que aquilo acabasse.

O avião começa a taxiar na pista, e logo decolamos. E é então que sinto. Finalmente, alguma coisa que posso comparar com a sensação de viajar com Bennett. Uma pequena contorção. Uma leveza no estômago. Sinto a incrível descarga de adrenalina e não contenho um sorriso ao pensar no que vou encontrar. Ajeito o travesseiro entre o assento e a parede do avião, seguro meus postais e apoio a cabeça contra o painel duplo de plástico da janela. Vejo Illinois se afastar e diminuir de tamanho lá embaixo.

40

O cinto de neoprene está preso em torno de minha cintura, a música pulsa alta em meus ouvidos, e as solas de meus pés deixam marcas na areia úmida por onde corro. Olho por cima do ombro para o sol que desce no horizonte e continuo virando a cabeça, acompanhando a linha que divide a baía azul-turquesa do céu alaranjado. Ainda não acredito que estou aqui.

Só queria que ele também estivesse. A mudança de cenário ajudou, mas ainda dói sentir tanta saudade, procurar o rosto dele entre estranhos na rua e pensar nele cada vez que passo pelas centenas de estantes de cartões-postais espalhadas por essa cidade turística. E embora sinta mais saudade de Bennett, também odeio saber que nunca mais vou sentir aquela compressão no estômago que me fazia sentir enjoada, mas completamente viva.

Lá na frente vejo as rochas altas e os penhascos escarpados que marcam o fim da praia, e sinto meus braços se moverem mais depressa, me impulsionando para lá. Cravo o olhar na rocha mais próxima da água e corro com toda a energia que tenho, parando apenas quando meus dedos tocam a pedra.

Sacudo braços e pernas, andando de um lado para o outro enquanto diminuo o ritmo do corpo. Quando volto a respirar normalmente, encontro um trecho de areia seca e me reclino sobre os cotovelos para apreciar a vista. Depois me deito no chão quente. Fecho os olhos e por um bom tempo não penso em nada além da sensação do sol em meu rosto e do som da água envolvendo a praia.

Minha cabeça vira preguiçosamente para o lado, e eu exalo ao abrir os olhos, mas, em vez de ver as pedras que marcam o fim da praia, olho para a linha do horizonte de São Francisco. Meu coração dispara outra vez, bate mais depressa, talvez, do que quando corro. Viro de lado, estendo o braço para pegar a foto na areia e olho para ela.

Viro a imagem para ver o outro lado.

Você não recebeu seu cartão-postal.

Quero olhar para trás. Tenho a sensação de que ele está ali, mas fecho os olhos com força, porque não acho que vou suportar me virar e descobrir que a praia continua vazia. Mas eu me lembro de que o cartão é real e tangível em minha mão; obrigo-me a sentar e olhar por cima do ombro.

Bennett Cooper está sentado na areia alguns metros longe de mim, e eu olho para ele, para o cabelo despenteado, a camiseta de banda, o jeans, os chinelos de borracha. Olho para ele com os lábios comprimidos, balançando a cabeça devagar. Isso não pode estar acontecendo.

– Oi.

Sinto as lágrimas escorrerem por meu rosto e acho que falo "oi", mas não importa, porque em segundos ele está do meu lado, e posso sentir os dedos em minha nuca. Os beijos dele se espalham por todos os lugares, em meu rosto molhado, nas pálpebras e no pescoço, por fim na boca, e nos abraçamos sem deixar nenhum espaço entre nós.

– Senti tanta saudade – murmura ele em meu cabelo, e quero responder que eu também senti, mas não consigo.

Bennett toca meu rosto com o polegar, seca minhas lágrimas, e afinal encontro as palavras.

– Você está aqui de verdade – digo.

Ele assente e me beija outra vez.

– Sim – responde. – Estou aqui de verdade.

Não consigo parar de sorrir para ele.

– Não pensei que voltaria a ver... – Minha voz fica presa na garganta, mas não preciso terminar a frase. Ele está aqui, e só quero lembrar como era não duvidar disso. Enterro o rosto em seu pescoço, quente do sol e salgado por causa do suor, e fico ali por um momento, apenas respirando. – Senti saudade.

– Desta vez falo em voz alta, e quando minhas mãos encontram o cabelo dele outra vez, deixo os dedos se perderem nas mechas. Recuo para olhar para aquele rosto. Ele está lindo, bronzeado e tão... aqui.

Bennett se deita ao meu lado, nós nos apoiamos sobre os cotovelos olhando um para o outro, e de repente sinto que estamos de novo em Ko Tao, deitados na praia, querendo nos beijar, sem saber o que fazer com as mãos. Mas dessa vez nós dois sabemos exatamente o que fazer com elas: minha mão toca sem nenhuma hesitação a porção de pele exposta entre a camiseta e a calça jeans, aperto sua cintura sentindo a curva do início do quadril sob meus dedos. Fico aliviada quando os braços dele me apertam, porque ainda não consigo me aproximar o suficiente para acreditar que isso está realmente acontecendo. Enfim nos afastamos só um pouco, e deslizo os dedos pela franja escura e despenteada, deixando-os ali enquanto olho aquele rosto iluminado pelo sol da manhã, mas radiando uma luminosidade inteiramente diferente.

– Parece surpresa por me ver – comenta ele.

Rio baixinho.

– Como pode estar aqui?

– Eu disse que ia voltar sempre, até você enjoar de mim. – Os cantos de sua boca se erguem num meio sorriso. – O que é? Não acreditou em mim?

– Não. – Balanço a cabeça. – Não sabia em que acreditar.
– Ainda não sei. Mas, neste momento, só quero saber que ele não vai desaparecer a qualquer momento. Apoio minha testa à dele. – Voltou para ficar?

– Sim – responde ele com os olhos brilhando. – Voltei.

– Como sabe que não vai...

Bennett olha para mim e fica sério.

– Estive aqui ontem. – Os olhos dele se movem para uma área atrás de nós, para as árvores além da praia, e eu sigo seu olhar. – Queria ter certeza de que tinha mesmo recuperado o controle antes de... – Sua voz fraqueja e ouço um suspiro pesado. – Foi difícil ficar afastado, mas... estava olhando para você, e por um segundo pensei se não seria melhor se... não sei... Você parecia tão feliz!

– E estava. Mas agora estou mais.

Ele sorri.

– Tem certeza?

– Sim, absoluta.

– La Paz, é?

– Onde mais? – Lembro as rotas dos planos de viagem que criamos, como as linhas se cruzavam em um único lugar. Toco a cintura dele de novo e traço pequenos círculos sobre a pele nua. – Conte tudo – peço. – Onde esteve? O que eu perdi?

Ele se aproxima e beija a ponta do meu nariz.

– Não perdeu muito. Passei o último mês e meio observando você.

– Esteve me observando? – Recuo para poder ver seu rosto.

– Você tinha razão. Naquela manhã de novembro, na pista de corrida... eu *estive* lá. Só não tinha acontecido ainda para mim. – Ele passa a mão por cima do meu ombro, pega uma pequena mecha de cabelo cacheado e a enrosca no dedo. – Desde aquela noite em que foi jogada de volta, fiquei preso em São Francisco. Tentei viajar, mas, qualquer que fosse a data escolhida, chegava sempre no mesmo lugar: segunda-feira, seis de março de 1995, seis e quarenta e quatro da manhã. Naquela maldita pista. Meu Deus, era como estar preso no filme *Feitiço do tempo*. Só conseguia ficar por um minuto, mais ou menos, antes de ser jogado de volta. Como aquele era o único lugar aonde conseguia ir, então eu ia para lá.

– Eu *sabia* que era você. – Sabia que não estava maluca.

Ele sorri e continua falando.

– Por alguma razão, algo mudou no início deste mês. Em vez de chegar à pista no dia seis de março, cheguei em um dia ensolarado de maio e você me *conhecia*. E, desde então, tudo foi voltando lentamente ao normal. Cada dia eu conseguia ir um pouco mais longe, ficar um pouco mais, mas ainda não conseguia voltar para você, em Evanston ou aqui, até ontem.

– E o que mudou?

– Não sei, mas aposto que *você* sabe. O que fez diferente?

Penso no início do mês e tudo volta à minha memória como uma onda. *Sabe que dia é hoje*, señorita *Greene? Primeiro de junho,* señor. Foi naquele dia que decidi que não passaria o verão em Evanston, que não me arrastaria pela cidade esperando Bennett voltar. O dia em que ouvi o conselho de *Anna* e comecei a trilhar outro caminho – aquele que eu queria percorrer.

– Decidi vir para cá – digo. – Você não voltava. Quando Argotta me falou sobre essa viagem, soube que precisava vir para cá.

– Sem mim. – Ele me encara com um sorriso triste, e eu assinto. Depois disso, ficamos quietos por um longo instante.

– Eu devia ter contado sobre a carta.

– Sim, devia. – Toco seu rosto, e quando os dedos dele encontram os meus, sorrio para mostrar que está perdoado. Bennett sorri de volta, mas consigo perceber que ele está pensando em outra coisa. Imagino se está desejando poder refazer as coisas, mas tenho a sensação de que ele voltou a respeitar as próprias regras e não vamos mudar nossa história tão cedo. – Então, *agora* eu sei tudo?

Ele ri e me encara.

– Sim, está completamente informada. Não faço a menor ideia do que acontece de agora em diante.

– Ótimo. – Olho para ele e penso que meu futuro de repente parece diferente outra vez. Vou sentir aquela contorção desconfortável no estômago e espetar alfinetes vermelhos no meu mapa, vou beijá-lo em vilarejos românticos e vamos beber *lattes* em cafeterias escondidas.

– Sabe o que precisa ver agora? – pergunta ele, e eu balanço a cabeça, sorrindo. – Paris.

Lembro como caminhamos pela trilha em Devil's Lake, Bennett todo animado para me ensinar a escalar uma rocha, e eu desejando estar em um café parisiense. Ele para, e um sorriso endiabrado ilumina seu rosto.

— Está com fome? Já tomou café da manhã?

— Café da manhã? — Rio e olho em volta, vendo a praia deserta. — Agora?

Ele quer me levar para tomar café. Em Paris. Agora. Olho para as roupas de corrida que secaram em meu corpo.

— Por que não? — Bennett fica em pé e estende a mão.

Penso em minhas roupas de novo, mas em poucos segundos decido que não me importo, porque, afinal, é *café da manhã em Paris*. Deixo que ele me ponha em pé.

Ficamos parados na praia, e seguro as mãos dele. Bennett sorri, e vejo o quanto ele já está animado para me mostrar algo novo.

— Pronta?

Começo a dizer que sim. Mas paro. Olho para a água, para as rochas e os penhascos, para as montanhas que servem como um cenário de fundo. E de repente não quero ir a Paris. Não quero estar em nenhum lugar que não seja aqui. Solto uma das mãos dele, rompendo a ligação que nos permite viajar como me acostumei a fazer, abraço-o e me recosto em seu peito.

— Está vendo aquele guarda-sol amarelo? — Aponto para o outro lado da praia e estudo o rosto de Bennett.

Ele estreita os olhos para enxergar o objeto distante.

— Sim. — E olha para mim com um sorriso intrigado.

— Aquele lugar tem o *melhor* café mexicano da cidade.

O sorriso de Bennett se torna mais suave quando ele compreende o que digo.

— É mesmo?

Assinto como se fosse especialista nas coisas de La Paz. E sou. Pelo menos se comparada à minha atual companhia.

— É.

Bennett segura meu rosto e me beija como se não houvesse no mundo um lugar melhor para estar agora.

Entrelaço os dedos nos dele. Em seguida me abaixo, pego o cartão-postal de São Francisco da areia e o sacudo no ar.

— Vamos — falo, e começamos a andar em direção ao guarda-sol. — Minha vez de pagar.

Ele me empurra com o quadril. Empurro-o de volta. E andamos pela praia rumo a algo que ele nunca viu antes.

agradecimentos

Muitas pessoas influenciaram esta história de amor, amizade e família; fui abençoada com essas três coisas em abundância.

Meu marido, Michael, é o amor da minha vida e um parceiro no mais verdadeiro sentido da palavra. Se eu pudesse voltar a 1995, escolheria você mais uma vez.

Meu filho, Aidan, e minha filha, Lauren, tiveram que dividir meu tempo e minha atenção com um bando de pessoas imaginárias para que este livro pudesse acontecer, e tudo que pediram em troca foi uma "história inventada" para eles mesmos na hora de dormir. Sou muito grata pelo amor e pelo apoio incondicional dos dois. Espero que os tenha deixado tão orgulhosos quanto eles *sempre* me deixaram.

Em essência, esta é uma história sobre escolher o tipo de vida que você quer ter e persegui-la com tenacidade. Meu pai, Bill Ireland, me ensinou isso, e lhe sou muito grata. Sinto a mesma gratidão por minha mãe, Susan Cline, que me ama exatamente como eu sou – sempre amou. Nem toda mãe responderia ao comentário "Adivinhe! Estou escrevendo um livro" com "Bem, já estava na hora". Todo filho merece ter fãs como esses dois.

Minha família é grande, maravilhosa e me apoia em tudo. Minha gratidão especial para: meus irmãos, Ben e Jeff Ireland; David e Kristen Stone; Randy, Sharon, Brandon e Sonja Cook; Karen Clarke; e Joanna, Eric e Kristina Ireland. Sou especialmente agradecida a Jim e Becky Stone pelo constante amor e apoio, e por serem tão entusiasmados por este projeto; e obrigada a minha avó, Edith Ireland, que devia estar aqui para ver tudo isso.

No início, não percebi quanto eu precisava contar uma história sobre encontrar um lar com uma família que não é a sua. Serei eternamente grata aos DeLong, que, quando precisei, me deram um mundo que não existia no mapa.

Ainda estou emocionada com todo o apoio que recebi de meus amigos, e amo todos eles mais do que imaginam. Meus primeiros leitores, Heidi Temkin, Stacy Peña, Molly Davis, Sonia Painter, Elle Cosimano e Spencer Davis, foram especialmente generosos com seu tempo e muito bondosos com suas dicas. E sou muito grata às minhas parceiras comerciais, Molly e Stacy, que me apoiaram por completo nessa nova empreitada e nunca sequer questionaram se deviam ou não me apoiar. Elas são o melhor tipo de amiga que existe.

Há três garotas extraordinárias gravadas nestas páginas: Hosanna e Sophie Fuller, minhas espertas, atléticas e sofisticadas heroínas da vida real; e Claire Peña, uma leitora exigente e esclarecida cujo amor pelas histórias e personagens me inspirou a escrever para jovens. Um agradecimento especial à Hosanna por seus amáveis planos de viagem no tempo e pela música, e por me deixar encher seus ouvidos com as duas coisas quando ela devia ter coisas melhores para fazer.

Um grande obrigada para: DJ Stacy, pela orientação sobre todas as coisas relacionadas à rádio universitária; Anita Van Tongerloo, pelas aulas de espanhol; Kate Wolffe, pelas dicas de *cross-country*; Mark Holmstrom, pela ajuda com a técnica de escalada; dr. Mike, pelas consultas médicas; e Pearl Jam e Phish, por me deixarem usar suas lindas letras.

Não tenho palavras suficientes para agradecer às duas mulheres notáveis que deram vida a este livro: Caryn Wiseman e Lisa Yoskowitz.

Minha agente, Caryn Wiseman, acreditou nesta história – e em mim – desde o primeiro aperto de mão-abraço que trocamos, e ela nunca me deixa esquecer isso. Sou especialmente grata por sua orientação editorial no início, que abriu portas que eu não havia considerado e conduziu meus personagens em uma nova e linda direção. Muito obrigada à equipe de Caryn, Taryn Fagerness e Michelle Weiner, que me representam com tanta paixão e dedicação, e a todos na Andrea Brown Literary Agency, por todo apoio.

Sou simplesmente fascinada por minha editora, Lisa Yoskowitz, cujas sugestões e ideias aprimoraram muito este livro, e cuja paciência e expectativa elevada me tornaram uma escritora muito melhor. Ela *entendeu* completamente esta história desde o primeiro dia, fez todas as perguntas difíceis e me orientou em cada curva do caminho. Lisa e toda a equipe da Disney-Hyperion adotaram Anna e Bennett tão depressa e com tanto entusiasmo, que eu sabia que havia encontrado a casa certa. Minha gratidão especial a Tori Kosara, por ter me dado retorno sobre cada rascunho, e a Whitney Manger, por seu belo design de capa.

Este livro foi impresso na Gráfica JPA Ltda.
Rio de Janeiro – RJ.